Littérature d'Amérique

L'Homme-café

François Désalliers
L'Homme-café
roman

QUÉBEC AMÉRIQUE

Données de catalogage avant publication (Canada)

Désalliers, François
L'Homme-café
(Littérature d'Amérique)
ISBN 2-7644-0357-7
I. Titre. II. Collection : Collection Littérature d'Amérique.
PS8557.E678H65 2004   C843'.54   C2004-940772-4
PS9557.E678H64 2004

L'auteur remercie le Conseil des arts et des lettres du Québec pour la
bourse qu'il lui a accordée.

     Conseil des Arts   Canada Council
                         du Canada   for the Arts

Nous reconnaissons l'aide financière du gouvernement du Canada
par l'entremise du Programme d'aide au développement de l'industrie
de l'édition (PADIÉ) pour nos activités d'édition.

Gouvernement du Québec – Programme de crédit d'impôt pour
l'édition de livres – Gestion SODEC.

Les Éditions Québec Amérique bénéficient du programme de subvention
globale du Conseil des Arts du Canada. Elles tiennent également à
remercier la SODEC pour son appui financier.

Québec Amérique
329, rue de la Commune Ouest, 3ᵉ étage
Montréal (Québec) Canada H2Y 2E1
Téléphone : (514) 499-3000, télécopieur : (514) 499-3010

Dépôt légal : 3ᵉ trimestre 2004
Bibliothèque nationale du Québec
Bibliothèque nationale du Canada

Mise en pages : Andréa Joseph [PageXpress]
Révision linguistique : Diane Martin

À Brigitte

1

Par une chaude journée d'été, Jean-Marie Lalonde s'extirpa lourdement de son véhicule et il se dirigea d'un pas chancelant vers le Café Mollo. C'était peut-être à cause de l'éclat du soleil qui se répercutait sur le verre des portes de chêne, mais il avait conservé ses verres fumés. Il tira sur la poignée de la porte. Entra dans le vestibule. Ne prêta pas attention au présentoir à journaux ni au téléphone Bell installé sur le mur de briques rouges. Il se rendit immédiatement au comptoir qui était composé d'un long réfrigérateur blanc Coldstream. Quelques clients consultaient le menu, attendaient qu'on les serve. Jean-Marie se plaça à la file. Et il poussa un long soupir. Le patron, Luigi Alzaco, qui faisait mousser du lait dans un pichet en aluminium, lui jeta un regard par-dessus ses demi-lunes.

Jean-Marie était vêtu d'un complet noir et d'une cravate jaune. Sa chemise blanche était impeccable. Il retira ses lunettes, les rangea dans la poche gauche de son veston. Un geste mécanique qu'il exécutait sans s'en rendre compte. Devant lui on progressait. Laura Lamer, une jeune fille de vingt-quatre ans aux cheveux noirs comme du jais, lui demanda ce qu'il voulait.

— Un café.

C'était sorti tout seul. Un automatisme. Presque un geste de défense. Quel genre de café? lui demanda-t-on. Espresso? Cappuccino? Filtre?

Jean-Marie buvait ses cafés dans un gobelet en styromousse, au magasin, et il ne s'était jamais posé ce genre de questions. Pour lui, un café était un café, rien de plus. Pas besoin d'étudier la chose, de prendre des risques, de changer ses habitudes. Oui, il savait que ça existait, qu'il y avait des machines qui faisaient traverser la mouture par de l'air sous pression et que c'était la technique de l'espresso qui permettait au café de dégager le maximum de sa saveur et de son corps, tout en l'empêchant de communiquer son amertume, mais il n'avait jamais essayé. À quoi bon? Ce qu'on ne sait pas ne nous fait pas mal.

Pourtant, il s'entendit déclarer:

— Un espresso.

Un employé qu'il n'avait pas remarqué, Gustave Paulig, un Finlandais de vingt-trois ans au visage de lune, s'activa alors derrière la machine à café, une Astoria, vieux modèle, de cuivre et de laiton. Il empoigna la *gruppa* et tassa la mouture dans le filtre. Les clients avançaient à petits pas vers la caisse. Tony Alzaco, le fils du patron, remplissait les plateaux: sandwichs, gâteaux, cafés, thés, boissons gazeuses, cappuccinos. Laura Lamer prenait l'argent, rendait la monnaie. Un peu plus loin, comme en retrait, Magdalena Alinéa, une blonde aux cheveux bouclés, très jolie, pesait un sac de grains de café, un mélange maison: quatre cents grammes de tanzanien et de brésilien noirs, cent grammes de kenyan brun, pour un habitué. Les mouvements de chacun étaient en harmonie comme dans un ballet longuement répété. Jean-Marie était engourdi.

Il semblait hypnotisé. Puis, tout à coup, il se retrouva face à face avec la caisse enregistreuse.

— Deux dollars, lui dit Laura.

Jean-Marie sortit son portefeuille en considérant tout penaud la tasse minuscule dans la soucoupe lilliputienne qui semblait perdue au centre du plateau bourgogne comme un naufragé au milieu de l'océan. En fait, il n'en revenait pas, à telle enseigne que Laura se sentit obligée de lui demander:

— Voulez-vous un *biscotti*?

— Ça va aller, lui répondit Jean-Marie durement en empoignant la vaisselle jouet et en manquant de faire choir la cuillère de bébé en argent.

— Suivant! gueula Luigi.

En tremblotant, Jean-Marie se faufila entre les tables rondes de marbre gris.

La musique était assourdissante. Zucchero, peut-être, il ne savait trop. *Senza una donna.* Il aimait bien. Ça fumait. Ça parlait. Il repéra une table isolée dans un coin. Il s'y dirigea. Déposa son café microscopique sur la table. La contourna, puis, sans prêter attention à la circulation autour de lui ni aux consommateurs aux tables voisines, il s'assit dans le fauteuil aux bras d'acajou. Une bergère, pensa-t-il machinalement. Il regarda sur la table bistrot son café chaud qui l'attendait. Un espresso, se dit-il pour lui-même. Tiens donc. Il saisit l'anse de la tasse de porcelaine tendre du bout des doigts. Il tint la chose entre le pouce et l'index et la porta à ses lèvres. Hum. Le goût était suave. La *crema* onctueuse. Deux gorgées. C'était terminé. Il essaierait de faire mieux la prochaine fois. C'est-à-dire de le déguster plus longtemps. Pour l'instant, il était encore tendu. Son dos ne reposait pas au fond du fauteuil. Il regarda autour de lui, un peu hagard. C'est à ce moment que se produisit l'événement. En soi, cela n'avait rien de bien extraordinaire. Mais plus tard, bien plus tard, on échafauderait toutes sortes de théories pour tenter d'expliquer la relation qui pouvait exister entre cet événement mineur et les répercussions phénoménales qui en étaient résultées. Mais, pour l'instant, nous n'en sommes pas encore là. Ce qui se passa, c'est que le grand réfrigérateur blanc Coldstream qui se trouvait juste à côté de Jean-Marie commença à montrer des signes de fatigue. Voire d'épuisement. La lumière à l'intérieur du meuble clignota puis elle s'éteignit. Ensuite, il y eut un long bourdonnement lugubre dans les entrailles de l'appareil. Ce grondement s'intensifia d'une façon alarmante puis, d'un coup sec, tout s'arrêta. Le cœur cessa de battre. Il rendit l'âme.

Difficile de préciser l'effet que cela produisit sur Jean-Marie. Ce qui est sûr, c'est qu'il venait d'assister aux derniers moments du monstre blanc, en direct et sans intermédiaire. Les yeux rivés sur le métal et le chrome, extatique, tétanisé, il ne bougeait plus. Il n'avait plus aucune réaction. Puis, comme s'il sortait d'un rêve, émergeait des limbes de la folie et de la violence, il regarda autour de lui.

Personne ne s'était aperçu de son *absence*. Personne ne s'était aperçu de rien. Tout était en ordre. Il chercha des repères. On mangeait autour de lui. On fumait. On parlait. Il regarda sa montre. Dix-huit heures trente. Bien sûr. C'était l'heure du souper, comme on dit en Amérique du Nord. Donc, personne ne s'était aperçu de rien. Le patron et ses employés vaquaient à leurs occupations comme si de rien n'était. La caisse fonctionnait. L'ampoule halogène dans son globe de verre orange suspendu au-dessus de sa table n'avait rien perdu de son intensité. Dans le bistrot en général, rien n'avait changé. On entendait encore bramer et siffler les machines à café. Non, rien n'avait changé, et pourtant Jean-Marie baissa les bras. Il les déposa sur la table. Déplia ses jambes. Ses souliers de cuir fin glissèrent sur le plancher de bois verni. Il se pencha. Ses doigts sur la table s'écartèrent, s'écrasèrent sur le marbre gris. Il n'y avait plus rien. Il était seul. Isolé. En lui-même, pourrait-on dire. Et on le dira. On le dira.

Engourdi par la musique, par les va-et-vient des clients, le bruit des conversations, la fumée des cigarettes et de quelques cigares fins, il était bien. L'odeur de café, le parfum des femmes, tout cela le ravissait, l'enchantait. À sa gauche, il entendait une femme raconter ses malheurs. Elle parlait de sa mère. Il fallut un certain temps à Jean-Marie avant qu'il comprenne qu'elle souffrait d'une déficience intellectuelle.

— Elle veut me laisser, disait-elle. Elle me fait des menaces. C'est pour ça que je veux la tuer. La tuer, c'est une façon de parler. Je me contenterais de l'assommer. Elle le mérite bien. Me faire des menaces pareilles! Qu'est-ce que je deviendrais, moi? si elle me laissait?

La femme écrasa son mégot dans le cendrier. Prit un ton suppliant.

— Qu'est-ce que je deviendrais?

L'autre femme, plutôt boulotte, tenta de la rassurer.

— Elle était peut-être fatiguée.

La déficiente, une femme maigre aux yeux cernés, poursuivit:

— Elle ne m'a jamais aimée. Jamais. Je me souviens, quand j'étais petite, elle ne voulait pas de moi. Elle me repoussait. Quand je m'approchais d'elle, elle me disait: «Va-t'en! Décolle-toi de moi!» Jamais un mot gentil. Jamais un regard tendre. Jamais une caresse. Jamais.

Jean-Marie essaya de se soustraire à la conversation, au flot de paroles de cette femme. Il en était incapable. La boulotte, comme une bouillotte, reprit plus bas :

— Oui, oui...

— Jamais. Je me souviens, quand j'étais dans son ventre, elle voulait m'abandonner. Elle ne voulait pas de moi. J'étais de trop. Je le sentais.

Jean-Marie n'arrivait pas à s'arracher à cette femme. Au regard de cette femme. À ses mains qui manipulaient le carton d'allumettes, puis la cigarette qu'elle allumait, puis l'allumette qu'elle jetait dans le cendrier. Maintenant elle changeait de sujet. Elle parlait d'un reportage qu'elle avait vu à la télévision où il était question de fous qu'on enchaînait à des arbres morts.

— Oui, c'était en Afrique, disait-elle. On les enchaînait et on les laissait là pendant des années. Ils étaient mis à l'écart, tu comprends ? On voulait s'en débarrasser. On voulait les oublier. Les rayer de la mémoire.

Jean-Marie pensa que pour une déficiente intellectuelle elle se débrouillait pas mal. Elle s'exprimait correctement. Elle avait de la suite dans les idées. Mais c'était bien une femme malade. Névrosée. Diminuée intellectuellement. À moins que ce ne soit les émotions qui fussent en cause. Ne disait-elle pas :

— Quand j'étais à Saint-Jean-de-Dieu, on nous enfermait aussi. On nous donnait notre ration de médicaments. Nos pilules. Puis on nous enfermait. Partout. Sur toute la terre. Sur toute l'étendue de la terre on enferme les fous ! On les enferme !

— Oui, dit la bouillotte.

Et puis la névrosée revint à sa mère. On revient toujours à sa mère. Est-ce que c'est Jean-Marie qui pensait cela ? Vers quoi tendaient ses pensées à ce moment-là ? Tentait-il toujours de s'extirper de la conversation de la table voisine? Ne commençait-il pas plutôt à s'apaiser? à ne rien faire d'autre qu'écouter sans penser à rien? Ni à son retour à la maison, ni à son travail, ni à rien de rien? Et puis, tout à coup, voilà qu'elle pleurait, cette femme à la table voisine. Elle s'essuyait les yeux. Une longue habitude, pensa Jean-Marie. Plutôt que de se prendre en main... Puis il ne pensa plus à rien.

— Elle va amener son chien chez le vétérinaire. Elle va le faire tondre. Ils vont lui couper les ongles. Lui brosser les dents.

Voilà. C'était terminé. Elle écrasa son mégot. Ramassa son paquet de cigarettes. Les deux femmes s'éloignèrent entre les tables. Jean-Marie jeta un coup d'œil sur sa montre-bracelet, une Rolex. Vingt heures. Il n'avait pas vu le temps passer. Tout tournait au ralenti dans sa tête, comme si les connexions ne se faisaient pas ou se faisaient mal. Comme s'il y avait quelque chose à l'intérieur de sa tête qui accrochait. Il avait la gorge sèche. Un nœud dans l'estomac. Sans savoir pourquoi. Il avait faim sans doute. Ce devait être ça. Il se leva. Et, plutôt que de se diriger vers la porte de sortie, ce qu'il aurait dû faire, il prit la direction du comptoir.

Dans le ventre du grand réfrigérateur blanc, éteint, reposaient des *wraps*, des sandwichs, des gâteaux, des tartes. Jean-Marie, debout, les mains dans les poches, observait la nourriture d'un air interdit. Il se faisait bousculer. Ne s'en rendait pas compte. Contempla son visage dans le verre arrondi de l'appareil. Joua avec ses clés. Sa menue monnaie. Il savait qu'il devait rentrer chez lui. Il le savait.

— Je peux vous aider?

Des boucles blondes sautillaient au-dessus du comptoir. Magdalena lui sourit. Jean-Marie lui rendit son sourire. Puis, après un moment pendant lequel la jeune fille dansa sur place, Jean-Marie désigna un sandwich dans la pénombre de la vitrine.

— Donnez-moi ça, dit-il.

Magdalena remarqua qu'il n'y avait plus de courant dans l'appareil et elle chercha Luigi Alzaco du regard, mais il n'était pas là. Il était allé donner des consignes à la cuisine. Gustave Paulig lui demanda du regard ce qui n'allait pas. Rien, lui dit-elle dans sa tête en haussant les épaules. Ce n'est pas grave. Ce n'est pas important. Elle en parlerait tout à l'heure à Luigi quand il reviendrait de la cuisine. Elle plaça le sandwich sur un plateau et le fit glisser jusqu'à Laura Lamer qui n'avait pas quitté son poste à la caisse.

— Un café avec ça? demanda Magdalena.

— Un espresso. Double.

C'est Méo DeLille, un Français, qui prépara sa boisson. Quand Jean-Marie voulut regagner sa place, il s'aperçut qu'elle était occupée par un couple engagé dans une conversation animée. Il chercha une autre table, un autre îlot de solitude, et découvrit ce qu'il voulait du côté des non-fumeurs, derrière un énorme rhododendron planté dans un bac de grès. Aussitôt installé, il se fit apostropher par un client qui pestait contre ces empoisonneurs qui lui gâchaient la vie.

— Pas de danger qu'ils penseraient à nous autres, dit-il en montrant un groupe de fumeurs réfugié dans la section voisine.

Des volutes de fumée grise montaient en effet de leur table et se répandaient dans le café, passaient par-dessus le rhododendron et venaient les rejoindre un peu, forcément. Comme pour donner plus de poids à ce qu'il disait, le client chassa de la main un nuage imaginaire.

Quant à Jean-Marie, il n'avait pas saisi les propos de son compagnon de table. Distrait par un échange de signes ou de gestes, mais surtout des expressions curieuses, pathétiques, drôles. Il comprit qu'il s'agissait d'un groupe de danseurs et de chorégraphes.

— *It is hard for many people to accept that dancing has nothing in common with music other than the element of time and division of time.*

Quand il revint à son assiette, il s'aperçut qu'il avait englouti son repas et qu'il avait vidé sa tasse sans goûter à son élixir. Il n'était pas déçu. En fait, il ne s'était jamais senti aussi bien de toute sa vie. Par curiosité, il consulta sa Rolex. Vingt et une heures trente.

Cette fois, il s'écrasa dans son fauteuil en rayonne et, ma foi, il rayonna. Il se prit même à faire de très mauvais jeux de mots. Il s'en foutait complètement à vrai dire. Voyons. Comment expliquer sa transformation? Disons que tous ses muscles lâchèrent les uns après les autres. Disons que ses vertèbres, sa colonne vertébrale, ses articulations, disons que tout cela céda peu à peu, se liquéfia, se distendit. Il était si bien enfoncé dans son fauteuil que sa cravate semblait faire partie du tissu imprimé.

Et puis le temps passa. Le soleil se coucha à l'horizon derrière les grands cyprès de l'autre côté du boulevard. Il ne restait plus qu'une faible lueur dans le ciel.

Jean-Marie observa, incrédule, les couleurs se dégrader. Il ne savait plus très bien où il était. Il ne savait plus très bien ce qu'il faisait là. Des voitures s'éloignaient, d'autres se rapprochaient. Les portes du café s'ouvraient et se refermaient, laissant entrer l'air du soir. Jean-Marie était bien. Si bien qu'il désirait ne plus sortir. Ne plus sortir jamais.

Est-ce donc avec cette pensée en tête qu'il se dirigea vers les toilettes? Nul, sans doute, ne le saura jamais. Il s'installa devant l'urinoir. Puis il se lava les mains. Il était perdu dans ses pensées quand, tout à coup, on coupa la musique. Cela lui donna des frissons dans le dos. Ils fermaient! Pourtant, il prit le temps d'actionner le mécanisme du sèche-mains électrique. Il frotta ses mains l'une contre l'autre comme il était indiqué sur l'appareil. Puis, quand elles furent tout à fait sèches, que ses moindres poils furent asséchés, il remarqua qu'il était seul dans la pièce. Et c'est alors qu'il fit cette chose invraisemblable: il se rendit dans la cabine. Il abaissa le couvercle de la cuvette et grimpa dessus. Accroupi, il entoura ses jambes de ses bras et il les tint fermement. Il avait conscience du ridicule de la situation, mais force est d'admettre que c'était plus fort que lui. Il avait agi sans réfléchir, poussé par une force inconnue. Maladie mentale, il ne savait pas trop. Personne ne savait. On se perd toujours en conjectures. Enfin, il attendit que le temps passe. De temps à autre, il entendait le bruit des conversations qui lui provenaient comme d'un autre monde.

Pendant ce temps, les derniers clients s'étaient éclipsés. Laura nettoyait les tables, vidait les cendriers; Magdalena passait dans le couloir menant à la cuisine avec un gâteau au chocolat; Méo et Gustave plaçaient les chaises sur les tables; Tony vidait les cafetières, jetait le marc de café et plaçait les instruments de la machine dans le lave-vaisselle. Tout cela se faisait rapidement. Mécaniquement. Jean-Marie n'avait pas bougé. Il savait bien qu'on pouvait venir dans la pièce. C'est pour cette raison qu'il était juché sur son trône comme un corbeau sur sa branche. Si on jetait un coup d'œil dans la pièce, un coup d'œil rapide, on ne verrait pas ses pieds. Est-ce que Jean-Marie avait calculé tout cela? Avait-il pensé à tout cela? à toutes ces possibilités? En avait-il seulement conscience? Difficile à dire. Il était juché sur le couvercle des vécés et il attendait.

Il n'eut pas à attendre longtemps avant d'affronter ce qu'il craignait. En effet, il entendit Gustave passer le balai dans le couloir. Sous peu, l'employé allait venir balayer le plancher des cabinets. Jean-Marie commença à transpirer. Sa chemise blanche lui colla à la peau. Pour se donner un peu d'air, il desserra le nœud de sa cravate et il détacha le premier bouton de sa chemise. Les coups de balai se rapprochaient des toilettes. Jean-Marie percevait les petits coups secs du balai percutant les plinthes de bois verni. Puis, brusquement, la porte fut poussée contre le mur et Gustave fit quelques pas à l'intérieur de la pièce. Jean-Marie retint sa respiration. De grosses gouttes de sueur perlaient de son front et dégoulinaient le long de ses tempes. Il pestait contre lui-même, se traitait de tous les noms, se maudissait pour son imbécillité, mais cela ne changeait rien à la situation. Pourvu qu'il ne pense pas à balayer dans la cabine! se dit-il. Il se surprit à prier. Cela pouvait-il changer quelque chose? avoir une influence quelconque sur la situation? sur le comportement de Gustave? sur ce qu'il ferait ou ne ferait pas? Ce qui est sûr, c'est que Jean-Marie avait peur.

Mais Gustave ne balaya pas la cabine. Il se contenta de jeter un coup d'œil sous la porte. Puis, comme il n'y avait pas de poussière accumulée dans quelque coin, il éteignit la lumière et rebroussa chemin. La porte se referma lentement, plongeant peu à peu la pièce dans la pénombre, puis dans l'obscurité. Jean-Marie poussa un soupir, puis il sursauta. Dans le couloir, il entendit Luigi gueuler à tue-tête :

— C'est à qui la BMW dans le stationnement?

Personne ne le savait. Luigi était perplexe. Il jura contre ces cons qui laissaient leur voiture dans le terrain de stationnement de son commerce. Il menaça d'appeler une compagnie de remorquage si elle était encore là le lendemain matin. Il était passé si près des toilettes que Jean-Marie avait cru qu'il s'adressait à lui. Son cœur avait fait un bond dans sa poitrine et, depuis ce moment, il ne cessait de donner des coups profonds et continus. Luigi s'éloigna. Jean-Marie l'entendit encore parler dans le café, mais il était plus loin. Ses mots étaient assourdis. Les employés quittèrent le café les uns après les autres.

— Oublie pas les ordures, dit Luigi.

Tony retira le sac vert de la poubelle et il l'attacha. Ensuite, il ouvrit la porte arrière du café et il déposa le sac contre le mur de briques. Luigi s'assura d'avoir l'argent dans son sac. Il vérifia que le tiroir de la caisse était ouvert. Puis il brancha le système d'alarme. Il avait trente secondes pour sortir. Tony était déjà dehors et il le rejoignit. Les deux hommes contournèrent la bâtisse et ils se rendirent dans le stationnement. Ils s'approchèrent de la voiture de Jean-Marie et jetèrent un coup d'œil à l'intérieur.

— 825 i, dit Tony, un peu en retrait.

Luigi essaya d'ouvrir la portière qui était verrouillée.

— Quel con! dit-il.

Puis il s'éloigna vers sa propre voiture. Tony fit de même et ils se saluèrent avant de s'en aller. Ils disparurent, engloutis par les voitures qui s'attardaient encore sur le boulevard dans cette nuit très claire de juillet.

2

Jean-Marie était en position fœtale dans le noir de la cabine. On n'entendait que le chuintement de ses semelles de cuir sur le couvercle de plastique. Combien de temps restat-il dans cette position sans bouger le moindre muscle ? Une demi-heure ? Une heure ? Il avait conscience du ridicule de la situation. Mais pour quelle raison il avait agi ainsi, il n'en avait pas la moindre idée. C'est peut-être pour cela qu'il ne bougeait pas ; il essayait de comprendre. Mais qu'y avait-il à comprendre ? On aurait dit qu'une force inconnue, mystérieuse, l'avait obligé à se conduire de la sorte.

Jean-Marie réfléchissait. Il s'était regardé dans le miroir et il avait pris sa décision. Qu'avait-il vu ? Il essayait de revoir son expression. Il avait beau chercher, il ne trouvait pas.

Il entendait les battements de son cœur et la trotteuse de sa montre-bracelet. Les battements semblaient se répondre. Il desserra son étreinte. Cela lui permit de jeter un coup d'œil sur les aiguilles phosphorescentes qui brillaient dans le noir. Petite lueur bleuâtre. Minuit quarante. Minuit quarante ! Qu'est-ce qu'il faisait là ?

Comme un oiseau de proie, il déplia son corps. Ses articulations craquèrent les unes après les autres. Il se retrouva en position verticale. Puis il descendit de son perchoir en faisant attention de ne pas se casser la gueule. En touchant la paroi de métal de la cabine, il se dirigea vers la porte. Il avançait à tâtons quand il buta dessus. Il tira sur la poignée. Il s'attendait à y voir plus clair, mais certainement pas à cette luminosité. Pourtant, il ne semblait pas y avoir quoi que ce fût d'allumé. Du côté droit, au fond du couloir, la porte à battants menant à la cuisine. Au-dessus de la porte, il n'y avait aucun détecteur de mouvement. Ils devaient utiliser un autre système. Il se dirigea vers la salle et comprit pourquoi tout était si clair. La lune, très haute dans le ciel, était pleine et ses reflets argentés pénétraient par les fenêtres, se répandaient sur les meubles et les objets. Le café semblait baigné dans l'irréalité.

C'est peut-être à cause de cette ambiance, à cause de la pleine lune, de la beauté mystérieuse de cette première nuit que tout est arrivé.

Jean-Marie s'était arrêté sur le seuil menant à la première grande salle. Les chaises renversées sur les tables dressaient leurs pattes de bois dans la lumière blafarde de la lune. Le long du mur du fond, il y avait un banc turquoise qui faisait toute la longueur. Derrière Jean-Marie, le réfrigérateur, éteint. Puis le comptoir d'acajou. Derrière, le grand tableau noir, les contenants de grains de café. À gauche, il y avait une autre salle, séparée par un autre meuble d'acajou: la section des fumeurs. Jean-Marie s'aperçut que l'odeur de tabac était encore présente. Il devait sentir le tabac lui aussi. Ses vêtements devaient empester.

Il y avait aussi l'odeur du café, mais plus discrète, plus subtile. En somme, bien qu'il ait agi d'une façon invraisemblable, il se sentait bien. Peut-être avait-il un peu chaud? C'est sans doute pour cette raison qu'il passa un doigt dans l'encolure de son col, qu'il se massa la nuque. Enfin, bien que ce fût un costume fait sur mesure, il dut se sentir à l'étroit. Il retira son veston et le laissa tomber à ses pieds. Un veston qui valait huit cents dollars. Il le regarda tomber à ses pieds. Et puis il se pencha. C'était sans doute pour le ramasser. Eh bien non. Il profita de sa position accroupie, il avait mis un genou par terre, pour détacher les lacets de ses souliers. Quatre cents dollars. Ils étaient bien cirés. Il pouvait même voir la lune s'y refléter. Il se déchaussa. Peut-être pour faire moins de bruit? À moins que ce ne fût pour mieux sentir le plancher? Jean-Marie ne pouvait répondre à aucune de ces questions. Depuis qu'il avait pris la décision de s'arrêter dans ce café, il avait agi d'une façon mécanique. Organique, pourrait-on dire.

Il s'avança vers les fenêtres et remarqua les bandes métalliques de détection à soixante-quinze millimètres du bord des châssis. De même, il remarqua que la porte d'entrée principale était munie d'un détecteur en circuit fermé composé de deux parties : un aimant fixé à la porte et un contact à lames monté sur l'huisserie. Il savait que ce contact était constitué de deux lames conductrices enfermées dans une ampoule sous vide : lorsque la porte est fermée, l'aimant est proche de l'ampoule et il maintient les deux lames en contact, laissant un courant de faible intensité circuler dans la boucle que forme le circuit. Quand on ouvre la porte, l'aimant s'éloigne, les lames se séparent, interrompant, de ce fait, le passage du courant, et l'alarme est déclenchée.

Mais Jean-Marie n'avait pas l'intention d'ouvrir la porte. Il se contenta de suivre du regard le conducteur provenant de la centrale de veille connecté à la borne du premier détecteur. La centrale était probablement dissimulée dans la cuisine, songea-t-il. En somme, tout était prévu pour une attaque venant de l'extérieur. Il ne sourit pas. Il se contenta d'observer, dans le parking, sa voiture, toute seule, sur l'asphalte, entre deux lignes jaunes. Objet de métal et de chrome. Objet inanimé. Objet. Jean-Marie sortit son trousseau de clés et, pour s'amuser, appuya sur un petit bouton rouge, ce qui déverrouilla les quatre portières. Puis il appuya sur un petit rectangle bleu, ce qui fit gronder le moteur. Il le laissa tourner un moment. Puis il l'arrêta. Verrouilla les portières. Voilà, pensat-il. Je suis arrivé chez moi. Cette fois il sourit. Mais tristement. Il était si triste. S'en rendait-il compte ? Il ne se voyait pas dans les vitres. Il ne voyait que la lune ronde, blanche, dans le ciel noir. Il ne voyait plus rien. Ne sentait plus rien.

Un autre moment d'*absence*. Deux heures du matin. Avait-il pensé à sa femme ? à sa famille ? Il aurait dû. Mais non. Après avoir joué avec ses clés, après avoir été hypnotisé par l'éclat de la lune ou par les étoiles, par la nuit, il se rendit en titubant vers le grand réfrigérateur blanc.

Il fit coulisser une porte de verre et choisit un croissant jambon fromage qu'il introduisit dans le four à micro-ondes. Le tableau de commande s'alluma. Luigi n'avait donc pas coupé l'électricité. Jean-Marie consulta le menu : quatre dollars cinquante. Il fouilla ses poches. Il avait le montant exact et le déposa sous le tiroir de la caisse. Ensuite il fit couler un jus d'orange dans un verre en carton. Il répéta le manège. Trente secondes plus tard, il était assis sur le plancher, surélevé à cet endroit, et, une assiette blanche en équilibre sur ses genoux, il mâchait.

Il se léchait les doigts quand il remarqua, devant lui, à sa hauteur pourrait-on dire, sous le comptoir, une chaîne stéréo ensevelie sous une montagne de disques compacts. Jean-Marie, sans s'en apercevoir, s'essuya les lèvres sur sa cravate et il s'approcha. Il alluma l'amplificateur et pigea dans le tas : *Night Train : The Oscar Peterson Trio*. Il aurait pu choisir pire. Il plaça le disque dans le lecteur, appuya sur la mise en marche, et tout de suite le train se mit en route. Jean-Marie sursauta. C'était beaucoup trop fort. Il baissa le volume, ce qui n'empêcha nullement Peterson, Brown et Thigpen de se déchaîner, si bien qu'après un moment Jean-Marie se risqua à augmenter le volume. Après tout, il était seul. Il écoutait la musique avec attention mais son corps, lui, trépignait. *C-Jam Blues, Georgia on My Mind, Bags' Groove.* Dès les premières notes de *Moten Swing* d'Eddie Durham, Jean-Marie se leva et, bien malgré lui, il se dirigea vers la piste de danse. En fait, il s'agissait d'un espace vidé des tables et des chaises qu'on avait repoussées vers le mur du fond, tout près du grand banc turquoise. Jean-Marie dansa comme il n'avait jamais dansé. Il profita du répit procuré par *Easy Does it* pour enlever sa cravate, qu'il accrocha à un pied de chaise, et sortir sa chemise de son pantalon. Juste à temps : *The Honeydripper.* Cette pièce enlevée de Joe Liggins le rendit presque fou.

Vue de l'extérieur, la scène avait de quoi surprendre. Un type de quarante ans, pantalon propre, déchaussé, chemise blanche qui volait dans la pénombre, se trémoussait, seul, dans un établissement fermé, à trois heures du matin. Mais, heureusement, à cette heure-là personne ne s'aventurait sur les trottoirs, et les voitures, plutôt rares à cette heure de la nuit, passaient à toute vitesse. Jean-Marie pouvait être tranquille. Et il l'était. Il se défoulait sans penser à rien, comme s'il voulait se vider de quelque chose, se débarrasser de quelque chose. Il faut dire qu'il y avait bien longtemps que Jean-Marie ne s'était pas éclaté de cette façon. Avait-il pété les plombs ? Pourrait-il récupérer ses membres mous après une pareille dislocation ? Il vibrait. Il sautait. Comme à vingt ans. C'était beau de voir ça. Mais c'était aussi, formidablement, inquiétant.

Après qu'il eut dansé pendant quelque temps sur le plancher de bois verni du café, la musique s'arrêta et il resta sur place, un peu surpris. La sueur avait trempé presque entièrement sa chemise. Il reprit son souffle et ses esprits. Ensuite il sembla se demander ce qu'il devait faire. Il se rendit dans le couloir. Il voulait probablement inspecter les lieux. Le silence était écrasant. Il s'approcha prudemment de la porte à battants de la cuisine et poussa sur l'un d'eux. La pièce était grande. Le long du mur du côté gauche, il y avait une longue étagère métallique où étaient entreposés les sacs de café torréfié. Ils étaient placés dans l'ordre alphabétique selon le pays d'origine : Brésil, Costa Rica, Colombie, etc. Sur le même mur, il y avait aussi un réfrigérateur sur pied, à la verticale. Et puis au fond, au nord, une porte donnait accès à l'extérieur. La porte des fournisseurs, pensa Jean-Marie. Sur le mur du côté droit, une autre porte. Jean-Marie l'ouvrit. C'était un genre de débarras encombré d'un amoncellement de boîtes en carton empilées, une pièce possédant une petite fenêtre tout au fond, mais complètement obstruée par les cartons. C'était poussiéreux et Jean-Marie songea qu'on ne devait pas y venir souvent. À droite, il y avait encore deux grands éviers en aluminium, un lave-vaisselle, et de grandes armoires contenant vaisselle et ustensiles divers. Jean-Marie regardait tout cela d'un œil morne. Il s'apprêtait à rebrousser chemin quand il remarqua à quelques pieds du mur sud, à côté de la porte à battants, des sacs de jute contenant probablement des grains verts, en provenance de Porto Rico. Un peu fatigué d'avoir dansé, Jean-Marie s'assit sur l'un d'eux. C'était assez confortable. Face au mur décrépit, il se mit à observer les formes, les visages, les scènes qui semblaient s'y former, qui se précisaient, même, de plus en plus. Cette expérience le fascina. Était-ce dû à la fatigue ? Il était plus de quatre heures du matin. Mais Jean-Marie crut apercevoir un groupe de jeunes filles nues qui dansaient dans un champ de fleurs. Les mouvements étaient gracieux. Il lui semblait même que le vent faisait bouger les herbes, faisait trembler la croûte très mince de la peinture séchée qui s'était décollée par endroits. Enfin, avant que disparaisse le soleil, Jean-Marie eut le temps d'apercevoir encore quelques mouvements. Puis, plus rien. Un mur de plâtre, bien ordinaire. Mais la vision devait rester dans sa mémoire, dans son souvenir. Et Jean-Marie songea, l'espace d'une seconde, que c'étaient de nouveaux souvenirs. Peut-être même une nouvelle vie qui s'offrait à lui. Cette pensée, en réalité, ne fit que lui traverser l'esprit à la vitesse de la lumière, mais elle devait pourtant le marquer dès ce moment-là, très profondément.

Toujours est-il qu'après un certain temps il ressentit le besoin de se lever et de retourner dans la salle. Probablement que sa cravate lui manquait, car c'est la première chose qu'il saisit. Il la passa autour de son cou, mais il n'avait pas la force de ramasser son veston ni de récupérer ses chaussures. Non. Au lieu de cela, il zigzagua entre les tables et s'écroula de tout son long sur la banquette de bois turquoise. Il était six heures du matin.

Le temps passa. Le soleil colora le ciel puis il surgit à la cime des arbres, de grandes épinettes rouges qui traçaient encore une ligne sombre à l'horizon. Jean-Marie sommeillait. Il ne s'apercevait pas qu'il y avait de plus en plus de voitures sur le boulevard. De plus en plus de conducteurs endormis qui bâillaient au volant en suivant la circulation. À l'intérieur des voitures, il devait y avoir des humoristes et des animateurs de tout poil qui tâchaient de les réveiller un peu, de les dérider, de les convaincre qu'il valait la peine d'exister. Jean-Marie se retournait sur le bois inconfortable. Il rêvait. Un rêve récurrent. Il était seul, nu, au milieu d'une foule. On l'observait. Rien d'original dans ce rêve. Il se retourna encore. Il était habitué à plus de confort. Que devait penser sa femme? Était-elle inquiète? Jean-Marie songea qu'elle avait dû s'endormir. Peut-être ne s'était-elle même pas aperçue de son absence. Il ne savait pas. Averti par une sorte de pressentiment, il ouvrit les yeux et, tout d'un coup, brusquement, se retrouva assis sur le banc. Bien lui en prit : à l'entrée du stationnement, du côté sud, les phares d'une voiture se mêlèrent à l'éclat du soleil. Jean-Marie eut tout juste le temps de jeter un coup d'œil sur sa montre : sept heures cinquante-cinq. Il se précipita entre les tables en bataille, chaussa ses souliers à la sauvette, revint prendre son veston, mais il dut mal calculer sa course, car au lieu de saisir le vêtement par le col, il écrasa les verres fumés qui étaient dans la poche de poitrine. Il jura puis recommença l'opération, cette fois avec plus de succès. En titubant, il s'éloigna de la salle au moment où Luigi, maussade, garait sa voiture à côté de la sienne. Enfermé dans le cagibi de la cuisine, caché par les boîtes de carton vides, Jean-Marie enfila son veston poussiéreux en se maudissant pour sa stupidité.

3

— Putain de bordel de merde! déclara Luigi Alzaco en garant sa voiture entre les deux lignes jaunes. Qu'est-ce que c'est que ce con? Il parlait du propriétaire de la BMW naturellement. Il s'extirpa de sa Golf cabriolet en soufflant, car il avait un léger excès de poids, enfin, une dizaine de livres de trop qu'il devait perdre depuis des années et qui s'était transformée peu à peu en une vingtaine. Bref, il claqua la portière rageusement, secoua la tête avec dépit et contourna le bâtiment. Au même moment, la jeep de Méo DeLille caracola dans le silence et vint se planter dans le stationnement à l'arrière du Café Mollo. Méo était un Français de vingt-sept ans à l'esprit sarcastique qui tombait parfois sur les nerfs de Luigi, mais il réussissait les espressos et les cappuccinos comme pas un et il n'était jamais en retard, lui. Luigi lui envoya la main distraitement et ouvrit la porte. Pendant qu'il composait le code sur le clavier, Méo mit pied à terre et resta quelques secondes à admirer l'engin noir et luisant. Puis, comme il lui sembla apercevoir une tache sur l'aileron arrière, il sortit un mouchoir blanc de sa poche et frotta doucement la tôle à l'endroit incriminé. La tache, qui s'avéra être une chiure de mouche, fut lentement mais sûrement nettoyée et le Français, satisfait, rangea son mouchoir dans la poche arrière de son pantalon. Comme pour le récompenser, le soleil se fraya un passage entre les feuilles du tremble et fit reluire l'engin. Méo admira sa jeep encore un coup et il rejoignit son patron.

Après avoir désarmé le système d'alarme, Luigi alluma les lumières et se rendit dans le vestibule déverrouiller la porte d'entrée principale. Il fit de même avec la porte qui donnait du côté sud. Méo entra sur ces entrefaites et il remarqua que le néon du grand réfrigérateur était éteint. Il s'approcha et se rendit compte que l'appareil ne fonctionnait plus. Soucieux, il interpella son patron.

— Monsieur Alzaco! Je crois qu'il y a un problème!

— Qu'est-ce qu'il y a? demanda ce dernier en plaçant l'argent dans le tiroir-caisse.

— Je crois qu'il y a un problème avec le frigo.

— Qu'est-ce qu'il y a? répéta Luigi en faisant craquer un rouleau de vingt-cinq sous sur le rebord de plastique.

— Ben, il est éteint, lui dit Méo.

Luigi, exaspéré, fit tomber les pièces dans leur case et referma le tiroir d'un coup sec.

— Putain! dit-il.

Il s'approcha du meuble et actionna le bouton rectangulaire de mise en marche à plusieurs reprises sans obtenir le moindre résultat.

— Ah! Ça commence bien cette journée de merde!

— D'après moi, c'est le compresseur qui a lâché, dit Méo. J'avais remarqué qu'il faisait un drôle de bruit depuis quelque temps.

Luigi s'énerva:

— Tu as préparé le café?

— Non…

— Qu'est-ce que tu attends?

Puis, comme Méo se dirigeait d'un pas de tortue vers le moulin à café:

— Fais-moi un espresso.

— À vos ordres, mon colonel!

Mais Luigi n'avait pas le cœur à rire. En levant les yeux, il aperçut la BMW et deux de ses employés qui s'amenaient en devisant joyeusement. Il s'agissait de Jacob Kaffeespezialgesellschaft, un Allemand, mais ses amis l'appelaient simplement Jacob; et Magdalena Alinéa, une Québécoise comme tout le monde, que nous avons déjà vue à l'œuvre. Jacob faisait partie d'un échange avec le Québec et cela lui avait permis de terminer ses études secondaires dans une école francophone de la région. Il avait décidé de rester encore quelque temps. Il travaillait au Café Mollo depuis six mois, ce qui lui avait donné l'occasion de faire un nombre considérable de gaffes, mais, comme il était joli garçon et d'un commerce agréable, tout le monde le protégeait, surtout les filles, et Luigi l'avait gardé. Il avait dix-huit ans, mesurait six pieds, possédait des cheveux blonds et des yeux bleus.

Cependant Luigi les apostropha à peine eurent-ils franchi le porche:

— Huit heures quinze! Vous êtes en retard. Faudrait penser arriver à l'heure, hein?

Un peu surpris de cet accueil brutal, les employés bredouillèrent quelques plates excuses et se mirent au travail.

Pendant ce temps, dans son cagibi, Jean-Marie se rongeait les ongles. Il était assis sur une caisse de bois, il avait les yeux pochés et la bouche pâteuse. De la fenêtre derrière lui parvenait une faible lueur jaune à travers la vitre cerclée d'un halo de brume. Il se frotta la joue et s'aperçut que les poils de sa barbe avaient poussé durant la nuit. Jean-Marie songea qu'il ne se raserait pas ce matin-là. Il se demanda même s'il se raserait encore un jour. Oui. Il en était là. Ses cheveux avaient tenu le coup. Pour autant qu'il pût en juger, il n'était pas décoiffé. Jean-Marie ne perdait pas ses cheveux et il n'en avait pas un seul blanc, ce dont il était très fier, et qui lui donnait une allure de jeunesse. C'était un homme plutôt grand, cinq pieds dix pouces, et bien bâti. Les femmes ne se retournaient pas sur son passage, mais il était bel homme. Et, ce qui ajoutait à son charme, il ne s'en rendait pas compte. Il est vrai qu'il n'avait aucune caractéristique particulière. Son nez était droit, son visage ovale, ses oreilles petites. C'est peut-être à cause de ce manque de traits distinctifs qu'il passait inaperçu. Peut-être que s'il avait eu des traits plus prononcés tout aurait été différent. On ne le saura jamais, bien sûr. Ce n'est qu'une supposition.

Ses vêtements étaient fripés. Sa chemise flottait sur son pantalon. Sa cravate dénouée était tachée. Il pouvait apercevoir l'empreinte d'un soulier sur la manche gauche de son veston et ses lacets pendaient dans la poussière. Mais tout cela n'avait guère d'importance. Jean-Marie n'était pas vraiment dans le cagibi. Il avait plutôt l'impression d'être à l'intérieur de lui-même, dans une zone qu'il n'avait pas l'habitude de fréquenter. Une zone d'ombre qui lui rappelait sa jeunesse. Des images, des souvenirs défilaient devant ses yeux. Quelles étaient donc ces images ? Quels étaient ces souvenirs ? Jean-Marie essayait de les attraper. Il essayait de comprendre. En vain. La fatigue le gagnait. L'inquiétude aussi, parce que depuis un moment on s'agitait dans le café. Il eut une pensée encore pour sa femme, puis Méo entra dans la cuisine en poussant la porte à battants. Il se dirigea vers le réfrigérateur vertical collé au mur ouest, saisit un carton de lait et repartit comme il était venu.

Peu de temps après, Jacob fit irruption dans la pièce pour remplir un seau d'eau. Il repartit avec un engin à roulettes qu'il dirigea à l'aide d'une vadrouille plongée dans une eau savonneuse. Puis Magdalena fit son entrée. Elle s'apprêtait à confectionner des sandwichs quand Luigi entra sur ses talons, cellulaire à la main.

— N'en fais pas trop, dit-il, le frigo fonctionne pas. Faudra les mettre dans le présentoir des gâteaux.

— Où ça? demanda la jeune fille qui se rappela, du coup, qu'elle avait voulu lui en parler la veille.

— Euh… Tu te débrouilleras, dit le bouillant Italien, car il venait d'obtenir la communication avec la compagnie.

— Je pourrais garder les deux derniers plateaux, hasarda la jeune fille.

— C'est ça, dit Luigi qui n'avait pas entendu.

Puis il poussa un juron.

— Putain de message enregistré! dit-il.

À ce moment-là, il marchait de long en large devant le réduit où se tenait tapi Jean-Marie. Il referma son téléphone, en rentra l'antenne télescopique et le rangea dans sa poche. Magdalena:

— Vous pourrez appeler plus tard, dit-elle.

— Ouais, baragouina Luigi, incapable de détacher son regard de la croupe que lui présentait Magdalena penchée sur les tranches de pain blanc qu'elle avait étalées sur le comptoir.

Jean-Marie retenait son souffle sans savoir ce qui se passait dans la cuisine quand un bruit ahurissant, sorte de râle, de plainte épouvantable, retentit dans le parking. Puis le bruit s'intensifia, le tonnerre gronda de plus en plus fort et le camion à ordures s'immobilisa d'un coup sec derrière le café.

Un éboueur en descendit, jeta le sac vert dans la benne, et le monstre repartit en secouant ses tôles dans le petit matin. Il était huit heures quarante-cinq. Cet intermède avait dû ramener Luigi à la réalité, car il avait regagné son poste derrière la caisse. Quant à Jean-Marie, il avait pu se détendre un peu.

Il passa une bonne partie de l'avant-midi à se morfondre sur sa caisse. Cette fois il n'y avait plus de doute. Sa femme se poserait des questions. Jean-Marie le savait. Il y songeait, mais distraitement, aurait-on dit. Il semblait davantage préoccupé par les bruits qui lui parvenaient du café, au loin, derrière la porte à battants de la cuisine. Il lui semblait percevoir les bruits des tables et des chaises que Jacob remuait sur le plancher, la machine à café que Méo faisait bramer à intervalles réguliers, la caisse que Luigi faisait chanter et Magdalena qui entrait et sortait de la cuisine avec des sandwichs enveloppés dans un papier cellophane. Quoi qu'il en soit, les clients étaient de plus en plus nombreux et Jean-Marie songea à quitter son refuge pour se mêler à la foule.

Il profita de l'heure du dîner, alors que tout le personnel était occupé, pour entrouvrir la porte de sa cachette et jeter un coup d'œil dans la cuisine. Personne. Avec des sueurs dans le dos et le sentiment d'être tout à fait ridicule, il s'avança vers la porte à battants et poussa sur l'un d'eux. Au bout du couloir, il vit Luigi et ses employés occupés à servir les clients massés devant le réfrigérateur éteint. Magdalena avait placé les sandwichs sur les vitres tournantes du présentoir à gâteaux. Comme si de rien n'était, Jean-Marie ouvrit la porte des vécés et il se faufila à l'intérieur.

Il épousseta son veston, remit les pans de sa chemise dans son pantalon, noua sa cravate, fit disparaître la tache qui l'ornait en son centre, mouilla son visage, ce qui eut pour effet de décoller ses paupières, effectua ses besoins et sortit frais comme une rose ou à peu près. Il se plaça à la queue de la file et il exécuta les mêmes gestes que la veille. On le servit sans le reconnaître ou, si on le reconnut, on n'en laissa rien paraître. Il s'assit à une table dans la section des non-fumeurs. Pour s'occuper, il imita plusieurs clients ; il déplia un journal et fit semblant de s'absorber dans sa lecture. De temps à autre, il levait les yeux pour observer les mouvements des employés. Il vit Jacob remplir les contenants de café, en échapper partout, Luigi glisser sur des grains, manquer de s'étaler de tout son long. Il remarqua le soin avec lequel Magdalena s'occupait des plantes. Elle allait de l'une à l'autre, les arrosait, humectait le limbe des feuilles à l'aide d'une éponge. Jean-Marie en fut retourné pendant un bon moment.

C'est peut-être pour cette raison qu'il ne fit pas attention aux conversations autour de lui, au temps qui passait, à l'arrivée de Tony, de Gustave et de Laura qui vinrent remplacer, vers dix-sept heures, l'équipe qui était là depuis le matin. Mais il fut témoin d'une conversation entre Luigi et Tony. Il comprit qu'ils parlaient du réfrigérateur. Peut-être aussi parlaient-ils de sa voiture, car Luigi la désigna du doigt à plusieurs reprises.

Magdalena quitta le café en même temps que Méo et Jacob. Puis ce fut au tour de Luigi.

Avait-il appelé une dépanneuse ? Avait-il demandé à Tony de le faire ? Jean-Marie n'en savait rien. Il était maintenant près de vingt et une heures trente. Le soleil venait tout juste de se coucher et Jean-Marie ne partait pas. Il aurait pu le faire.

Il aurait dû. Mais il ne bougeait pas. Sur le pan de mur à côté de lui, il voyait des images. Celles qu'il avait vues sur le mur de la cuisine. Ces images se précisaient, se coloraient, devenaient mouvements. Il n'allait donc pas quitter cet endroit. Il allait donc rester là. Mais pour combien de temps? Il ne le savait pas. Jean-Marie remarqua pour la première fois les globes de verre suspendus au-dessus de chacune des tables. Ils étaient de différentes couleurs: bleus, jaunes, orange. Tout cela était très beau. La terrasse se vida et, à ce moment-là, ce fut le mouvement des clients qui attira son attention. Ils semblaient se déplacer selon un ordre établi. Les femmes étaient gracieuses. Il en remarqua une, surtout. Elle portait un chandail en tricot. Ses seins se profilaient sur le ciel, puis elle lui tourna le dos et s'éloigna vers une camionnette grise. À ce moment-là, il perçut la trompette de Miles Davis. Ainsi donc ils avaient changé la musique. S'étaient-ils rendu compte qu'il avait fait jouer la musique du Duke et de Peterson? Personne sans doute ne s'était aperçu de rien. Il se demanda même si Luigi avait remarqué l'argent qu'il avait laissé sur le comptoir. Ils avaient dû le jeter dans le bol à café qui servait à recueillir les pourboires. Lui-même, au cours de cette journée, n'avait pas prêté attention à la musique. Non. Un tas d'autres choses avaient attiré son attention et c'est avec une surprise inouïe qu'il s'aperçut qu'il était déjà vingt-deux heures trente.

Pour la première fois, il ressentit un pincement au cœur. Était-ce dû à cette femme au tricot? Cette fois sa femme s'inquiéterait sûrement. Mais sa décision était prise. Il n'était pas question de quitter le café. Peu importe ce qui allait arriver. Peu importe quelle serait la suite des choses. Il n'était pas question de sortir. Il se sentait bien. Si bien. Il eut une pensée pour ses enfants. Lily, quinze ans. Samuel, huit ans. Mais c'était plus fort que lui. Une force le poussait à rester, impérieuse, mystérieuse, implacable. Et puis, songea-t-il avec une sorte d'ironie macabre, s'apercevraient-ils de son absence?

Il avait passé toute la journée inaperçu et il se demanda si sa vie valait quelque chose. Comptait-il réellement pour quelqu'un? Ne servait-il pas uniquement à nourrir sa famille? Quel était donc son rôle maintenant que sa femme travaillait jour et nuit et faisait autant sinon plus d'argent que lui? maintenant qu'elle pouvait se reproduire avec ses propres cellules prélevées à même son épiderme?

Jean-Marie n'avait pas l'habitude de se poser ce genre de questions et, à dire vrai, elles ne faisaient qu'effleurer son esprit. Non. La terrible force qui le poussait à rester ou qui l'empêchait de sortir, il n'en connaissait pas encore la nature. Loin de là. Il lui faudrait beaucoup de temps et beaucoup de souffrance avant de pouvoir comprendre ce qui avait pu le pousser à se comporter d'une façon si étrange.

Quand il se leva, il vacilla. Il dut s'appuyer sur la table, les yeux à la hauteur du globe de verre bleu, pour ne pas s'écrouler. C'est que ses jambes, sans qu'il en eût conscience, s'étaient ankylosées à rester ainsi toute la journée repliées sous la chaise.

Au moment où il se dirigeait vers le couloir comme si de rien n'était, n'aperçut-il pas le sourire de Laura Lamer derrière la caisse? Était-ce une illusion? Ne souriait-elle pas toujours de cette façon énigmatique? Ce sourire ressemblait étrangement au sourire de la Joconde.

4

Peut-être un nuage s'avisa-t-il de venir s'installer devant la lune, un nuage ou plusieurs, car la luminosité n'était plus la même.

Jean-Marie avait entrouvert la porte du cagibi et il n'y voyait pratiquement rien. Il découvrit alors qu'il n'y avait pas de fenêtre dans la cuisine. La luminosité qui avait baigné la pièce la nuit précédente provenait du café. Elle s'était frayé un passage entre les interstices de la porte à battants. Mais cette fois, avec les nuages qui s'étaient installés devant la lune, il n'y avait plus rien à attendre de lui.

Or, Jean-Marie voulait sortir de sa cachette. Il avait plein d'idées qui se bousculaient dans sa tête. Sans chercher à faire le tri, il longea le mur à sa gauche et aboutit devant les grandes armoires. Il ouvrit les tiroirs les uns après les autres et fouilla à l'intérieur. Il trouva ce qu'il cherchait. Sous ses doigts, il sentit quelque chose de crayeux. Il saisit le bâtonnet. Un bout de ficelle dépassait. C'était parfait pour ce qu'il voulait faire. Il n'avait plus qu'à allumer la mèche. Malheureusement, comme il ne fumait pas, il n'avait pas d'allumettes sur lui. Il devait y en avoir sur le comptoir, près de la caisse. Il se dirigeait donc vers la porte à battants quand une lumière intense surgit tout à

39

coup. Cette lumière fut suivie d'un fracas épouvantable. Jean-Marie en resta figé sur place. Enfin, une dépanneuse vint se ranger devant l'entrée principale du café. Ses phares puissants éclairaient vers le nord. Un homme en descendit. Une lueur rougeâtre était maintenant projetée dans le café et Jean-Marie pouvait l'apercevoir entre les interstices de la porte. Un autre homme rejoignit le premier et ils se penchèrent sous la BMW. Peu de temps après, le premier remonta dans le camion tandis que l'autre le guidait en criant à tue-tête par-dessus le tumulte. C'est du moins l'impression qu'en eut Jean-Marie, car le tout se déroulait par ailleurs dans un silence absolu, un silence de cathédrale, un silence de mort. Peut-être était-ce dû au fait que Jean-Marie avait l'impression de sortir d'un tombeau. Peut-être avait-il l'impression d'assister à une profanation.

Après avoir poussé sur un battant, Jean-Marie longea le couloir et il se dissimula derrière le comptoir. De ce poste d'observation, il put assister à la manœuvre. Le premier type saisit le treuil composé de bandes de caoutchouc et de chaînes de métal auxquelles était fixé un gigantesque crochet. En se penchant sous le véhicule, le type y trouva certainement un endroit où l'accrocher, car peu de temps après, il se releva et vint actionner un levier à l'intérieur de la dépanneuse. Jean-Marie vit alors le derrière de sa voiture se soulever peu à peu.

Pendant cette élévation, il songea à sa mallette de cuir qui glisserait et se retrouverait en bas du siège. Son portable, trois mille dollars, serait peut-être abîmé, alors qu'il contenait des données importantes pour une cliente. Mais, songea-t-il, cette cliente, il aurait dû la voir la veille, après le souper. Il avait raté son rendez-vous. Il n'avait pas téléphoné pour se décommander. Cela, en douze ans de carrière, ne lui était jamais arrivé. Il allait en entendre parler. Mais allait-il en entendre parler? Jean-Marie ne le savait pas. À croupetons derrière le comptoir, il levait la tête de temps à autre pour assister à l'opération. Tout de même, il ne put s'empêcher de songer à sa cliente qui était sans doute furieuse. Et puis au directeur général, monsieur Langelier, qui allait lui sonner les cloches. Mais allait-il lui sonner les cloches? Le reverrait-il? Les idées s'embrouillaient dans son esprit. Quel jour était-on? Jeudi ou vendredi? De toute façon, il avait manqué une journée de travail. Cela non plus ne lui était jamais arrivé. Jamais. Même quand son frère… Voilà qu'ils reculaient la voiture. Même quand son frère… De quoi parlait-il? À quoi, plutôt, pensait-il? Parlait-il tout seul? Avait-il parlé tout seul? Trop de questions. Jean-Marie était troublé. Cette voiture qui s'en allait, la sienne, il avait travaillé si fort pour l'obtenir.

Elle quittait le stationnement en emportant avec elle tous ses instruments de communication. Qu'avait-il fait? Sa tête émergea au-dessus du comptoir. Sa figure était blême. Son visage ruisselait de sueur. À cet instant il aurait voulu se réveiller. Et pourtant il ne rêvait pas. Sa voiture s'éloignait à l'horizon. Il n'avait pas rendu visite à sa cliente et il avait manqué une journée de travail sans avertir la secrétaire. Sans prévenir qui que ce fût. Sa femme, Manon Beauregard, n'était pas au courant de ses frasques et il ne savait pas lui-même ce qu'il faisait là. Il avait congé le lundi et le mardi mais travaillait les autres jours. Il aurait dû travailler. Il aurait dû. Désespéré, il se laissa choir derrière le comptoir sur le plancher de bois. Voilà, se dit-il, je ne retournerai pas chez moi. Je ne retournerai pas au magasin. C'est fini. Tout est fini. Il poussa un immense soupir de soulagement. De satisfaction. Il n'avait plus de voiture. Plus de portable. Plus de cellulaire. Plus d'agenda ni de calculatrice. Plus rien. Et il le dit à haute voix. Cette fois, il en eut conscience :

— Plus rien.

Sa main agrippa un carton d'allumettes qui traînait, ouvert, parmi les disques compacts. Il alluma la bougie et fit couler la cire chaude au centre d'une soucoupe. Puis il la planta dans la cire qui sécha, se figea, durcit. Muni de son bougeoir improvisé, il retourna dans la cuisine au son de la quatrième symphonie de Beethoven. D'affreux nuages noirs obscurcissaient la lune.

Il passa une partie de la nuit à observer le mur décrépit de la cuisine, à la lueur de la chandelle, assis sur un sac de grains. Ce qu'il vit dans le clair-obscur était assez surprenant : la bouille colorée du patron, Luigi, derrière sa caisse enregistreuse ; Laura qui circulait entre les tables, drapée dans une toge romaine ; Magdalena qui tenait un pain dans ses mains comme on tient un enfant dans ses bras ; Méo qui jonglait avec des tasses minuscules ; Gustave qui maniait le balai d'un air songeur ; Jacob souriant, ses grandes mains blanches saisissant un sac de grains torréfiés et montant sur une chaise pour le verser dans un contenant. Et Tony qui regardait tout cela d'un air grave. Qui le regardait, lui, Jean-Marie, dans les yeux. Qui regardait... Que regardait-il ? Et puis, tout autour de cette scène, des clients assis aux tables, fumant, discutant, les globes de couleur, la nuit étoilée, la terrasse, le parfum des fleurs sauvages, le vent qui faisait trembler les feuilles des arbres disposés en colonnade autour du café.

Jean-Marie voyait tout cela et il se sentait envahi par un sentiment étrange – mélange de joie et de perte, de douleur. Pour apaiser cette douleur, il semblait ne pas y avoir d'autre remède que de se rendre avec sa bougie vers la grande armoire à la recherche de quelque chose. Le plus étrange, c'est qu'il ne savait pas ce qu'il cherchait. Et puis, il découvrit une liasse de feuilles. Des feuillets. Non. Il voyait mieux maintenant. C'étaient des napperons de papier. D'un côté, de la publicité présentée sous forme de cartes professionnelles de couleur. De l'autre, une surface blanche. Jean-Marie s'empara d'un feuillet. Puis il déposa son bougeoir par terre et se mit à la recherche d'un crayon, d'un stylo, n'importe quoi. Trop pressé pour retourner au comptoir, voulant sans doute immortaliser au plus vite ce qu'il avait vu sur le mur, il farfouilla dans les tiroirs mais ne trouva rien. Ce n'est qu'en raclant le sol avec ses doigts qu'il finit par découvrir un vieux morceau de charbon de bois. Cela suffisait. Sans se demander comment ce bout de charbon avait pu parvenir jusque-là, fébrile, il revint dare-dare s'asseoir sur un sac de jute. Encore ébloui par sa vision, il traça quelques lignes. C'était malhabile. Il recommença à plusieurs reprises, jetant aussitôt ce qu'il avait à peine esquissé. Marmonnant. Pestant contre son incompétence. Son manque de talent. N'étant jamais satisfait. Ne se souciant nullement par ailleurs des feuilles qui tombaient à ses pieds, tout près de la flamme de la chandelle qui vacillait dangereusement, qui allait sûrement, à un moment ou à un autre, si cela continuait ainsi, embraser et les feuilles et le sac.

Mais non. La flamme se contentait de trembloter. Elle accompagnait notre artiste en herbe. Après quelques heures, la vision disparut. Impuissant, courbaturé, abattu, Jean-Marie se pencha, saisit la soucoupe et l'approcha de la dernière feuille qu'il avait barbouillée. Ah bon. Le dessin n'était pas mal. Il représentait le visage de Laura illuminé d'un sourire. Assez curieusement, il semblait que Jean-Marie avait réalisé qu'il ne pouvait embrasser la totalité de la scène qu'il avait aperçue, aussi avait-il fini par effectuer cette sorte d'étude. Certes, ce n'était qu'un début, encore imprécis, naïf, un peu gauche, mais c'était quelque chose. Mieux que rien, se dit-il. Mais il n'en était pas certain. Alors même qu'il prononçait les mots, il en doutait. Il ne savait pas pourquoi il s'était lancé dans cette aventure. Dans cette folie, se dit-il.

Cependant, la lune s'était débarrassée de ses nuages et elle était allée se coucher. Elle en avait eu assez de cet artiste. Ils ne se couchent jamais ces gens-là, avait-elle pensé. Les bras reposant sur ses cuisses, Jean-Marie observa la chandelle se liquéfier. La cire se répandre dans la vaisselle de porcelaine. La ficelle se débattit un peu, la flamme paniqua de même, puis elle se rendit à l'évidence : il n'y a rien à faire. On ne peut rien contre son destin. Le soleil se leva à l'orient et Jean-Marie sentit ses vibrations. Il n'avait pas besoin de regarder sa Rolex. Il devait être cinq heures. Il regarda. Cinq heures dix. Pas mal.

Il tira l'un des sacs de jute sur le plancher. Puis il entra dans le cagibi et il en sortit quelques caisses de carton. Ensuite, parmi les boîtes qui lui tombaient sur la tête, il tassa le sac tout au fond, sous la fenêtre. Il souffla un peu. Ressortit. Dénicha un chiffon sur la table où Magdalena avait préparé les sandwichs et il nettoya le carreau qui en avait besoin. Par cet orifice, parvenait enfin une véritable lueur. Les rayons blancs coloraient le débarras. Jean-Marie laissa la porte grande ouverte. Il retourna chercher un autre sac. Celui-ci entrait tout juste. Les deux sacs, mis bout à bout, formaient un lit de fortune tout à fait convenable. Quelle heure était-il ? Six heures. Jean-Marie avait encore le temps de laver le plancher. Ce qu'il fit. Puis, profitant de l'éclairage qui provenait du cagibi, il nettoya son chiffon et le replaça sur la table. Il ramassa la soucoupe qui traînait par terre, puis il eut une idée.

Comme il sentait les poils de sa barbe lui picoter le menton, il eut l'idée saugrenue de se raser. Cela demandait une organisation particulière, mais demeurait dans le domaine du possible. Jean-Marie s'organisa. Tout d'abord, il remplaça la chandelle morte, puis il pigea dans le réfrigérateur une bombe de crème fouettée. Pourquoi pas, se dit-il. Il allait fouiller dans le tiroir de la grande armoire pour y dénicher un couteau et un linge de bonne dimension, quand il aperçut sur la table ce dont il avait besoin. Muni de ces accessoires, bougie, linge, couteau, crème fouettée, il se rendit dans les toilettes. Il était presque sept heures trente. Aurait-il le temps de faire disparaître sa barbe de deux jours avant que débarque le patron? C'est une question que ne se posa même pas notre homme.

Jean-Marie enduisit son visage de crème fouettée et déposa la bombe à côté de la chandelle plantée dans son bougeoir de fortune. Il y voyait très bien, notez-le, et, vu l'heure matinale, il avait le temps de procéder à son rasage. Le couteau, tranchant comme un rasoir, c'est le cas de le dire, suivait les courbes de son visage. Malgré l'odeur un peu écœurante et la sensation de patauger dans sa nourriture, Jean-Marie se devait d'admettre que la crème et le couteau lui procuraient un rasage efficace et confortable. Qui l'eût cru? Après avoir trempé son chiffon dans l'eau bouillante et l'avoir essoré, il allait l'appliquer sur son épiderme quand, tout à coup, il réalisa que le papier qui entourait la bombe de crème fouettée était en train de brûler. Il avait lu toutes sortes d'horreurs à ce sujet. Il suffisait que la bombe surchauffe un peu pour qu'elle éclate et provoque une déflagration digne d'une ogive nucléaire. Aussi, au lieu d'essayer d'éteindre le feu, il se précipita à l'extérieur des vécés. Il tira même sur la poignée de la porte pour qu'elle se referme plus vite. L'engin allait-il exploser? Jean-Marie n'en savait rien. Il patienta un peu puis entrouvrit la porte pour y jeter un œil. Le papier brûlait toujours. Ainsi, accroupi dans le couloir, surveillait-il la flamme qui tordait le papier de la bombe. Il avait l'air intelligent! D'autant que l'heure avançait et que le patron, pensait-il, allait arriver d'un moment à l'autre. Il entrouvrit la porte un peu plus. Le papier avait fini de brûler, il s'était détaché, avait dénudé le récipient et avait roulé au fond du lavabo où il avait fini de se consumer. Il n'y avait plus rien à craindre. Jean-Marie s'approcha prudemment quand il entendit un sifflement. Aussitôt il se carapata à l'extérieur pour la deuxième fois. Puis, se raisonnant, il finit par revenir vers la bombe d'un pas décidé. Elle était encore chaude, mais il n'y avait plus rien à craindre. Jean-Marie fit couler l'eau pour chasser les restes de papier carbonisés. Il nettoya son visage, plaça le linge humide sur son épaule, rangea le couteau dans la poche de son veston, et il sortit de la toilette en tenant la bombe d'une main et le bougeoir de l'autre. Voilà qui était beaucoup plus raisonnable.

Dans la cuisine, il plaça le couteau sur la table, rangea la bombe dans le réfrigérateur, ramassa ses esquisses éparpillées sur le sol et il éteignit la chandelle. Il n'avait plus besoin de sa flamme depuis longtemps. Il plia les boîtes de carton qui traînaient et les rangea dans le cagibi. Puis, après avoir placé quelques caisses devant la porte, il enfonça un morceau de carton dans l'embrasure de la fenêtre et il s'installa sur les deux sacs de grains verts. C'était assez confortable. Après avoir retiré ses souliers, son veston, sa cravate, il poussa un profond soupir de satisfaction et il s'endormit avec un sourire fendu jusqu'aux oreilles.

5

Luigi était satisfait de constater que la BMW n'était plus sur le terrain de stationnement. Toutefois, il se grattait la tête en contemplant l'emplacement vacant. C'est tout de même bizarre, songea-t-il, que le propriétaire ne se soit pas manifesté. Que lui est-il donc arrivé? Il ne le savait pas. Il était même bien loin de se douter qu'il se cachait en son sein, pourrait-on dire.

Méo était devant la porte arrière et il attendait. Rien n'avait changé. Luigi refit les mêmes gestes que d'habitude, mais il avait tout de même l'esprit préoccupé. C'est sans doute pour cette raison qu'il demeura dans le couloir un moment après avoir allumé les lumières. Une certaine odeur douceâtre, inhabituelle, semblait provenir de quelque part; mais d'où exactement? Luigi poussa la porte des toilettes des hommes sans réfléchir, par automatisme. Rien de spécial. Peut-être une petite odeur de brûlé. Il alluma. Les deux projecteurs halogènes au-dessus de la glace éclairaient le fond du lavabo. Rien. Drôle d'odeur, pourtant, pensa-t-il. Il glissa une cale de bois sous la porte et la laissa ouverte. Puis, les mains sur les hanches, il proféra ces paroles énigmatiques:

— Il y a quelque chose de pourri dans mon café.

Était-ce l'odeur de crème fouettée ou de papier brûlé ? Luigi n'était pas en mesure de le dire, mais il est indéniable que, dès ce moment, il avait pressenti quelque chose. Mais il n'eut pas le temps d'approfondir la question que déjà on tambourinait à la porte de service dans le fond de la cuisine. Méo esquissa un mouvement pour s'y rendre, mais Luigi l'arrêta :

— Laisse. Ça doit être le frigidaire.

Méo sourit. Il imagina un réfrigérateur cognant à la porte. Puis il s'absorba dans son travail. Il glissa un disque compact de Francis Cabrel dans le lecteur, nettoya les tasses, transvida la moitié d'un sac de grains dans le moulin à café. Peu de temps après, Paul Marchand fit son entrée dans la pièce, muni d'un coffre à outils d'un beau rouge rutilant. C'était un homme petit et trapu mais à la musculature impressionnante. Luigi sur ses talons, il se dirigea vers l'engin inerte qui reposait dans le passage, déposa son coffre à outils et déclara :

— Pas jeune, le monsieur.

Il s'accroupit et dévissa une douzaine de boulons. Il retira le panneau de protection et, à l'aide d'une lampe de poche qui ressemblait à un long bâton, il examina attentivement les entrailles de l'animal. Puis il procéda à quelques tests en utilisant des instruments compliqués.

Pendant cet examen, Luigi marchait de long en large devant le malade, la mine soucieuse, comme un parent qui attend le diagnostic du médecin. Si bien qu'il n'émit aucun commentaire à l'arrivée de Laura et de Gustave qui, pour perpétuer la tradition, franchirent le seuil du café avec un bon quart d'heure de retard.

— C'est fini, cet appareil-là, dit Paul Marchand. Les circuits électriques sont finis. Le moteur, c'est fini. Le transformateur, c'est fini. La batterie, c'est fini.

— En un mot, c'est fini, dit Méo en faisant bramer sa machine.

— C'est ça, reprit le réparateur. Y a plus rien de bon. Moi, je peux vous changer toutes les pièces, mais ça va vous coûter un bras. Ça serait pas plus cher, d'après moi, de vous en acheter un autre. Avez-vous appelé à la compagnie pour vous faire donner des prix?

— Non, dit Luigi. J'espérais que…

— Ah oui! Ça! s'exclama le réparateur en rangeant ses outils et ses instruments, on peut toujours espérer. Mais c'est pas ça qui va régler les choses. Ça s'arrangera pas tout seul. Vous l'avez depuis longtemps?

— Depuis le début, répondit le patron. Ça fait tout de même une vingtaine d'années.

— C'est ça, dit Paul Marchand. Y a rien qui dure. Faut penser à remplacer à un moment donné.

— Je sais bien, dit Luigi.

Puis, voyant la mine vraiment très déconfite du patron, le réparateur finit par laisser tomber:

— Je peux vous le mettre sur le respirateur artificiel en vous soudant quelques fils. Mais je vous avertis. C'est temporaire. Ça va lâcher dans pas longtemps. Mais si ça peut vous dépanner…

— Ça m'arrangerait, dit Luigi. On peut pas fonctionner sans ça. On peut pas tout laisser dans le frigidaire de la cuisine. On va être un peu trop serré.

Comme pour lui donner raison, on tambourina derechef à la porte des fournisseurs. Yvan Bienvenu, le livreur de charcuterie, se demandait quand Luigi se déciderait à faire installer une foutue sonnette, ce qui lui éviterait de s'abîmer les jointures sur cette foutue porte de métal. Sans compter que ce n'est pas facile de maintenir en équilibre des caisses de pâtés, de rillettes, de salamis, de viandes froides, quoi, de l'autre main, pendant ce temps. Heureusement, c'est Laura qui vint lui ouvrir. Elle ne souriait pas souvent, celle-là, mais elle avait un beau cul, faut admettre. Jeune. Très jeune. Élancée. Sans expérience probablement, mais bon, il ne demandait pas mieux que de l'initier aux plaisirs de la chair. De la chair, justement. Il était là pour ça. Signe ici. Merci. Le patron n'est pas là? Occupé, lui répondit Laura. Salueras de ma part. C'est ça, dit la jeune fille. Pas bavarde non plus, se dit Yvan. Et froide. Très froide. Il grimpa à bord de son rafiot et s'éloigna alors que la camionnette du livreur de café s'engageait dans le passage menant sur le côté du bistrot.

Curieusement, ce va-et-vient matinal ne semblait pas déranger notre chou à la crème qui roupillait paisiblement sur ses sacs de grains. Il semblait davantage incommodé par les cris stridents d'un roitelet à couronne rubis affairé à bâtir son nid de brindilles et de fibres végétales cotonneuses. Non pas que ses cris l'eussent réveillé, mais aux frémissements de ses paupières, on pouvait en déduire un certain agacement.

Laura, pour sa part, était restée sur le seuil de la porte après l'avoir refermée. Elle ne détestait pas Yvan en réalité. Elle éprouvait même pour lui une certaine attirance, mais c'était un véritable coup de vent; il entrait et il sortait, c'était tout. C'est un peu court pour faire connaissance, pour créer des liens, pour aller plus loin, en somme. Non, il n'y avait pas de garçon dans sa vie. Elle avait vingt-quatre ans. Elle ne s'en inquiétait pas outre mesure. Il y avait le café et ses études en anthropologie. C'était assez pour occuper son temps. Enfin, presque tout son temps, parce qu'elle n'aurait pas détesté… Jacob était séduisant, bien sûr, mais Magdalena semblait avoir mis le grappin dessus. Une relation à trois, elle n'osait même pas y penser. Aimait-elle les femmes? Il faut avouer que Magdalena... Où avait-elle la tête ce matin? Perdue au milieu de ses pensées, elle ne s'était pas aperçue qu'elle était au centre de la cuisine et qu'elle fixait, incrédule, les sacs de grains verts. Qu'est-ce qu'il y avait de changé? Qu'est-ce qui ne fonctionnait pas? Qu'est-ce qui venait en quelque sorte briser l'eurythmie qui prévalait d'ordinaire en ce lieu? Il y avait quelque chose, mais quoi? Laura avait le sens de l'observation. Comment se faisait-il qu'elle ne remarquait pas qu'il y avait deux sacs en moins? Peut-être à cause d'une feuille qui traînait par terre. Elle aurait dû ranger la charcuterie dans le réfrigérateur. Elle aurait dû préparer les sandwichs, nettoyer, il y avait tant à faire avant que les clients arrivent. Elle le savait. Pourtant elle ramassa la feuille. Le napperon. Curieux. Celui-ci était brûlé. Enfin, l'un des coins était carbonisé. Laura était certaine qu'il n'était pas là la veille. Elle retourna le papier dans ses mains et réprima avec peine un cri de stupeur. Ces yeux noirs, interrogateurs, charbonneux, inquiets, curieux, rieurs; ces yeux-là, tous ces sentiments en même temps, toutes ces expressions en même temps; ces yeux-là, ces longs cheveux, ce visage grave et songeur, ce visage doux et souriant, cette carnation particulière de la peau, cette enfance et en même temps cet âge adulte, cette maturité, cette plénitude, cette innocence, tout cela, c'était elle! Tout cela dans ce regard. Tout cela dans ce petit dessin au crayon, au charbon, qu'est-ce que c'était donc? Instinctivement, Laura jeta un regard autour d'elle, envahie tout à coup par une émotion intense.

La porte à battants s'ouvrit exactement à ce moment-là et la jeune fille se trouva face à face avec Paul Marchand, son coffre à outils d'une main et son chèque de l'autre. Sans trop savoir pourquoi, elle s'empressa de rouler la feuille et la cacha derrière son dos d'un mouvement brusque, presque coupable. Pourtant, elle n'avait rien à se reprocher. Paul la regarda un instant, remarqua qu'elle était jolie, que ses yeux pétillaient, mais il lui fallait poursuivre son chemin, ce qu'il fit en la contournant, car elle demeurait immobile. La porte battit une nouvelle fois et Luigi lui demanda ce qu'elle faisait là, plantée dans la cuisine avec son air ahuri.

— Rien, je…

— Bon. Au boulot.

— Sûr, dit Laura.

Tandis que le boulanger arrivait à son tour, tous les fournisseurs semblant s'être donné rendez-vous ce matin-là, et que Paul Marchand enfonçait son coffre à outils dans le fond de sa *station-wagon*, Laura s'ébroua, Laura Lamer revint sur terre, dissimula le dessin dans la poche de son pantalon noir en s'interrogeant sur l'identité de l'artiste qui l'avait croquée sur le vif de la sorte. Peu de temps après, Gustave vint l'aider à déballer la marchandise et ils confectionnèrent des sandwichs de concert dans un silence absolu. Méo faisait bramer la machine à espresso, Cabrel poétisait, Luigi déverrouillait les portes d'entrée et le soleil brillait dans le ciel bleu.

Pendant ce temps, pendant que les premiers clients s'installaient aux tables, dépliaient leurs journaux, Jean-Marie se retournait sur sa couche de grains, s'étirait, bâillait, l'heure avançait. Puis, tout à coup, il fallut que Gustave ouvre la porte du cagibi, encore lui, pour se débarrasser de ses caisses de carton. À ce moment-là, Jean-Marie venait de se réveiller et il eut très peur. Il se tassa dans un coin, espérant que la pyramide de boîtes de carton qu'il avait échafaudée entre lui et le monde extérieur le protégerait des regards. Eh bien oui. La stratégie fonctionna. Il faut dire que Gustave n'y jeta même pas un coup d'œil. Après avoir plié ses trois caisses, il se contenta de les glisser le long du mur. Il referma mécaniquement. Le reste de l'avant-midi se déroula de cette façon. Les employés durent regagner leurs postes, répondre aux clients, s'occuper de la caisse, préparer les cafés et les tisanes, infuser les thés au jasmin et aux pétales de rose, servir les jus d'orange et de pastèque, bref, se démener pour gagner leur vie.

Cependant, Jean-Marie entendait le brouhaha, consultait sa Rolex, midi quarante déjà, observait avec beaucoup d'étonnement les esquisses de la veille, tout en pliant et dépliant ses longues jambes musclées, car sa vessie le faisait horriblement souffrir. N'y tenant plus, il se leva et, derechef, se faufila avec des ruses de Sioux jusqu'aux toilettes.

Ses vêtements étaient horriblement fripés. Sur son visage, il y avait encore la trace des mots Costa Rica imprimés en rouge; l'inscription s'était décolorée; elle était passée du sac de grains verts à la joue de Jean-Marie. Il frotta son visage. Fit disparaître les traces de peinture. Puis il laboura ses cheveux luisants à l'aide de ses doigts. Il vida sa vessie. Déféqua.

L'ambiance n'avait pas changé. C'était l'agitation du midi. On se dépêchait de consommer, on parlait fort, on circulait en faisant attention de ne rien renverser. Les fumeurs fumaient et les non-fumeurs pompaient. Jean-Marie connaissait bien cette agitation. Pourtant, tout était différent pour lui. Il ne pouvait regarder Laura de la même façon. Il ne pouvait regarder aucun employé de la même façon. S'était-il aperçu qu'il manquait une esquisse? que le dessin le plus achevé n'y était plus? Il avait pris la peine de les regarder un par un. Mais, à ce moment-là, était-il suffisamment réveillé pour s'apercevoir d'une disparition quelconque? Quand il arriva à la caisse, remarqua-t-il le regard troublé de Laura? l'altération de son regard, de sa physionomie? Ou est-ce que leurs gestes à tous deux ne furent que bêtement mécaniques?

— Huit dollars cinquante, déclara Laura.

Non. Jean-Marie paya sans se douter de quoi que ce fût. Ensuite il se dirigea vers sa table habituelle qui, heureusement, était libre. Dans de l'ouate. C'est l'impression qu'il avait. Ainsi entouré de consommateurs bruyants, les sons ne lui parvenaient que de très loin. C'était une impression, bien sûr. Il n'y avait que des impressions. Il était entouré d'impressions. Il remarqua pourtant que le réfrigérateur blanc Coldstream avait repris du service. Il percevait son bourdonnement sourd. Oh! Ce n'était pas très convaincant, enfin, pas très vigoureux comme bourdonnement, mais tout de même il était bien vivant. Une lumière jaune survivait à l'intérieur, clignotait de temps à autre, colorait les victuailles.

Jean-Marie mangeait en silence. Il en était au dessert, une pâtisserie odorante qui lui rappelait son rasage de la veille, quand une cliente à côté de lui attira son attention. Elle ne faisait rien de particulier pourtant. Elle était seule et elle se contentait d'attendre. À la réflexion, elle regardait sa montre de temps à autre, jetait un regard vers la porte. Elle doit attendre quelqu'un, se dit Jean-Marie. En enfournant son baba au rhum, il l'observa. Elle avait de beaux yeux, un visage pensif et une croix au cou, une croix grecque qui pendait au bout d'un fil. Elle s'appelait Solange, mais Jean-Marie ne le savait pas encore. Comme il la regardait avec peut-être un peu trop d'insistance, elle lui sourit. Ce sourire le surprit énormément et, rouge de confusion, il s'essuya la bouche.

Le temps passa. Dans la rue, les voitures circulaient de plus en plus vite. Jean-Marie se surprit à penser qu'il était enfermé dans le café depuis deux jours et que ces deux jours lui paraissaient deux mois. Il vida son allongé. Réfléchit. Sa femme avait dû s'inquiéter. Peut-être avait-elle commencé à le chercher. Peut-être avait-elle appelé la police. Peut-être, en ce moment, le recherchait-on. Elle avait dû appeler au magasin. Elle avait dû appeler Martin Lapierre, son meilleur ami, avec qui il jouait au badminton une fois par semaine, le mardi soir. Au fait, quel jour était-ce? Curieusement, Jean-Marie n'arrivait pas à obtenir une réponse à cette simple question. Il essayait de faire des déductions, mais, chaque fois, son esprit voltigeait, s'égarait. Voyons. Il essayait encore une fois. Il devait rencontrer cette cliente… Comment s'appelait-elle déjà? Quel était son nom? Il ne pouvait plus consulter son agenda électronique. Il devait se fier à sa seule mémoire. C'est là que le bât blesse, se dit-il. Je ne me souviens plus de rien. Voyons. Je dois faire un effort. Si j'arrive à trouver son nom, tout rentrera dans l'ordre. Tout reprendra sa place. C'était une femme énorme. Elle possédait un manoir dans les Laurentides. Un véritable manoir. Lui-même n'avait pas à se plaindre. Sa résidence était fort spacieuse, une maison québécoise, en pierres de taille, qu'il avait rénovée, à laquelle il avait ajouté une rallonge plutôt moderne, mais qui ne jurait pas avec la pierre grise, piscine creusée, *jacuzzi*, terrasse en bois traité, meubles de jardin en résine de synthèse, rocaille, plantes luxuriantes de toutes sortes dont il ne connaissait même pas les noms, mais qui dégageaient un doux parfum, le soir, sous la fenêtre de sa chambre… Nom de Dieu. Voilà qu'il s'égarait encore. Cette cliente habitait dans un château… Cela lui rappelait le Manoir Richelieu à La Malbaie, où il avait passé sa lune de miel avec son épouse, Manon Beauregard, il se rappelait son nom tout de même, mais depuis combien de temps n'y avait-il plus rien entre eux? Depuis combien de temps est-ce que la flamme ne brûlait plus? Depuis combien de temps? Et, tout à coup, le nom lui apparut : Micheline Brûlé. Voilà. C'était cette femme qu'il devait rencontrer. Il la connaissait bien pourtant. Il avait choisi une bonne partie de son ameublement. Jean-Marie, satisfait, retrouva le sourire. Il devait la voir le jeudi soir. Aujourd'hui c'était donc samedi. Voilà qui est bien, se dit-il. Voilà qui est bien. Tellement bien qu'il poussa un peu sa chance ; remarquant que le temps filait et que sa voisine plutôt mignonne poussait un soupir en quelque sorte attendrissant, il lui demanda, après s'être raclé la gorge :

— Vous attendez quelqu'un ?

C'était tellement évident que cela se passait de commentaire, pourtant Solange Colbert, car tel était son nom, Solange, donc, presque sans hésiter, lui répondit d'une voix chaude :

— Oui. On avait rendez-vous ici à deux heures.

Jean-Marie consulta sa Rolex discrètement.

— Oui, je sais, dit Solange. Il est presque quatre heures.

— Vous pensez qu'il va venir quand même ?

— Je ne sais pas, dit Solange. Je l'espère.

Jean-Marie poussa un soupir à son tour. Un soupir de confusion, un soupir coupable. Les deux gardèrent un silence poli. À ce moment-là, tout était tranquille dans le café. Même que Luigi s'était assis à une table et qu'il avait déplié un magazine. Près de lui, Laura et Méo discutaient.

— Tu aimes le dessin ? lui demanda Laura.

— Quel genre de dessin ? La bédé tu veux dire ?

— Laisse faire, lui dit Laura.

Gustave ne parlait pas. Depuis qu'il suivait des cours de mime avec Claude Saint-Denis, il avait pris l'habitude de s'exprimer avec des gestes, avec son corps, avec ses doigts, ses mains, son visage – qu'il avait d'ailleurs fort expressif. Laura le regarda. Non. Pas Gustave. Il lui aurait tendu une fleur imaginaire ou il aurait fait battre son cœur ou les ailes d'un oiseau avec ses mains comme Marcel Marceau. Non. Pas Gustave. Qui alors ? Qui avait pu la dessiner ? la croquer sur le vif ? Voyons. Elle avait trouvé la feuille par terre. Se pouvait-il que le livreur de charcuterie, Yvan Bienvenu, se fût livré à cet exercice et qu'il eût déposé la feuille sur l'une des caisses ? À moins que ce ne fût sous la pile des bons de commande ou... Mais comment aurait-elle pu se retrouver par terre sans qu'elle s'en aperçût ? Et d'où venait cette brûlure ? ce coin carbonisé ? Y avait-il là un message quelconque ? Laura poussa un soupir d'exaspération en se disant que, décidément, elle avait trop d'imagination. D'un autre côté, il devait bien y avoir une explication à ce mystère ! Bref, elle avait beau tourner la question dans sa tête, elle ne parvenait pas à trouver une explication logique et son esprit cartésien en éprouvait de l'ombrage. Le plus simple eût été d'exhiber le croquis. Mais, pour une raison qu'elle n'arrivait pas non plus à s'expliquer, elle ne parvenait pas à s'y résoudre. C'est bien compliqué tout cela, se dit-elle enfin pour elle-même. Puis il y eut quelques clients qui entrèrent en coup de vent et elle dut se lever. Luigi tourna la page de son magazine. Méo referma son livre de poésie et Gustave disparut dans la tourmente.

Pendant ce temps, Solange avait remarqué que son voisin avait terminé son repas depuis longtemps et qu'il ne semblait pas faire grand-chose. Elle lui posa donc la question qui la tracassait depuis un moment :

— Excusez-moi. Vous ne l'auriez pas vu ? C'est un homme d'une quarantaine d'années. Il a les cheveux noirs, un peu comme les vôtres, et...

Elle dut s'apercevoir que la description était plutôt vague, car elle s'interrompit et garda un silence embarrassé tout en offrant un autre sourire quelque peu mélancolique en manière d'excuse. Jean-Marie ne demandait pas mieux que de la renseigner, mais il ne se rappelait pas avoir vu… Et puis, depuis qu'il s'était installé à table, il n'avait pas remarqué grand-chose. De plus, contrairement à ce que Solange pouvait croire, il n'était pas inactif. En réalité, muni d'un bout de crayon qu'il avait trouvé près de la caisse, il était occupé à faire une sorte de plan de l'œuvre qu'il voulait accomplir. Certes, il ne savait pas encore comment il allait réaliser son projet, mais il ressentait le besoin de coucher ses idées sur sa serviette de table. Pourtant, il répondit à sa voisine, tout en remarquant qu'elle arborait un ruban noir dans ses cheveux dorés :

— Je ne sais pas. Je n'ai pas remarqué…

— Vous êtes ici depuis longtemps ?

— Oh oui ! lui dit Jean-Marie. Je dors ici.

Cette fois, Solange éclata de rire. Était-ce dû à la mine fripée de Jean-Marie ? à ses vêtements défraîchis ou à son air endormi ? Elle n'aurait su le dire au juste, mais cette réponse correspondait bien au personnage et lui semblait du plus haut comique. Quoi qu'il en soit, il est certain qu'elle contribua à calmer son anxiété. Après tout, il devenait évident maintenant que l'homme qu'elle attendait ne viendrait pas. Il lui avait, comme on dit, posé un lapin. Bientôt dix-sept heures. Magdalena entra en scène, éblouissante, suivie de près par Jacob Kaffeespezialgesellschaft. L'Allemand, toujours souriant, trouva le moyen de buter contre le pied d'une chaise, ce qui réussit à sortir Solange de sa torpeur. En ce qui concernait Jean-Marie, son plan avançait bien. Il avait même ajouté à son tableau général sa voisine de table qu'il trouvait jolie et d'une certaine manière émouvante.

Puis le temps passa. À l'heure du souper, comme d'habitude, le café se remplit. Absorbé par son travail, Jean-Marie ne prêta aucune attention aux gens qui circulaient autour de lui ni même à la faim qui le tenaillait. Tout au plus, quand il releva la tête quelques heures plus tard, s'aperçut-il que Solange n'y était plus. De même, il ne vit pas Laura s'en aller. Cette dernière ne s'était aperçue de rien. Très occupée à la caisse, elle était partie tout de suite après son travail sans jeter un regard dans la direction de Jean-Marie. L'eût-elle fait qu'elle aurait peut-être pu avoir l'explication du problème qui lui troublait encore l'esprit. Mais elle aurait pu également s'imaginer un homme d'affaires faisant des calculs de probabilités, un représentant de commerce faisant le compte de ses dépenses ou autre chose du genre. Quoi qu'il en soit, le soleil avait amorcé depuis longtemps son déclin et l'attention de Jean-Marie fut attirée par le réseau des lampes halogènes. C'était tout de même curieux, cette façon qu'elles avaient de se répondre. Jean-Marie – était-ce dû au fait qu'il avait l'estomac dans les talons – observait maintenant un fil ténu de lumière qui allait de l'une à l'autre. Cela semblait quadriller la pièce, la découper comme un gâteau au fromage. Jean-Marie ne trouvait pas cette image très poétique, mais force est de constater qu'elle lui fit venir l'eau à la bouche. Il se leva. Se dirigea vers le comptoir. Fouilla dans son portefeuille. Puis, comme il n'y avait plus de billet, à l'intérieur, il en retira sa carte de débit.

Jean-Marie se demanda si sa voisine avait retrouvé son cavalier. Était-il venu finalement? Avec son plateau, il regagna sa place. Les voitures qui s'en allaient avaient une autre signification pour lui. À mesure qu'elles quittaient le terrain de stationnement, Jean-Marie songeait qu'il vivait maintenant dans un autre monde.

6

Il avait dû la laisser sur le comptoir des vécés. Il ne voyait pas d'autre explication. Il n'y voyait pas grand-chose, d'ailleurs. À peine un pinceau de lumière parvenait-il à se frayer un passage, difficilement, entre le bout de carton, du côté droit, et l'embrasure de la fenêtre. Pas très convaincante, cette lumière. Ce qui l'était davantage, c'était ce cri perçant, incessant, cette sorte de chant, s'imaginait-il, qui venait d'un tremble, d'un érable ou d'un bouleau, tout juste derrière le café, de l'autre côté de la bande d'asphalte du stationnement, plus étroit à cet endroit. Et cela ne cessait de s'agiter, de piailler, de s'égosiller, à croire qu'il était dans une volière.

Jean-Marie décolla le carton et il fut assailli par une lumière aveuglante. Il mit quelque temps à se débarbouiller l'esprit et constata enfin, d'une part, que sa Rolex n'était pas sur le sac de jute et, d'autre part, que juste devant lui, à l'extérieur du café, se tenait un bruant à gorge blanche, qui semblait chercher du bec quelque chose dans la terre meuble. Un ver de terre, peut-être, songea Jean-Marie. Cette perspective était loin de le réjouir. Pour tout dire, rien qu'à cette idée, il eut un haut-le-cœur. Puis, comme il faisait cette supposition et qu'il fixait le volatile avec curiosité, ce dernier releva la tête d'un geste vif et il accrocha son regard. Ils se zieutèrent une bonne seconde. Le passereau l'aperçut-il réellement? Distingua-t-il les traits de l'être humain, de l'homme, derrière la vitre? Avait-il conscience de le regarder? Toujours est-il qu'il fit quelques bonds de côté et disparut avec un bout de ficelle. Jean-Marie, qui n'était pas doué d'une grande imagination, le baptisa Frédéric dans son for intérieur.

Ensuite il chercha à se lever, tâche difficile, car il baignait encore dans un état semi-comateux, ne savait pas trop où il se trouvait, quelle heure il pouvait être ni quel jour d'ailleurs, même si cela fleurait bon le café et que c'était particulièrement calme.

Quoi qu'il en soit, il se leva. Ses vêtements, décidément, ressemblaient de plus en plus au soufflet contracté d'un accordéon.

Une semaine s'était écoulée. Qu'avait-il fait pendant ce temps? Voyons. Il avait dessiné de plus en plus, furieusement. Il avait accumulé les croquis.

Il songea, encore dans les brumes de son rêve qui lui collait toujours à la peau, qu'il lui faudrait absolument découvrir une solution à cet épineux problème – le fait que ses vêtements étaient froissés et défraîchis – avant de se faire remarquer. Pour l'heure, il frotta ses yeux, bâilla à se décrocher la mâchoire et s'étira en réfrénant avec peine un cri de contentement. Puis, en passant la main dans ses cheveux, une habitude chez lui, il constata que sa chevelure était particulièrement soyeuse, et tout lui revint en mémoire. Il s'était fait un shampoing dans le lavabo des toilettes en utilisant le savon à main. C'est pour cette raison qu'il avait retiré sa montre. Il avait dû la laisser sur le comptoir du lavabo. Mais à quand remontait cette opération? Était-ce la nuit précédente? Était-ce il y a deux ou trois nuits? Jean-Marie n'en avait pas la moindre idée. Le mieux était d'aller s'en assurer sur place. Ce qu'il fit avec les précautions habituelles. À sa grande surprise et sa profonde déception, elle n'y était plus.

Décidément il perdait tout. Après sa voiture, son attaché-case qui contenait portable, calculette, cellulaire, agenda électronique, il avait écrasé ses verres fumés et voilà qu'il perdait sa montre, la dernière chose pour ainsi dire qui le reliait au monde extérieur, à la civilisation, au progrès, au… Jean-Marie poussa un profond soupir de soulagement, puis il l'oublia. Il ne se reconnaissait plus. Il s'observa minutieusement dans la glace. Sa chemise était dans un état lamentable, mais où était passée sa cravate? Et où avait-il donc égaré son veston? L'avait-il laissé dans le cagibi? Avait-il oublié de refermer la porte? Il fut tout à coup couvert de sueur. Ces trous de mémoire commençaient à le troubler. Mais où donc avait-il la tête? Il s'aspergea le visage. L'eau glacée lui fit un bien infini. Il se regarda plus à fond. Non, il n'avait pas tant changé. Mais, apparemment, il avait renoncé à la crème fouettée, car les poils de sa barbe avaient envahi ses joues. Cette fois il s'en foutait. Il ne voyait pas l'intérêt de lutter contre la nature. Et puis cela lui allait plutôt bien. Il sécha son visage à l'aide d'une feuille de papier brun et il revint dans le café.

Curieusement, son veston reposait sur le dossier d'une chaise, à sa place habituelle. C'est-à-dire à la place qu'il occupait ordinairement. Il s'assit en regardant autour de lui. Personne ne s'en préoccupa. Avait-il fait la sieste? S'était-il rendu dans le cagibi en plein jour pour piquer un roupillon? Cela non plus n'était pas dans ses habitudes. Enfin, dans son ancienne vie, parce que maintenant… Maintenant… Jean-Marie fut attiré alors par le grand dessin au crayon qui décorait le mur à sa gauche. C'était, dans les grandes lignes, ce qu'il avait d'abord lui-même griffonné sur sa serviette de table. Fébrilement, il fouilla les poches de son veston. En plus des verres fumés brisés, écrasés, il y avait la serviette de table, tachée, colorée d'un cercle parfait de café brun puis, de l'autre côté, la scène qu'il avait imaginée, cette scène qu'il avait d'abord vue sur le mur décrépit de la cuisine, puis qu'il avait reproduite sur sa serviette de table puis, apparemment, sur ce pan de mur blanc, là, à côté de lui. Jean-Marie se mit à calculer les jours et il lui apparut comme une évidence qu'il était là depuis plus d'une semaine. Il avait eu le temps de tracer toutes les lignes qui composaient son dessin à l'aide de son bout de crayon de bois. C'était fascinant. Mais, en même temps, c'était épouvantable. On avait dû commencer à le chercher. Manon avait dû appeler la police. Ses employeurs, madame Michaud et monsieur Langelier, avaient dû piquer une sainte colère, piquer une crise de nerfs ou d'hystérie. Mais, assez curieusement, alors que ces pensées se présentaient à son esprit, Jean-Marie semblait les regarder de loin. De très loin. Pour tout dire, ce qui le touchait plus spécifiquement, c'était la pensée de son fils, Samuel, et de sa fille, Lily. Il se demandait ce qu'ils faisaient en ce moment. Ils étaient peut-être à la maison ; probablement en train de se baigner ; ce n'était pas pour rien qu'il avait fait creuser cette piscine… Il fut tiré de ses réflexions par une sorte d'attroupement à quelques pas du comptoir.

Roger Sanschagrin, le représentant Coldstream, avait attiré dans son sillage Luigi et Tony ainsi que Magdalena, Méo et Jacob Kaffeespezialgesellschaft. Tout en leur présentant de très belles photos en couleurs plastifiées qu'il retirait de son cahier à reliure et sur lesquelles on pouvait admirer de magnifiques machines exposant avec grâce des saucissons, boudins violacés et sanguinolents, foie gras en terrines, pâtés en croûte, mortadelles et pointes de fromage gruyère, il vantait les mérites de chacun de ses appareils. C'était un homme de grande taille, dégingandé, habillé d'un costume qui avait dû être à la mode une vingtaine d'années auparavant, par conséquent assez usé, mais de bonne coupe, tout de même; bref, toute sa personne, y compris son visage que l'on aurait dit chiffonné, donnait une impression de laisser-aller et de désordre indescriptible; de même son discours, sorte de logorrhée interminable, dont on ne comprenait pas toutes les subtilités, et pour cause. Bref, après une envolée d'environ une heure pendant laquelle Luigi n'avait pas dit un mot, ce qui était, en soi, assez extraordinaire, le représentant de la compagnie américaine termina en ces termes:

— Donc, pour votre commerce, je vous suggère, après étude des points que Paul m'a mentionnés, de vous prémunir de notre modèle Délice DDSG-6. Le DDSG-6 fait soixante-quinze pouces de long, pèse cinq cent dix livres, opère de trente à quarante degrés Fahrenheit. Son système à gravité vous assure un excellent degré d'humidité. Comme vous pouvez le voir sur l'image, le *top* est en *stainless steel.* Vous avez les *removable tiltdown front curved glass for quick dressing and easy cleaning.* Vous avez les *exterior finish available in various colors to match the adjacent equipment or your interior design.* C'est ça que je vous disais: ça va bien aller avec votre décor. Et puis avec ça vous pouvez choisir les *standard glass shelves,* les tablettes, ou les *optional stainless steel perforated shelves,* c'est à votre goût, hein, chaque client a ses préférences. Bon. Je pense que c'est tout. La dernière affaire, ici, *efficient foamed-in-place CFC-free insulation with high R factor,* je vous l'ai dit aussi. C'est sûr que vous allez économiser de l'énergie avec ça.

À la suite de quoi Sanschagrin tira un mouchoir de sa poche et il entreprit de se vider les fosses nasales avec énergie, ne laissant rien au hasard et remettant le tout dans la poche arrière de son pantalon. Puis il sembla attendre une réponse à une question qu'il n'avait pas posée. Quant à Luigi, il examinait encore les photos d'un air circonspect. Il n'était pas le seul. Tony et les autres employés se passaient les épreuves comme s'il s'agissait de photos de famille. Seule Laura restait à l'écart même si, de toute évidence, aucun client n'allait se présenter à la caisse. L'esprit préoccupé, elle se demandait comment elle avait pu inspirer une œuvre aussi déroutante. Pour tout dire, elle avait fait encadrer le dessin de Jean-Marie et l'avait accroché, bien en vue, dans les toilettes des femmes. Un compromis en quelque sorte. Elle n'avait pas remarqué encore l'homme à la chemise fripée et à la barbe drue qui griffonnait constamment sur sa serviette de table, mais il faut mentionner que Jean-Marie était discret et que, depuis sa discussion avec Solange Colbert, il était devenu d'une prudence extrême. Quoi qu'il en soit, après avoir examiné les natures mortes, Luigi releva la tête et le verre de ses demi-lunes accrocha un rayon de soleil.

— C'est sûr que six pieds ça ferait mon affaire, dit Luigi. Et un système à gravité, c'est meilleur parce que ça garde les aliments frais plus longtemps. Ça, dit-il en désignant le vieil appareil à l'agonie, ça assèche les produits, je le sais bien.

— Un appareil à air forcé, c'est ça, constata gravement Sanschagrin.

Puis, il y eut un silence. Luigi n'avait pas appelé le représentant. C'était sans doute Paul Marchand, le réparateur, qui l'avait mis au parfum. Aussi sa visite imprévue l'avait-elle surpris. D'un autre côté, Luigi n'avait pas le choix et il le savait très bien. Il ne pourrait pas retarder indéfiniment l'échéance.

— Combien ? demanda-t-il enfin.

— Pour un appareil comme celui-là, commença le représentant, on parle de six mille sept cents dollars...

Luigi en avala sa salive de travers et, bizarrement, les employés se découvrirent des tas de choses à faire : épousse-tage, nettoyage, rangement, même que Méo crut bon de lui demander :

— Un espresso, patron ?

Mais le patron avait perdu la voix. Quand il la recouvra, il prononça des mots que ses employés, disséminés déjà aux quatre coins du café, étaient accoutumés d'entendre :

— Putain de bordel de merde ! explosa-t-il. Six mille sept cents dollars ! Six mille sept cents dollars ? Mais faut être malade pour demander cet argent-là ! Mais où tu penses que je vais les trouver, les six mille sept cents dollars ? Je fais pas la contrebande de cigarettes ! J'ai pas les subventions du gouvernement pour rembourser les cigarettes que je vends aux autochtones ! Je vends même pas les cigarettes ! Où tu penses que je vais trouver l'argent, hein ?

C'était une question à laquelle ne pouvait pas répondre le représentant des produits Coldstream. Mais il lui fit valoir que, moyennant un arrangement, c'étaient ses propres termes, il pourrait payer à tempérament. Ce qui n'était pas fait pour calmer notre Italien. D'autant qu'à cela il fallait encore ajouter les taxes fédérales et provinciales, ce que s'empressa de faire le représentant consciencieux, qui en arriva à la jolie somme de sept mille sept cent cinq dollars. Livraison en sus. Luigi, rouge de colère, était sur le point d'éclater. Le représentant changea de stratégie avant que le patron lui fasse avaler ses photographies couleurs et lui proposa plutôt de se procurer un meuble d'occasion en spécial à deux mille cinq cents dollars. Tony déclara que le prix était raisonnable, mais qu'il fallait voir.

— Venez dans notre salle de montre, lui dit Roger Sanschagrin. Vous pourrez vous faire une idée, comparer les prix, les modèles, ça serait plus facile comme ça. Je vous laisse ma carte.

Tony prit la carte que lui présentait Sanschagrin tandis que son père baragouinait quelque chose que nul n'entendit ni ne désirait entendre et qu'il n'eut d'ailleurs peut-être même pas conscience de prononcer. Le représentant ramassa ses photos plastifiées qu'il rangea dans sa reliure de présentation et il s'éloigna à reculons sans demander son reste. À peine avait-il quitté les lieux que Luigi laissa tomber, dépité :

— Je n'ai pas les moyens d'acheter un meuble neuf.

— Je sais bien, papa. Fais-toi-z'en pas avec ça. On ira les voir. Peut-être qu'on trouvera quelque chose de valable à un prix raisonnable.

Le soir tombait. Jean-Marie n'avait rien perdu de cette conversation. Six mille sept cents dollars, c'était le prix d'une causeuse et d'un canapé en cuir de vachette. Il avait laissé cela derrière lui. Ces objets de luxe. Comme sa voiture. Avait-il travaillé si fort en pure perte ? Sa voiture. Il se souvenait du jour où il était entré dans la salle de montre, chez le concessionnaire. La richesse de l'alliage. L'élégance des lignes. La puissance du moteur. Le confort des sièges en cuir. Et l'essai routier ! La souplesse des commandes, de l'accélération. Le sentiment d'être au-dessus de tout. Le sentiment de puissance et de sécurité. Le sentiment d'être dans une classe à part. Oui, il avait vécu cela. Tout cela. Maintenant il pensait à ses enfants. Qu'allait-il leur laisser ? Quel serait leur héritage ? Il n'en avait aucune idée.

Jean-Marie était enfoncé dans ses souvenirs, ses sentiments. Des sentiments troublants, douloureux. Il lui faudrait mettre un peu d'ordre dans tout cela un jour. Il lui faudrait comprendre, essayer de comprendre ce qui était arrivé. Cette douleur, ce sentiment d'abandon, il le ressentait au plus profond de son cœur, au plus profond de son âme. Il eut une pensée très triste pour ses enfants. Pour son fils, surtout, Samuel, avec qui il n'avait jamais réellement parlé. Son fils Samuel, huit ans, son garçon aux cheveux noirs et au regard si clair.

Jean-Marie regardait maintenant les lampes halogènes qui semblaient former un nouveau réseau, les lignes de feu qui se propageaient d'un globe de verre à un autre, d'un hémisphère à un autre, comme des tirs de carabine, comme des bombardements, des explosions, un réseau de mines antipersonnel, une nébuleuse... Oui, une nébuleuse, cela se déplaçait dans le ciel. Jean-Marie observait maintenant, en plissant les paupières, la voûte céleste constellée d'étoiles. Il aperçut Céphée, Cassiopée, l'étoile Polaire, la Petite Ourse, la Grande Ourse. Distingua-t-il réellement la Chevelure de Bérénice ? la Couronne boréale ?

Il devait se lever. S'il restait perdu ainsi dans le noir sans fin de la nuit, il ne pourrait se cacher à temps et il serait découvert. Le temps avait passé tellement vite ! Il lui fallait absolument regagner sa cachette. Encore étourdi, sous le coup d'une émotion intense, avec des sanglots dans la gorge et des larmes plein les yeux, il tituba et se rendit dans la cuisine en employant des ruses de guerre, comme un combattant dans le désert. Quand il referma la porte du cagibi, il y avait dix jours qu'il se terrait dans le café.

7

La journée avait commencé de fort curieuse façon. Tout d'abord, Jacob Kaffeespezialgesellschaft était arrivé à l'heure, chose plutôt rare dans son cas, et, sitôt entré, il s'était dirigé vers le comptoir où il avait déposé ostensiblement un étui noir oblong. Puis, sous les yeux quelque peu ébahis de Laura et de Magdalena, il avait assemblé les pièces nickelées de son instrument. Après s'être humecté les lèvres, il avait embouché l'engin et avait commencé à en jouer : le concerto pour flûte et orchestre de Wolfgang Amadeus Mozart – concerto pour flûte et orchestre numéro 2 en ré majeur K 314. Tandis qu'il jouait des extraits du premier mouvement, *allegro aperto*, Méo suspendit son geste vers la machine à espresso et Luigi demeura interdit dans le passage. Le temps, en effet, semblait s'être arrêté. Les auditeurs étaient fascinés. Ainsi donc, ce Jacob que l'on croyait bête à pleurer et incapable de faire un geste sans provoquer une catastrophe, ce Jacob-là était une sorte de virtuose. Il fallait qu'il le fût pour arrêter ainsi dans son élan le patron du Café Mollo. Après quelque huit minutes de pur délice musical, on l'applaudit très fort et Luigi demanda qu'on se remît au travail. Le bien était fait. On passa donc une bonne partie de l'avant-midi dans une sorte d'état de grâce, voire de béatitude.

Le deuxième incident, découlant du premier ou, en tout cas, y trouvant peut-être sa source, eut lieu au début de l'après-midi. À ce moment-là, le livreur de viandes froides, Yvan Bienvenu, tenait une caisse en équilibre sur sa cuisse qu'il avait levée de façon à ce que Laura puisse apposer son nom sur le bon de commande. Elle était donc en train de signer quand, tout à coup, elle demanda – mais sans paraître y attacher beaucoup d'importance – si le livreur aimait la peinture. Un peu surpris et de surcroît en déséquilibre, Yvan Bienvenu ne sut pas comment réagir. En fait, il se demanda même s'il avait bien entendu.

— Hein? dit-il.

— Tu aimes la peinture?

— Euh… Oui, bien sûr.

Après avoir signé le bon de commande, Laura lui remit son stylo en le regardant droit dans les yeux. En saisissant l'objet, Yvan Bienvenu laissa glisser la caisse qui faillit se retrouver par terre. Il la rattrapa de justesse, fit quelques pas dans la pièce comme un clown sous un chapiteau et déposa enfin la caisse sur la table. Ne manquerait plus, pensa-t-il avec dérision, que je soulève ma casquette à hélices, qu'on aperçoive mes cheveux orange collés dessus et que j'appuie sur mon gros nez rouge qui ferait un bruit de klaxon. Laura dut se représenter la même image, car pour la première fois sans doute, elle le regarda en souriant. Tiens donc, pensa Yvan Bienvenu, voilà qu'elle se dégèle, celle-là. Il put remarquer alors qu'elle n'avait pas seulement un beau cul mais encore des lèvres dodues et des yeux noirs en amande. Pour ce qui est de Laura, elle le dévorait des yeux. Ce livreur avait des épaules remarquables que la sueur faisait reluire sous son t-shirt. Il avait les yeux brun noisette, le nez droit et les lèvres charnues. Belle pièce d'homme, se dit-elle.

Belle pièce de viande. Oui, c'est vrai. Il était venu pour ça. Elle tâta la marchandise. Tout était conforme. Tout avait l'air très bien. Il ne manquait rien. Les produits étaient frais. Cependant, il attendait encore. Qu'attendait-il ? Normalement, il aurait dû s'enfuir, s'en aller en coup de vent, comme il faisait tout le temps. Eh bien non. Cette période, courte période d'incertitude, lui permit d'ajouter en rougissant jusqu'à la racine des cheveux qu'elle avait très noirs :

— J'aime la peinture, moi aussi.

Puis, après un drôle de silence :

— J'aime aussi le dessin. Le dessin au crayon.

— Oui, je vois, fit Yvan Bienvenu qui n'y comprenait absolument rien.

Ils restèrent donc l'un devant l'autre à se poser un nombre incalculable de questions, chacun se demandant franchement si son vis-à-vis n'avait pas perdu la raison.

Le troisième incident se produisit en fin d'après-midi. Pour la première fois depuis qu'il avait mis les pieds dans le café, Jean-Marie consulta de façon sérieuse et méthodique un journal déplié devant lui. À la page quatre de l'hebdomadaire régional se trouvait une photographie qui attira son attention. Sur un fond de mur orange, se tenait un homme aux cheveux très courts, portant cravate et costume trois pièces. Il souriait à la caméra de ses belles dents blanches et droites. Le cliché, une photographie d'entreprise de toute évidence, remontait peut-être à une dizaine d'années, peut-être moins ; néanmoins, impossible de se tromper. La photographie, au centre de la page, du côté gauche, était accompagnée d'un titre et d'une cinquantaine de lignes. Jean-Marie, qui ne portait plus son veston depuis un bon moment et qui aurait été bien en peine de dire où il avait pu fourrer sa cravate, se pencha un peu plus sur la feuille de chou et il put ainsi déchiffrer les caractères qui dansaient sous ses yeux.

Un citoyen de Label disparu depuis le 20 juillet

Jean-Marie Lalonde est porté disparu depuis le 20 juillet dernier alors qu'il quittait le magasin de meubles Olivette Michaud du centre-ville de Montréal au volant de son véhicule, une BMW 825 i de couleur grise.

Le père de deux enfants, âgés de 8 et 15 ans, n'a plus donné signe de vie par la suite. Sa conjointe, Manon Beauregard, l'attendait pour le souper. Le directeur général des magasins Olivette Michaud, où travaillait Jean-Marie Lalonde en qualité de conseiller en décoration depuis une quinzaine d'années, ne comprend pas ce qui a pu se produire. À la fermeture du magasin, il aurait salué tout le monde comme de coutume. Il devait même rencontrer une cliente le soir même pour l'aider à prendre des mesures. Selon cette dernière, Micheline Brûlé, Jean-Marie Lalonde ne se serait jamais présenté au rendez-vous et n'aurait pas téléphoné pour se décommander.

Pour l'instant, toutes les hypothèses sont permises: amnésie, fugue, suicide, enlèvement, accident sur une route déserte […] et la grande question est: où est-il?

Les policiers affectés au dossier n'excluent pas la possibilité que l'homme ait quitté la province et qu'il puisse se trouver ailleurs au Canada, aux États-Unis ou même au Mexique.

Résidant de Label depuis 10 ans, Jean-Marie Lalonde est âgé de 40 ans, mesure 5 pieds 10 pouces, pèse 165 livres, a les cheveux courts, les yeux noirs et une démarche assurée. Dans les heures qui ont précédé sa disparition, il paraissait sain d'esprit et portait un costume noir ainsi qu'une cravate jaune.

Tout renseignement peut être communiqué à Daniel Meloche, de la Sûreté du Québec, au (819) 763-4846, ou à n'importe quel poste de la Sûreté du Québec.

Jean-Marie releva la tête et regarda autour de lui. Il n'avait rien à craindre. C'était le même va-et-vient que d'habitude. Et puis, il avait tellement changé! Sa barbe avait poussé, sa moustache s'étalait sur ses lèvres, sa chevelure sur ses épaules, ses yeux étaient cernés, son visage émacié. Il avait le teint terreux, la bouche pâteuse. Pour tout dire, il n'était pas dans une forme extraordinaire. Le manque d'exercice, sans doute. Mais il n'y avait pas que cela. Son âme s'était obscurcie. Pourtant, il était arrivé à d'intéressants résultats en ce qui concernait son habillement. Il avait finalement trouvé une solution pour obtenir un pantalon bien pressé. La veille encore, il avait renouvelé l'expérience. Il s'agissait de faire passer le tissu sur le gril électrique. Après avoir réglé la température de l'engin au minimum, Jean-Marie déposait le pantalon sur la surface de cuisson, puis il rabattait la plaque métallique dessus. La culotte se trouvait prise en sandwich, c'est le cas de le dire, et les mauvais plis disparaissaient peu à peu. Cette technique n'avait pas que des avantages. En plus de dégager une certaine odeur de brûlé, elle avait l'inconvénient d'user plus rapidement le tissu. Cependant, de loin, le résultat était plutôt probant. Quant à sa chemise, Jean-Marie avait pris l'habitude de la laver dans le lavabo des toilettes avec du savon à main, de l'essorer et de la sécher à l'aide du sèche-mains électrique. Puis, elle passait elle aussi sur le gril. Malgré cette peine, il faut avouer qu'avec le temps elle avait changé de couleur. Peut-être était-ce dû à la transpiration ou encore à la fumée de cigarette, mais elle tirait maintenant sur le jaune safran, voire le jaune carmin ou jaune orange. Quant à ses chaussettes, après avoir passé régulièrement sur le gril, elles étaient devenues d'une rigidité cadavérique et lui donnaient des ampoules. Il avait décidé de s'en débarrasser. Eh oui ! Il se promenait sans chaussettes. Quant à son slip… L'avait-il gardé ? Dieu seul le sait. Et le Diable s'en doute.

Ainsi donc, caché dans sa barbe et sa moustache, les cheveux longs et bouclés, le pantalon patiné, la chemise orange dont il avait roulé les manches à la hauteur des coudes, Jean-Marie ne ressemblait en rien au personnage recherché par la police. Celle-ci avait plus de chance de retrouver sa voiture. Et encore ! Même avec le numéro de plaque, il était peu probable qu'ils la retrouvent à la fourrière. Jean-Marie savait très bien comment opéraient ces bandits. Non, la seule inquiétude qu'il pouvait avoir, c'était que Luigi tombe sur cet entrefilet. Luigi ou un autre. Tony, peut-être, ou alors un employé du café. Mais il y avait peu de chance qu'une telle chose se produise. Cependant, Jean-Marie referma le journal.

Son projet de peinture murale avançait bien. Il travaillait la nuit, à la lueur de quelques chandelles qu'il plaçait sur les tables autour de lui, après avoir retiré les plantes en pots qui cachaient le mur en question. Au début, il avait utilisé un os creux avec lequel il avait soufflé une poudre colorée qu'il avait trouvée dans la grande armoire de la cuisine. Puis il s'était fabriqué un pinceau à l'aide d'une touffe de plumes ramassées sur le sol. Muni de ces instruments archaïques, il avait suivi les courbes de son dessin. Enfin, un événement étrange était survenu. Jean-Marie n'aurait su dire au juste quand. Était-ce dans la première semaine ? la deuxième ou la troisième ? Impossible de se rappeler. Mais un jour qu'il se demandait comment poursuivre la coloration de son œuvre, Solange Colbert était revenue. Elle s'était assise à côté de lui comme la première fois et ils avaient parlé. Jean-Marie ne se souvenait pas de ce qu'ils s'étaient dit, mais, peu après son départ, il avait remarqué une boîte de couleurs sur sa chaise. Mais était-ce bien sur sa chaise ? Ne l'avait-il pas trouvée sur une autre chaise ? Ou sur le banc turquoise ? Il avait attendu un long moment avant de s'en emparer. Puis, comme personne ne semblait la réclamer, il l'avait déposée sur la table devant lui et il l'avait ouverte. De petits tubes de peinture à l'huile étaient disposés en quatre colonnes, maintenus par de fines languettes de bois. Il y avait à l'intérieur du couvercle une spatule et quelques pinceaux. Jean-Marie s'était senti envahi par une émotion intense. Et, la nuit venue, il s'était remis au travail.

Il essayait maintenant de se rappeler sa conversation avec Solange. Il y avait peut-être dans ses propos une réponse à la question qu'il se posait : était-ce bien elle qui avait laissé la boîte ? Et, si oui, l'avait-elle fait délibérément ?

Jean-Marie tenta de reconstituer leur conversation. Tout d'abord, elle était entrée dans la lumière et elle lui avait souri, l'air de dire : vous êtes encore là, vous ? Elle s'était dirigée vers le comptoir. Avait-elle un sac à main ? Impossible de se souvenir. Jean-Marie n'y avait pas prêté attention. Il regardait sa murale en se demandant comment il allait poursuivre.

Solange ne portait pas de chandail ce jour-là. À moins qu'elle ne l'ait retiré. Peut-être, d'ailleurs, l'avait-elle enlevé et déposé sur la boîte de couleurs. Jean-Marie poussa un profond soupir de lassitude : il n'en avait pas la moindre idée. Depuis qu'il était entré dans ce café, on aurait dit que son cerveau s'était ramolli, surtout, il avait perdu la notion du temps, on aurait dit qu'il voyait les événements à travers un prisme qui déformait la réalité. Enfin, tout à coup, elle était apparue devant lui et elle s'était assise à sa droite.

— Vous avez bien dormi ? lui avait-elle demandé.

Comme s'ils ne s'étaient jamais quittés. Comme si elle savait tout ce qui se passait. Tout ! Jean-Marie en avait avalé sa bouchée de travers et renversé une partie de son cappuccino.

— Euh, oui, pas mal.

Puis, il s'était redressé.

— Vous attendez toujours le Prince Charmant ?

— Non. C'est un con.

— Ah bon.

Ils s'étaient souri. Que s'était-il donc passé par la suite ? Le temps avait filé. Jean-Marie avait eu le loisir de regarder sa jupe qui était très courte, ses cuisses, son corsage d'organdi de couleur prune. Il revit ses cuisses bronzées, musclées, elle faisait peut-être de l'escalade, c'était à la mode, et il eut une formidable érection. Nom de Dieu ! pensa-t-il. Qu'est-ce que je fais avec ça ?

Jean-Marie était dans le Café Mollo depuis dix-huit jours et il n'avait pas eu de relations sexuelles de tout ce temps. La chose avait de quoi surprendre. Entièrement à son activité artistique, il en avait oublié sa libido et l'image de Solange, assise sur sa chaise, la jupe relevée, venait brusquement le rappeler à des besoins plus élémentaires. Confus, mais surtout mal à l'aise, il essaya de replacer son membre viril dans une position plus confortable sans éveiller l'attention. Cela ne se passa pas si mal, d'autant qu'il avait pris l'habitude de se rendre invisible, à tel point que cela relevait du grand art.

Cependant, l'image de Solange, de ses lèvres pulpeuses, charnues, de son corsage échancré qui laissait deviner sa poitrine opulente, goûteuse, moelleuse, accueillante, le galbe de ses hanches et de ses cuisses, la ligne très pure et cambrée de ses reins, tout cela contribuait à maintenir le sexe de Jean-Marie dans une position de plus en plus intenable. N'en pouvant plus, il se leva et, d'un pas militaire, sexe dressé, il se dirigea vers les vécés, s'enferma dans la cabine pour se soulager. Puis, le corps en repos, assis sur le couvercle de la cuvette, il se remémora la fin de leur conversation.

— Vous faites de l'escalade?

Cette fois, elle avait éclaté de rire.

— Vous êtes un rigolo, vous.

C'était la première fois qu'on lui disait une telle chose. Puis, devant son air piteux, elle avait ajouté:

— Pourquoi vous me demandez ça?

— Vous avez des cuisses… musclées.

— Ah oui, avait-elle constaté en jetant un coup d'œil aux plis de sa jupe. Je joue au badminton.

— Moi aussi, s'était empressé de répliquer Jean-Marie, surpris par la coïncidence.

— Vraiment?

Il n'y avait peut-être pas de mépris dans cette question, mais certainement un grand scepticisme. Jean-Marie n'avait pu s'empêcher de songer qu'en effet il ne devait pas avoir l'allure d'un athlète! Depuis combien de temps n'avait-il pas réellement fait d'exercice? Ses muscles s'étaient relâchés, atrophiés, sans aucun doute. Ses chairs s'étaient ramollies. En fait de moineau, le seul qu'il pourchassait, et encore! du

regard, c'était Frédéric, le bruant à gorge blanche, son nouveau copain. Il suffit de cette pensée pour que Jean-Marie
reparte une fois de plus en arrière. Une étrange amitié s'était
développée entre ces deux drôles de moineaux. Le passereau
venait de plus en plus souvent sur le bord de la fenêtre du
cagibi, non plus pour y farfouiller dans la terre meuble
quelque lombric gluant, semblait-il, mais plutôt pour accom-
pagner Jean-Marie qui avait entrepris de décorer son réduit.
Il avait commencé par dessiner sur le carton qui obstruait la
fenêtre, puis il s'était attaqué aux parois du local. Frédéric,
pendant ce temps, piaillait joyeusement et semblait observer
le dessinateur d'un air intéressé. Illusion que tout cela ? Jean-
Marie ne savait trop. Mais il est indéniable que le volatile était
assidu. Beau temps, mauvais temps, il sautillait le long de la
fenêtre et poussait des cris perçants pour marquer son appro-
bation ou son désaccord à propos de l'œuvre de Jean-Marie ;
son premier critique en somme. Jean-Marie ne lui avait-il pas
déjà dit, alors qu'il était tout barbouillé de charbon :

— Cause toujours, mon coco ! Tu ne m'empêcheras pas
de faire à ma tête !

C'est ce qu'il faisait en effet. Il soufflait sa poudre de couleur sur les murs, les enduisait de colle, de poudre à pâte, de
colorant à gâteaux, de glaçage, enfin de tout ce qui pouvait
donner un peu de couleur et de vie à son nouvel habitat. Le
passereau n'était pas en reste et, après avoir observé d'un œil
amusé son nouvel ami embellir son coqueron, il semblait
repartir vers son nid avec de nouvelles idées. Folie que tout
cela ? Fantaisie ? Imagination ? Délire ? Jean-Marie ne savait. Il
était trop occupé pour se rendre compte de quoi que ce fût,
pour porter un jugement sur son entreprise, sur la solitude
qu'il avait choisie. Mais avait-il choisi ? Avait-il vraiment eu le

choix ? Ce sont des questions qu'il préférait ne pas se poser. D'autant qu'à ce moment-là il se sentait coupable d'avoir abandonné sa famille et ses amis. Et puis, surtout, et c'était là l'incompréhensible, après dix-huit jours de ce régime, il ne savait toujours pas pourquoi il était là. Son geste lui paraissait insensé. Tout ce dont il avait conscience, c'était de s'être dépouillé petit à petit d'à peu près tout ce qu'il possédait. Sans voiture, sans outils de travail, sans montre, sans veston, cravate, chaussettes, et ses souliers qu'il ne portait pas la nuit, Jean-Marie faisait le vide autour de lui et il allait atteindre, bientôt, une région de son âme qu'il hésitait encore à aborder. Son œuvre l'aidait en ce sens. Bien qu'il n'en eût aucunement conscience, sur les murs du cagibi s'étalaient les tourments de son cœur, ses inquiétudes, ses peurs, les monstres qui peuplaient son esprit. Tout cela était confus, vague ; mais, se disait maintenant Jean-Marie, avec les couleurs de Solange, j'y verrai plus clair, tout sera bientôt éclatant de lumière.

8

À la lueur de bougies qu'il avait plantées sur les tables du café, Jean-Marie appliqua le dernier coup de pinceau à sa peinture murale. Puis, il prit un peu de recul. Tout était bien là, tel qu'il l'avait imaginé : Luigi, rougeaud, vif, emporté ; Méo, habillé de noir et jonglant avec des tasses très blanches ; Magdalena, cheveux bouclés qui descendaient en cascade presque jusqu'à terre ; Laura et son regard mystérieux, noir, profond, derrière la caisse en argent ; Gustave, penché sur son balai d'un air songeur, presque triste, indéfinissable ; Jacob et sa flûte qui semblait faire danser tout le monde, qui créait une sorte de vie dans le café, Tony qui le fixait, qui fixait les consommateurs et, parmi ceux-ci, Solange Colbert qui buvait un café rêveusement. Tout cela était très beau. Les couleurs étaient chatoyantes.

Jean-Marie s'assit sur une chaise bistrot d'un air satisfait. Autour de lui les plantes vertes qu'il avait repoussées. Quelques feuilles vinrent lui chatouiller la joue. Il observait son œuvre trembler à la lueur des bougies, les personnages qui paraissaient vivants, réels, plus réels même que les vrais. Il se frotta les yeux, épuisé de fatigue, engourdi mais heureux, semblait-il. Le pinceau encore à la main, la palette de couleurs (une vieille assiette de carton) posée sur le sol, il regardait sans bouger. Inexplicable, se dit-il. Et il répéta ce mot plusieurs fois. Inexplicable, oui. Bien qu'il ne sût pas exactement à quoi rattacher le mot. Était-ce une référence à la peinture? Devait-on relier cela au mystère de la création ou à sa position, à son isolement, à son comportement? Ses pieds nus sur le sol, son pantalon fripé, taché, sa chemise trouée par endroits et colorée maintenant de toutes les couleurs de sa palette, Jean-Marie semblait flotter comme ses personnages dans un monde extra-temporel.

Il eut conscience cependant que la pluie avait commencé à tomber. Non pas qu'il la vît, mais il l'entendait crépiter sur le toit du bistrot. Une pluie fine au début, puis martelant les tuiles de plus en plus lourdement. Il frissonna. Chercha son veston du regard. Décidément, les nuits étaient de plus en plus froides. Combien de temps maintenant? On était en septembre, lui sembla-t-il. Mais quel jour? Jean-Marie ramassa par terre une sorte de vieux linge (son veston) et il se dirigea vers le banc turquoise le long du mur. Il s'y étendit, se recroquevilla sur lui-même, déposa le veston élimé sur ses épaules et sur ses jambes, essaya d'y enfouir également ses pieds glacés, mais peine perdue. Quand même, il tâcha de se réchauffer un peu. Combien de temps? se demanda-t-il encore. Tandis que les chandelles achevaient de se consumer, il se remémora les derniers jours.

Tout d'abord, alors qu'il était absorbé dans ses pensées, se demandant si Solange avait reconnu sa photo dans le journal, Magdalena, un livre à la main, s'était précipitée sur lui. Il ne l'avait pas vue venir, aussi sursauta-t-il quand il la vit devant lui, sa longue tignasse mordorée encadrant son visage d'ange. Jean-Marie était certain qu'elle avait tout découvert et que c'était pour cette raison qu'elle fonçait dans sa direction. Or, ce n'était pas ça du tout : profitant d'une pause dans son travail, et n'ayant pas d'autre partenaire à qui demander la chose, elle désirait qu'il la fît répéter le rôle d'Ophélie pour une audition. Jean-Marie, encore sous le choc, croyant s'être fait prendre la main dans le sac comme un vulgaire voleur, avait balbutié quelque peu avant d'être en mesure de lui demander des explications.

— Je vous vois souvent ici, lui dit Magdalena. Vous êtes toujours dans le même coin et vous avez l'air de vous ennuyer. Vous griffonnez toujours des affaires sur votre serviette de table. Qu'est-ce que vous faites ?

— Euh… avait dit Jean-Marie.

— C'est pas pour vous déranger, mais je prépare mes auditions pour une école de théâtre et je n'ai pas ma réplique. Vous seriez gentil de m'aider à apprendre mon texte.

Puis, elle lui avait fourré le livre dans les mains.

— C'est pas compliqué. Vous allez aimer ça. Enfin je pense. Ça va vous désennuyer, hein ? Regardez, c'est ici. Ça commence à la page 107. C'est *Hamlet*. Acte 3, scène 1, à l'arrivée d'Ophélie, c'est tout de suite après le monologue d'Hamlet, vous savez, le célèbre « Être ou ne pas être. Telle est la question. » Bien, dans ce livre-là, c'est une traduction d'Yves Bonnefoy, il écrit « Être ou n'être pas. C'est la question. », mais ça veut dire la même chose.

— Ça veut dire la même chose, répéta Jean-Marie, tétanisé, assommé, subjugué.

D'autant que la jeune fille dégageait un parfum enivrant de fleurs sauvages et qu'il ne savait pas trop ce qu'il devait faire entre l'écouter, la regarder et la sentir, tous ses sens étant sens dessus dessous, sollicités de toutes parts et, pour tout dire, complètement détraqués.

— Mais je ne veux pas vous déranger, reprit-elle. Si vous ne voulez pas…

— Non, non… eut la force d'articuler Jean-Marie.

— Formidable alors! dit Magdalena qui tira la chaise bistrot et s'assit devant lui.

Jean-Marie eut le temps d'observer qu'ils étaient à peu près seuls dans le café et il plongea le nez dans le livre ouvert pour apercevoir sur la page de gauche quelques lignes qui retinrent son attention:

Est-il noble pour une âme de souffrir
Les flèches et les coups d'une indigne fortune

Puis, tandis qu'il relevait la tête et observait le beau visage rayonnant de Magdalena, une phrase dansa devant ses yeux, une phrase de Nietzsche qu'il avait apprise il y avait bien longtemps de cela, quand il était jeune et qu'il vendait des encyclopédies, et qui disait:

La beauté est une flèche lente.

Mais déjà la jeune fille reprenait:

— Vous voyez? C'est ici, en haut.

— Je vois, fit Jean-Marie.

OPHÉLIE
Mon cher seigneur,
Comment va Votre Grâce après tant de jours?
HAMLET
Oh, merci humblement! Bien, bien, bien.

OPHÉLIE

Monseigneur, j'ai de vous des souvenirs
Que depuis longtemps je voulais vous rendre.
Recevez-les, je vous prie.
                    HAMLET
Moi? Non, non.
Je ne vous ai jamais rien donné.
                    OPHÉLIE
Mais si, mon cher seigneur, vous le savez bien,
Et vous aviez des mots d'un souffle si doux...

Et ainsi de suite. La répétition avait bien duré une trentaine de minutes, à la suite de quoi la jeune fille s'était exclamée :

— Vous lisez bien. Je vous remercie beaucoup.

Elle avait repris son livre d'un air grave et elle avait disparu. Ensuite, que s'était-il passé de notoire ?

Il y avait bien eu cette conversation entre Laura Lamer et Yvan Bienvenu que Jean-Marie avait surprise. Quand cela se passait-il donc ? Hier, pensa Jean-Marie. Hier encore. Mais il n'en était pas certain. Et puis, quelle importance ? Dans son trou à rats, notre troglodyte avait donc été témoin d'une étrange conversation. Tout avait commencé dans la cuisine. Laura avait abordé franchement le jeune homme.

— Viens avec moi, lui avait-elle dit. Je veux te montrer quelque chose.

— Ouais, avait dit Bienvenu.

Et ils s'étaient rendus dans les toilettes des femmes. Jean-Marie ne savait pas trop ce qui s'y était passé, mais, quand ils en étaient ressortis quelque quarante ou cinquante minutes plus tard, et qu'ils étaient revenus dans la cuisine, ils avaient l'air tous les deux beaucoup plus heureux. Enfin, leurs voix étaient plus claires et plus chaleureuses. Quoique leurs propos à ce moment-là lui aient paru tout de même fort étranges.

— Alors, qu'est-ce que tu en penses? avait demandé Laura.

— Très jolie, lui avait répondu Yvan.

Mais de quoi parlent-ils donc? s'était demandé le fugitif. Malheureusement, il n'avait pu obtenir plus de détails, car le livreur, qui s'était attardé, était déjà en retard et il avait dû quitter les lieux précipitamment. Peut-être aussi que Luigi, qui était entré en coup de vent en hurlant: «Mais où est Laura?», y était pour quelque chose. Jean-Marie sembla se souvenir que la jeune fille avait balbutié d'un air coupable: «J'étais aux toilettes.» Ce à quoi le patron s'était contenté de répondre: «La caisse! Ça presse!» «Oui, oui…» avait terminé la jeune fille d'une voix altérée. La nuit venue, Jean-Marie s'était rendu dans les toilettes des femmes où, à la lueur d'une bougie, fort surpris, il avait vu le dessin qu'il avait fait de Laura encadré et placé au-dessus du lavabo. Ça par exemple! Voilà que mes œuvres envahissent les vécés maintenant! avait-il pensé. Il était tout de même surprenant que le jeune couple fût resté en pâmoison devant son dessin au charbon de bois pendant presque une heure, mais enfin, c'était flatteur pour lui et il en avait ressenti une sorte de fierté.

Puis, son visage s'assombrit. Alors qu'il coulait lentement dans le sommeil sur son banc de bois turquoise, il revit la mine renfrognée de Luigi et de son fils Tony au retour de leur visite à la salle de montre de la compagnie Coldstream. Les réfrigérateurs neufs, plus pratiques, plus performants, plus élégants les uns que les autres, avaient eu sur leur moral l'effet contraire à celui souhaité, du genre claque en pleine face. Plus question d'acheter un meuble d'occasion. Ils allaient économiser et, qui sait, peut-être qu'avec un peu de chance…

— Tu as vu leur présentoir à gâteaux! s'était exclamé Luigi au comble du désespoir. Capacité de cinq cents litres, motocompresseur de quatre cent quatre-vingts watts, plateaux en cristal pivotants, température de quatre à dix degrés Celsius, humidité de soixante-quinze pour cent, dégivrage automatique, tension de deux cent trente volts…

— Et le Délice DDSG-12 de cent quarante-sept pouces, avait renchéri Tony en brandissant un dépliant en couleurs. On a beau dire, c'est de la belle machine.

— À un prix inabordable, avait conclu Luigi.

— Je sais, avait dit Tony.

Il avait posé les photos sur le comptoir puis il avait fait coulisser une vitre toute branlante dans la rainure du vieil appareil malade pour en retirer quelques sandwichs au jambon racornis.

— Regarde, papa! Le pain est déjà sec! avait-il pratiquement larmoyé.

Luigi n'avait pu supporter la vue de la viande séchée et il avait détourné les yeux: c'était trop pour lui.

— Arrête! avait-il dit. Tu me fends le cœur!

Méo avait voulu lui proposer quelque chose à boire mais, heureusement pour lui, il s'était abstenu.

Ensuite? Que s'était-il passé? Jean-Marie se retourna sur son banc. Ensuite, il y avait eu la visite de l'inspecteur de police. Il fallait s'y attendre. Ils avaient fini, on ne sait trop comment, par retrouver la voiture et par faire les recoupements nécessaires. Jean-Marie aurait payé cher pour entendre la conversation que l'inspecteur avait eue avec Luigi dans la cuisine. Mais il n'aurait pas appris grand-chose. En somme, que s'étaient-ils dit? Oui, Luigi avait bien fait remorquer la voiture dont il était question, mais il était dans son droit, il avait même attendu deux jours pour le faire. Non, il n'avait jamais vu l'homme dont lui parlait l'inspecteur.

— Attendez! Montrez-moi la photo…

L'inspecteur lui avait tendu la photo. Luigi avait chaussé ses demi-lunes et avait regardé avec plus d'attention. Oui, peut-être, un homme en habit noir, cela lui disait quelque chose. Mais il y avait bien longtemps.

— Il n'a fait que passer.

— Ah bon. Si vous le revoyez…

— Sûr.

Le policier lui avait tendu sa carte, avait fait circuler la photo parmi les employés occupés à servir les clients. Personne ne l'avait reconnu.

Jean-Marie se retourna une nouvelle fois sur le banc. Avait-il rêvé cela ou cela s'était-il réellement passé? Il se rappela un autre incident qui le tracassa énormément. Un matin, Méo avait découvert une chaussette noire sous le comptoir. L'autre était dans la poubelle, dans le fond de la poubelle. Qu'est-ce qu'elle faisait là? Et à qui appartenaient-elles? Vu l'état lamentable dans lequel elles étaient, Méo doutait fort qu'elles appartinssent à l'un des employés, alors à qui? Il avait fait part de ses inquiétudes à Luigi qui avait bien d'autres soucis.

Jean-Marie aurait peut-être dû se méfier, il aurait peut-être dû se réveiller, se lever, replacer les plantes devant sa fresque murale, se carapater dans son refuge avant que le soleil se lève. Mais il ne savait pas s'il rêvait ou s'il était éveillé. Il mélangeait tout. Par exemple, il avait remarqué que Gustave Paulig nettoyait les toilettes tous les mardis soir. Il pouvait donc se cacher là à la fermeture les autres soirs. Mais l'avait-il fait ce jour-là, la fois où Laura Lamer s'était enfermée dans le cagibi avec Yvan Bienvenu? L'avait-il fait ou avait-il assisté à leurs embrassades caché derrière une rangée de caisses? Ça aussi, il fallait bien que ça se produise. S'étaient-ils aperçus des changements dans le cagibi? de tous les dessins épinglés sur le mur? Sûrement pas, car il n'y avait pas de lumière dans la pièce et le carton était solidement enfoncé dans la fenêtre. N'empêche, il n'était plus en sécurité nulle part. Il lui fallait donc faire très attention. Oui. Il aurait dû se méfier. Et ne pas rendre ces menus services. Quand cela lui avait-il pris? Une nuit, comme il avait remarqué qu'il n'y avait plus de papier hygiénique, il avait remplacé le rouleau. Une autre fois, il avait sorti les tasses du lave-vaisselle et il les avait placées sur la machine. Il nettoyait les tables. Il balayait. Il avait même lavé le plancher à grande eau. Naturellement, Gustave s'était douté de quelque chose. Il ne disait rien mais, de plus en plus, dans son visage blanc on voyait apparaître des regards interrogateurs.

Quoi qu'il en soit, tout cela n'avait pas porté à conséquence. Malheureusement, Jean-Marie s'était endormi. Au moment où il revoyait sa dernière conversation avec Solange Colbert, Luigi enfonçait son index sur les touches du système d'alarme pour le désactiver. Qu'est-ce qu'elle lui avait dit?

— Vous vous ennuyez?

— Non.

— Vous êtes toujours ici. C'est vrai? Qu'est-ce que vous faites?

— Je peins.

— Vous peignez? Eh bien, dites donc! Comme ça, la boîte de couleurs que je vous ai laissée va vous servir à quelque chose?

— Bien sûr. J'ai déjà commencé, vous savez. Je veux dire, les tubes sont déjà passablement entamés.

— Montrez-moi ce que vous faites !

Jean-Marie, discrètement, avait écarté les feuilles du rhododendron.

— Ça par exemple ! C'est moi ça ?

— Oui.

— Vous êtes fou !

Quel beau sourire, vraiment.

— Vous faites des nus, aussi ?

— Euh… avait balbutié Jean-Marie.

— C'était une blague.

Ce n'était pas une blague du tout. Depuis le début, Solange Colbert avait été attirée par cet homme robuste aux cheveux noirs et au regard profond. Depuis quelque temps, il semblait passablement amaigri, mais il n'en était que plus beau, plus désirable. Et puis cet homme recelait un mystère, pas de doute. Naturellement, elle ne croyait pas qu'il était installé dans le café à demeure, mais il y avait tout de même un mystère dans sa présence. Qu'est-ce qu'il faisait là ?

— On vous paie pour faire cette murale ?

— Non.

— Mais quand travaillez-vous ?

— La nuit. Je dors ici. Je vous l'ai dit.

— Je ne vous crois pas. Arrêtez de rire de moi.

— Je ne ris pas de vous.

— Jurez-le-moi.

— Je vous le jure.

— Sur la tête de vos enfants ?

Jean-Marie n'avait pas répondu.

— Vous voyez ?

— Qu'est-ce qui vous fait croire que j'ai des enfants ?

— Je ne sais pas. C'est une façon de savoir si vous êtes libre.

— Pas très subtil.

— Non, je sais, avait-elle dit piteusement.

Et cette fois c'est Jean-Marie qui avait souri.

— C'est que vous ne parlez pas beaucoup de vous, avait-elle ajouté.

— Vous non plus.

— Que désirez-vous savoir ? Que désirez-vous savoir de moi ? avait-elle répété avec un empressement qui avait fait sourire Jean-Marie un peu plus.

— Pourquoi m'avez vous donné ces couleurs ?

Bien qu'un peu déçue, Solange Colbert s'attendait à la question.

— Je vous ai vu dessiner sur votre serviette de table. J'ai pensé que vous aimeriez peut-être… Je ne sais pas. C'est un peu fou, je sais…

Puis, pour que tout soit clair :

— Je possède une boutique d'artisanat, pas très loin d'ici…

Puis, tout à coup, une main sur son épaule secoua Jean-Marie vigoureusement. Quand il se réveilla, aveuglé par un rayon de soleil, il distingua les demi-lunes et, derrière, le visage empourpré de Luigi Alzaco qui lui demandait des explications :

— Qu'est-ce que vous faites là ? Réveillez-vous ! Je vais appeler la police si vous ne vous réveillez pas !

Cela n'avait pas beaucoup de sens évidemment, mais Luigi était trop énervé pour tenir un discours logique. Quant à Méo, Magdalena et Tony, ils entouraient le patron et regardaient l'inconnu avec des yeux exorbités.

— Qu'est-ce qu'il fait là, ce con? disait Tony à tout venant.

Magdalena, qui avait reconnu son répétiteur, ne disait rien, mais elle se mordait les lèvres. Quant à Laura, en levant les yeux, elle venait d'apercevoir la peinture murale et elle avait ouvert la bouche pour dire quelque chose, mais rien ne sortait. Jacob, finalement, eut une pensée profonde. En se reconnaissant sur la murale, il déclara avec un large sourire:

— Tiens, c'est marrant! C'est moi sur le dessin!

Mais, en général, on ne prêta pas beaucoup attention à l'œuvre de Jean-Marie. Ce qui retenait l'attention, c'était ce fou furieux qui avait allumé des chandelles et les avait placées un peu partout sur les tables. Cet énergumène qui avait passé la nuit sur le banc de bois. Cet halluciné qui avait peinturluré le beau mur blanc de Luigi. Ce cinglé qui avait mis des couleurs un peu partout et sur sa chemise en particulier. Ce pouilleux, enfin, ce moustachu, ce barbu aux yeux cernés et au regard triste, qui avait eu l'outrecuidance de se cacher – il n'y avait pas d'autre mot –, de se cacher à la fermeture du bistrot dans quelque coin et de réapparaître au matin comme sorti d'une boîte à surprises ou d'une boîte de Cracker Jack.

Jean-Marie, alors que visiblement on s'excitait autour de lui, tâchait tant bien que mal de revenir dans la réalité. Au début, alors que les mots atteignaient avec peine son cerveau, il s'était imaginé qu'il était encore dans le cagibi. Il avait pensé que Frédéric était devenu hystérique et qu'il frappait la vitre de son bec pour le réveiller ou lui dire bonjour. Ce n'était pas du tout cela naturellement. Jean-Marie était bel et bien étendu sur le banc de bois turquoise et on venait de découvrir son petit manège.

9

Après la surprise, l'énervement, la panique, il fallut se rendre à l'évidence : il y avait un extraterrestre dans le Café Mollo. Un homme à l'aspect lamentable qui ne semblait pas réaliser ce qu'il avait fait, l'étendue des dommages, la gravité de la situation. D'ailleurs, l'une des premières choses que fit Luigi Alzaco à ce moment-là fut de se rendre à la caisse, par une sorte d'automatisme, pour vérifier s'il n'y manquait rien. Il le faisait sans aucune raison, naturellement ; le tiroir était ouvert et c'était à lui d'y déposer le fond de caisse nécessaire pour la journée, mais cette activité lui calma les nerfs, rassura son esprit. Non, l'homme n'avait rien volé. Apparemment tout était en place. Mais que faisait-il là ?

Jean-Marie ne bougeait pas. Il était assis sur le banc, passait sa main dans ses cheveux, qu'il avait très longs. On avait peine à croire qu'il respirait tant il était immobile, hormis ce geste de la main. Pour tout dire, il ne semblait pas encore tout à fait réveillé. À quoi songeait-il donc ? Dans quel méandre de sa pensée était-il donc perdu ? Où était-il, en fait ? Luigi avait bien essayé de le ramener dans la réalité, mais cela ne semblait pas avoir donné de résultat. Il fallait employer une autre tactique. Peut-être qu'une voix plus douce, moins criarde, finirait par s'insinuer dans son cerveau. Contre toute attente, Laura Lamer, avec son air si grave, son attitude d'ordinaire si réservée, se déplaça lentement entre les plantes, puis entre Tony et Jacob, et elle vint s'asseoir à côté de lui. On l'observa. Dans le silence le plus total, elle demanda à Jean-Marie :

— Vous avez dormi ici ?

— Oui.

Puis, après avoir jeté un coup d'œil sur la fresque, constatant qu'il n'avait pu venir à bout de ce travail en une seule nuit :

— Ça fait longtemps que vous faites ça ? que vous êtes ici ?

Jean-Marie regarda le beau visage de Laura Lamer, il se rappela y avoir vu jadis le visage de la Joconde et cela le fit sourire. Puis il regarda la fresque en se demandant, en effet, depuis combien de temps… depuis quand il avait entrepris ce travail et, surtout, pourquoi.

— Je ne sais pas ce qui m'a pris… dit-il.

Il y eut alors quelques soupirs autour de lui. Luigi sembla lever les yeux au ciel, Tony branla la tête de dépit et Jacob se retenait pour ne pas rire.

— Depuis combien de temps ? demanda Luigi d'un air féroce.

Puis, il eut un flash.

— C'est à vous la BMW ?

Enfin, écarquillant les yeux, il reconnut l'homme de la photo. Il se précipita derrière le comptoir et revint avec le cliché que lui avait laissé l'inspecteur.

— L'homme au complet noir et à la cravate jaune !

Tous les liens s'établissaient dans son esprit, tous les contacts, tous les fils étaient connectés.

— La vieille chaussette sale ! L'argent sur le comptoir ! L'odeur de brûlé ! La BMW ! Je comprends tout !

À ce moment-là, il y avait déjà pas mal de monde qui attendait à l'extérieur du café et Tony leur déverrouilla la porte, ce qui fait que, à mesure que Luigi comprenait tout, les clients entraient et venaient grossir le rang des curieux. Oh! Il y en avait bien pour se rendre au comptoir afin de commander un café, ce que s'empressait de faire Méo qui n'en revenait pas et qui donnait lui aussi une version des événements, mais la plupart, intéressés par la démonstration que faisait Luigi de ses talents de détective, revenaient ensuite entourer le patron pour assister au spectacle.

— Et les sacs de grains? poursuivait celui-ci. Qu'est-ce que vous avez fait avec les sacs de grains, hein? Vous pensiez peut-être que je ne l'avais pas remarqué? Eh bien oui, je vois tout, moi!

Puis, en guise d'explication, il se tourna vers son public:

— Ce n'est pas qu'on s'en serve, hein? On n'a pas de torréfacteur, ici, comme vous le savez. Mais au début, quand on s'est installé avec mon fils Tony, on les plaçait dans l'entrée, pour la décoration. Ensuite on a rentré des plantes vertes pour la décoration, hein? Mais ça prend de la place ces affaires-là, à cause des gros pots en terre cuite, hein? Ça fait qu'on a enlevé les sacs pis on les a mis dans la cuisine en attendant. Ils étaient encore là. Il y en avait cinq. Ben là, il en reste trois. Et c'est le monsieur, là, le disparu à la BM qui les a pris, j'en suis sûr. Mais je sais pas, moi, où il les a mis, les sacs.

Puis il recommença son histoire à l'intention des nouveaux arrivants. Si bien qu'au bout d'une heure ou deux tous les consommateurs étaient au courant des frasques de Jean-Marie. Tony regardait tout cela d'un œil critique. Tous ces gens, excités par l'aventure, le faisaient réfléchir. Quant à Jean-Marie, le principal intéressé, il finit par avouer qu'il était là, caché dans le café, depuis environ deux mois, soit depuis le 20 juillet. Puis, il ajouta :

— Les sacs, je les ai mis dans le cagibi pour me faire un lit.

— Un lit dans mon café ! hurla Luigi les bras au ciel. Un lit dans mon café !

Naturellement, on voulut voir l'installation du phénomène. Mais de quel cagibi parlait-il donc ? La pièce était si petite et encombrée de tant d'objets inutiles que les gens du café avaient fini par l'oublier. Même Luigi qui voyait tout. Il n'y avait que Gustave qui ouvrait la porte de temps à autre, et c'était pour y entasser, sans même y jeter un œil, quelques caisses de carton.

C'est donc Gustave qui montra le chemin, qui ouvrit la porte et qui commença à retirer les caisses vides qui obstruaient l'entrée du cagibi. À mesure qu'il enlevait les boîtes, on apercevait des bouts de ciel bleu, des visages familiers, des études de mains, des natures mortes, une fusillade, la voûte céleste, des hommes qui lisaient leur journal, des femmes qui discutaient, des jeunes filles qui mangeaient des gâteaux, un enfant qui sirotait une boisson gazeuse, un autre qui se tortillait sur sa chaise, une femme aux yeux fort cernés qui fumait une cigarette, un arbre majestueux et, au pied de cet arbre, un passereau. Il y avait même plusieurs études de ce petit oiseau épinglées sur le mur un peu partout.

Pendant que les curieux se massaient dans l'embrasure de la porte, Méo prenait les caisses que lui tendait Gustave et il les déposait sur le sol de la cuisine. Enfin, Laura revint avec une lampe de poche et elle éclaira le réduit. À ce moment-là, les spectateurs furent à même de constater que les deux sacs de grains étaient bel et bien là, au fond du cagibi, tassés contre le mur du fond, sous la fenêtre. Un carton, orné d'un dessin représentant une voiture blanche, empêchait la lumière du jour de pénétrer. Luigi, de peine et de misère, se faufila jusqu'au fond, grimpa sur l'un des sacs de jute et retira le carton. On vit alors l'installation de Jean-Marie en pleine lumière et les commentaires des curieux fusèrent de toutes parts :

— Ça alors !

— Comment peut-on vivre dans un endroit pareil ?

— Ça sent la poussière !

— Ça sent le renfermé.

— Ce n'est pas très propre.

— Vous avez vu ? Il y a des tasses et des assiettes !

— Il mangeait là.

— Il dormait là-dessus !

— Ç'a l'air confortable…

— Arrête de dire des bêtises !

— Quel homme !

— Quel imbécile !

À la suite de ces interventions spontanées, de ces appréciations sur sa personne et de ces considérations sur son œuvre, ou plutôt sur son comportement, il se fit un silence plutôt gênant pendant lequel Jean-Marie se pointa dans la cuisine à pas mesurés. Tous les regards se tournèrent vers lui. On attendait une explication. Mais Jean-Marie n'avait pas d'explications à donner. Luigi saisit son cellulaire et il le brandit comme une menace.

— Je vais appeler la police.

Les clients détournèrent la tête pour regarder dans sa direction.

— Attends, papa !

Cette fois, c'est Tony qui avait pris la parole. Et comme il était légèrement en retrait, derrière la foule des curieux, on pivota de nouveau pour écouter ce qu'il avait à dire.

— Il y a peut-être moyen de s'entendre avec monsieur… Jean-Marie ne demandait pas mieux, même s'il ne savait pas de quoi Tony voulait parler. Personne ne savait de quoi Tony voulait parler. Mais les gens salivaient : il y avait de l'action ; il allait se passer quelque chose ; quelque belle bataille rangée comme au temps de la Conquête quand les troupes loyalistes de Colborne écrasèrent la rébellion des Patriotes. Eh bien non. Rien de tel ne se produisit.

Au lieu de cela, Tony entraîna son père dans un coin et il lui fit part de son plan : il s'agissait de profiter de la situation et de la belle publicité que cela pouvait apporter au Café Mollo. En disant cela, d'ailleurs, Tony n'était pas sans remarquer que le chroniqueur du *Pub Info*, un journal régional, prenait des notes dans un petit calepin noir. L'homme voulait rester dans le café. On n'allait pas s'y opposer. Bien au contraire. On allait lui en fournir les moyens. On allait faire mieux : le mettre en vitrine, au propre comme au figuré. Oui, oui, on allait l'exposer en vitrine comme cette jeune femme de Kuala Lumpur en Malaysia, Malena Hassan, qui était restée des mois dans une chambre vitrée spécialement aménagée dans un musée de Kota Bharu (nord) en compagnie de deux mille scorpions venimeux. Tony se proposait même de prendre contact avec l'organisateur de l'événement, Ali Khan Shamsudin, via Internet, pour lui demander conseil. Peut-être qu'il pourrait les aider. Ce serait formidable : on placerait l'homme sur le banc turquoise devant les grandes vitres de l'entrée et on allumerait des projecteurs au-dessus de lui. Ainsi, il serait éclairé toute la nuit et les passants pourraient le contempler, l'admirer et faire des paris quant au nombre de jours qu'il resterait dans le café. Quelle magnifique publicité, dit encore Tony à son père, qui ne semblait pas, pourtant, très enthousiaste à l'idée de continuer à héberger dans son commerce cet étrange personnage.

Il faut dire que Luigi n'y connaissait pas grand-chose, en marketing. Tony, qui avait fait ses études dans ce domaine, était mieux placé pour savoir ce qui était bon pour le commerce à l'aube du XXIe siècle. C'est ce que lui fit valoir également le journaliste du *Pub Info* qui s'était approché et qui avait tout entendu. Il donna également des détails intéressants sur cette curieuse affaire qui avait eu lieu en Malaysia.

— J'ai vu l'article dans le journal, dit-il. La fille, Malena Hassan, vingt-quatre ans, s'était déjà fait piquer par les scorpions plusieurs fois. Deux mille scorpions. Mais elle n'était pas morte. On ne sait pas trop pourquoi. Mais en tout cas, elle voulait continuer l'expérience avec sept cents bestioles de plus. C'est ce qu'elle a fait. Elle a tenu le coup pendant plusieurs mois. Les curieux augmentaient tous les jours. Elle mangeait, dormait et priait Allah en compagnie de ces bestioles dont la queue articulée porte un dard crochu et venimeux. Elle n'avait qu'un quart d'heure par jour pour sortir faire sa toilette.

— Une folle, dit Luigi.

— Peut-être, mais l'organisateur de l'événement a dû faire une petite fortune, dit Tony.

— Je peux communiquer avec l'agence Bernama pour vous le dire, dit le journaliste.

Mais ce n'était pas nécessaire. Il n'y avait qu'à regarder la foule qui se pressait autour de Jean-Marie afin de lui poser des questions pour se rendre compte que, si l'idée était d'un goût douteux, le résultat, lui, ne faisait guère de doute. Luigi, pour la forme, émit encore une objection.

— Je ne veux pas de bestioles dans mon café, dit-il.

— Naturellement, dit Tony. Pas de scorpions.

— Très bien, dit Luigi qui, après s'être éclairci la gorge, harangua la foule.

— Mesdames et messieurs, l'événement d'aujourd'hui est assez extraordinaire et mérite notre attention. Le monsieur, ici, a passé les deux derniers mois caché dans mon café. Personne ne le savait. Pas même moi qui a un œil de lynx. On peut dire que c'est un record. Je pourrais me plaindre. Je pourrais appeler la police pour faire emprisonner cet homme ou en tout cas pour demander dommages et intérêts…

Puis, en bon orateur, il laissa s'écouler quelques secondes. Pendant ce temps, les clients se recueillirent et attendirent la suite. Jean-Marie, les yeux baissés, attendait son jugement. Il était prêt à tout et, en vérité, il n'avait aucune attente. À ce moment-là, si on lui avait demandé de partir, il l'aurait fait. Mais la perspective pour Luigi de se procurer l'équipement réfrigéré de ses rêves fit qu'il advint tout autre chose. Bref, il enchaîna :

— Mes amis, j'ai décidé, avec mon fils, d'être magnanime. Le monsieur pourra rester ici tant qu'il le voudra mais à nos conditions.

Nouveau silence, puis sans qu'on sache trop pourquoi, tout le monde applaudit. Il y eut même quelques «Bravo!» ici et là. Et, parmi ces visages réjouis, celui de Laura qui avait reconnu l'auteur de son portrait et qui le couvait d'un regard tendre. Jacob emboucha sa flûte. Magdalena dansa sur la musique. Méo jongla avec des oranges. Et Gustave tendit une fleur imaginaire que Jean-Marie saisit du bout des doigts.

10

Le moins que l'on puisse dire, c'est que Manon Beauregard, femme de Jean-Marie Lalonde, fit une entrée fracassante dans le Café Mollo. En tirant sur la porte d'entrée de toutes ses forces, elle provoqua un formidable appel d'air dans le vestibule et les premières pages du *Voir* dans leur présentoir métallique furent soulevées et battirent dans le vent pendant quelques secondes. Puis, en changeant son volumineux sac à main de côté, elle accrocha le récepteur du téléphone Bell qui fut éjecté de son support et qui se balança frénétiquement au bout de son fil métallique avant de rendre l'âme. Enfin, elle ouvrit la deuxième porte et entra dans le café d'un pas décidé. Il devait être environ quatorze heures. C'était une journée fraîche de septembre. Manon était habillée d'une tunique bleu clair et portait des escarpins assortis. Ses cheveux auburn, très longs, glissaient le long de ses épaules, sur son buste et dans son dos, bien qu'ils aient été maintenus à la base par un bandeau du même bleu délavé. Son visage était particulièrement expressif. Elle avait de grands yeux bruns que le maquillage faisait ressortir et une bouche un peu trop grande.

Après avoir jeté un coup d'œil alentour, elle se précipita vers le coin du café où se tenait Jean-Marie en renversant sur son passage deux chaises bistrot, un reste de café au lait et un grand verre de jus d'orange. En bousculant quelques consommateurs, sans se donner la peine de s'excuser, elle atteignit enfin la table de Jean-Marie, puis elle s'immobilisa, un journal à la main, complètement pétrifiée.

Se pouvait-il que l'homme qui était devant elle, hirsute et barbu, fût son mari? Se pouvait-il que cette loque humaine, ce clown à la chemise orange constellée de taches de couleurs vives et criardes fût l'homme avec qui elle avait passé les seize dernières années? l'homme élégant, soigneux, méticuleux qu'elle connaissait?

Eh bien oui. Il la regardait de ses yeux noirs, profonds, admirables, avec dedans peut-être une étincelle qui n'y était pas avant. Qu'est-ce que ça voulait dire, cette lueur? Folie? Accablement? Déroute?

Manon reprit ses esprits rapidement. Elle déposa le quotidien sur la table, parmi les restes de repas, et elle articula d'un ton catégorique:

— Qu'est-ce que tu fais là, Jean-Marie Lalonde? Qu'est-ce que tu fais là, caché dans ton coin? Comme un rat! Comme un voleur! Comme un meurtrier! Parce que c'est ça que tu es: un meurtrier! Tu as tué ta femme et tes enfants! J'étais morte d'inquiétude, moi, depuis deux mois! Depuis deux mois! Qu'est-ce que tu as pensé? Hein? Réponds-moi au moins!

Elle commença par pousser sur la table, puis elle jeta par terre les assiettes qui se fracassèrent avec éclats, les ustensiles, puis les tasses. Tout cela fit un bruit assourdissant. Ensuite elle le poussa, lui, lui donna dans l'énervement quelques coups, un peu n'importe comment, pour cacher sa peine, sans doute, et les larmes coulèrent de ses yeux bruns. Dans le café régnait un silence de mort. Tous les consommateurs étaient tournés vers le lieu de la scène et retenaient leur souffle. Luigi, Laura, Magdalena étaient immobiles derrière le comptoir. Manon donna encore quelques coups dans les côtes de son mari, puis elle sortit un mouchoir de son sac et elle s'essuya les yeux aussi discrètement que possible étant donné les circonstances. Jean-Marie ne bougeait pas. Il avait l'impression d'être seulement, au propre comme au figuré, un *punching-bag*, un sac d'exercice. Il ne sentait rien, en réalité. Les coups, la peine, il ne sentait plus rien. Il n'avait rien à dire. Il ne savait absolument pas quoi dire. Après un moment de silence, Méo fit bramer la machine à espresso et les conversations reprirent lentement leur cours normal. Magdalena vint ramasser les morceaux d'assiettes, les éclats de verre, les ustensiles. Jacob balaya le plus discrètement possible. Quant à Luigi, il attendit que Manon se soit assise, puis il fit un signe à Méo qui vint déposer sur la table ronde de Jean-Marie une tasse de café à l'intention de Manon en disant :

— Un café, madame ?

Elle ne se donna même pas la peine de répondre. Méo laissa la soucoupe sur le marbre froid et il repartit en quatrième vitesse.

— Il va falloir que tu m'expliques, dit Manon un peu plus calme mais d'un ton ferme. Il va falloir que tu m'expliques, et tes explications ont besoin d'être bonnes, très bonnes ! Parce que je ne vais pas endurer ça, moi, tu m'entends ? Je ne vais pas endurer d'être la risée de tout le monde ! Pour qui est-ce que tu te prends ? Tu penses que tu peux t'en aller sans rien dire à personne, faire le mort dans un coin perdu, te cacher ? Je n'en reviens pas ! Mais pour l'amour de Dieu, veux-tu bien me dire à quoi tu as pensé ? J'ai été obligée d'appeler la police.

J'ai été obligée de te faire porter disparu. Tes employeurs n'ont pas cessé d'appeler, de même que ton meilleur ami, Martin Lapierre, je ne sais pas si tu te souviens, et tes enfants, tes enfants, Jean-Marie! Comment tu penses que j'ai pu expliquer ça à Lily et à Samuel, hein? Comment tu penses que j'ai pu leur expliquer? Et à la famille! Mes parents! Je ne savais rien. On ne savait rien, personne. Et toi, tu faisais le clown ici comme un con! Un putain de con d'imbécile! On te croyait mort! Assassiné! Peux-tu comprendre ça?

Jean-Marie comprenait parfaitement. Il mesurait l'étendue du désastre, mais il n'arrivait pas à parler. Et puis, il n'avait rien à dire. Il lui semblait que tout avait été dit. Et puis, il ne comprenait pas encore lui-même pourquoi il avait agi de cette façon; alors, comment pouvait-il l'expliquer à quelqu'un d'autre? Comment pouvait-il répondre aux questions de Manon? Comment pouvait-il la rassurer, satisfaire à ses demandes? Il ne le savait pas. Il ne le pouvait pas. Il ne pouvait pas non plus lui prendre la main par-dessus la table. Il ne s'en reconnaissait pas le droit. Pas après ce qu'il avait fait. Ce qu'il avait fait. Il lui semblait, pourtant, qu'il n'avait rien fait, justement. Que sa vie, en somme, se résumait à pas grand-chose. Il avait des enfants, bien sûr, mais il lui paraissait que, de toute façon, il ne s'en était jamais réellement occupé. Il avait laissé cela à Manon. Manon avait fait ce qu'il fallait. C'était une femme d'affaires. De carrière. Elle savait ce qu'elle faisait. Elle savait où elle allait. Elle était sûre d'elle. Ce sont des qualités qui comptent dans la vie, se disait-il. Lui aussi, à une certaine époque, il avait cru à ces choses-là : fonctionner, gagner de l'argent, tout cela… Que lui restait-il?

Manon trempa ses lèvres dans sa tasse. Elle but quelques gorgées. Et elle attendit. Il se déciderait probablement à parler. Il allait le faire. Il allait sûrement finir par lui donner une explication. Jean-Marie s'exprimait facilement. C'était un bon vendeur. Qu'est-ce qui avait pu lui arriver ?

Le temps passa. La lumière changea dans le Café Mollo. Puis, alors que Manon attendait toujours une réponse, elle vit Jean-Marie griffonner quelque chose sur une serviette de table avec un bout de crayon à mine.

— Tu ne m'écoutes pas. Je te parle depuis tout à l'heure et tu ne m'écoutes pas. Tu t'en fous, c'est ça ?

Pour toute réponse, Jean-Marie lui tendit le dessin qu'il avait fait d'elle. C'était étrangement ressemblant. Aussi incroyable que cela pût paraître, Jean-Marie, sans maître, sans professeur, sans avoir jamais suivi aucun cours de dessin et encore moins avoir été dans une école, avait réalisé des progrès remarquables, considérables. Son coup de crayon était juste, précis, assuré, et ce petit dessin de Manon était réellement évocateur, digne, peut-être pas d'un grand maître, mais certainement d'un peintre possédant son propre style, d'un peintre talentueux, ayant déjà son propre univers.

Manon regarda le croquis. Elle reconnut son visage noyé de peine et d'amertume. C'était bien elle à cet instant précis.

— C'est ça que tu fais ici, dit-elle, des petits barbouillages ?

Sans même jeter un coup d'œil sur la peinture murale à sa droite, elle repoussa le papier vers son créateur.

— Bon. J'ai assez niaisé, dit-elle. J'ai récupéré ta BM. Je ne sais pas si tu te souviens, mais tu m'as cassé les oreilles pendant deux ans avant de te l'acheter. Je l'ai ramenée. Elle est dans l'entrée du garage. Tu te souviens ? On a un garage double. Une maison, Jean-Marie. Une maison à nous dont il faut encore payer l'hypothèque, si tu vois ce que je veux dire. Et des comptes à payer. Parce que j'imagine que tu as utilisé tes cartes de crédit ici ? Il fallait bien que tu payes à un moment donné. Et comme tu ne recevais plus d'argent d'Olivette Michaud... Tu m'écoutes quand je te parle ?

Jean-Marie écoutait, naturellement. Son dessin terminé, il n'avait pas autre chose à faire. Du moins au début. Ensuite son esprit vagabonda et à la place de Manon Beauregard il vit Solange Colbert, son visage éthéré, son corps souple, ses cuisses fermes de joueuse de badminton. Cependant Manon parlait toujours. Elle avait déplié le journal sur la table et elle lui montrait la publicité du Café Mollo.

— C'est grotesque.

Elle lisait :

Venez rencontrer l'homme qui se cache dans le Café Mollo et qui va tenter d'établir un record d'endurance. En effet, notre homme ne sortira plus de l'établissement avant qu'il n'ait fracassé tous les records. Vous pourrez également l'admirer en vitrine tous les soirs à partir de vingt-trois heures et cela, jusqu'au matin. Spectacle insolite garanti. Et avec ce bon détachable, obtenez un cappuccino gratuit.

— T'es pas un peu malade ? Parle ! Réponds quelque chose, je ne sais plus quoi te dire !

— Veux-tu quelque chose à manger ?

En effet, autour d'eux des gens s'installaient avec des plateaux de nourriture. Le soleil avait presque disparu. Il faisait plus sombre. Les ampoules halogènes éclairaient maintenant les deux visages. Manon, qui n'avait pas pris le temps de dîner, avait, effectivement, très faim, sans compter la fatigue et l'énervement qui avaient creusé un trou dans son estomac. Ainsi, bien que sans voix, soufflée par cette diversion, elle parvint à articuler :

— Je veux bien.

Jean-Marie utilisa sa carte de crédit. Après avoir mangé, Manon se sentit beaucoup plus forte, plus positive, plus enthousiaste et plus décidée que jamais. Il lui semblait maintenant que tout pourrait s'arranger. Après tout, elle avait retrouvé son mari. Elle dit à Jean-Marie :

— Bon. Fais-moi des excuses et tirons-nous d'ici.

— Je m'excuse, dit Jean-Marie.

Mais il ne bougea pas de son siège. Il paraissait vissé dessus, collé. Manon, qui ne voulait pas encore une fois se donner en spectacle, ne l'aida pas à se lever, elle n'essaya pas de le tirer par le bras ou autre chose du genre. Elle attendit, debout, impatiemment.

— Jean-Marie ! dit-elle. Jean-Marie, lève-toi. On s'en va d'ici.

Mais Jean-Marie ne bougeait pas.

— Non, dit-il.

— Ah ! Je comprends. Comme ça tu vas passer la nuit dans la vitrine, comme un animal en cage ! En somme, on n'aura plus qu'à te lancer des cacahouètes, c'est ça ?

— À travers la vitre, ça serait difficile, dit Jean-Marie.

— Très drôle. Bon. Reste ici si tu veux. Fais un fou de toi. Mais moi, j'en ai assez. J'en ai vraiment assez !

Puis elle sortit du café en coup de vent. On la vit traverser le terrain de stationnement, enfoncer sa clé dans la serrure de son Audi, ouvrir la portière, puis, au lieu de s'engouffrer dans la voiture, elle revint sur ses pas, laissant la portière grande ouverte. Tony, qui avait assisté au manège, pensa que Manon revenait dans le café pour tout casser. C'est pour cette raison qu'il se dirigea vers la furie quand elle s'engagea au pas de course dans le restaurant.

— Madame ! lui dit Tony.

— Toi, laisse-moi tranquille ! dit-elle.

Puis elle fonça sur Jean-Marie.

— Je pars parce qu'il faut que je m'occupe des enfants ! hurla-t-elle. Mais je vais revenir, tu peux compter là-dessus ! Je ne te laisserai pas gâcher ta vie et celle des enfants !

Elle fit encore un pas.

— Et ma vie aussi !

Puis elle disparut.

Autour de Jean-Marie, il est indéniable que l'on ressentit une sorte de gêne, mais cela n'empêcha pas Jacob K. de placer le banc turquoise le long de la fenêtre et Jean-Marie de s'y installer avec un oreiller de grains de café moulus et une couverture de jute.

Comme la veille, avant de se retirer, Luigi alluma les projecteurs extérieurs orientés vers le banc de Jean-Marie. De l'extérieur, la scène avait de quoi surprendre et il n'était pas rare de voir quelques curieux s'arrêter pour contempler le sommeil du juste.

11

Les curieux furent de plus en plus nombreux. Ils venaient la nuit observer cet étrange animal, puis revenaient le jour pour consommer. On les voyait entrer, timidement, chercher du regard le *performeur*, puis, quand ils l'avaient trouvé, identifié, reconnu, ils se commandaient une tasse de café, un sandwich et ils s'installaient à côté du phénomène pour l'examiner de plus près. Imperceptiblement, le nombre de consommateurs augmentait et, naturellement, cela faisait l'affaire de Tony et de Luigi Alzaco.

Et puis, il y eut la ronde des visiteurs ; à telle enseigne que l'on dut aménager pour Jean-Marie une sorte de boudoir composé de tapis et de fauteuils plus confortables, dans un coin retiré. L'endroit était circonscrit par quelques très belles plantes. Et, derrière Jean-Marie, resplendissait toujours sa magnifique peinture murale chatoyante sur laquelle les employés du café semblaient flotter dans les airs.

La première visite que reçut Jean-Marie dans ce décor bucolique fut celle de son employeur, madame Olivette Michaud. Madame Michaud était une femme de grande taille, solidement bâtie, aux formes harmonieuses, à la poitrine généreuse et au sourire éclatant. C'était surtout cela qui attirait l'attention dans son cas. Elle possédait une solide dentition, une dentition pour ainsi dire parfaite. Et dans un visage assez joli. Et de très longs cheveux noirs, teints mais coiffés avec goût. Elle avait hérité de son père un commerce qui fonctionnait bien et, comme on dit, elle avait su le faire fructifier. Si bien qu'elle se retrouvait à la tête de plusieurs magasins de meubles haut de gamme qui avaient un chiffre d'affaires de plusieurs millions de dollars par année. Elle était élégante, légèrement au-dessus de ses affaires, et elle portait de très grandes lunettes de couleur prune qui s'agençaient parfaitement avec son tailleur Yves Dubuc. Elle avançait dans la vie d'un pas décidé. Et elle voyageait beaucoup. Rome, Milan, New York, Paris, Londres, Singapour. Et ce n'était pas un hasard si elle se trouvait ce matin-là dans l'entrée du Café Mollo.

Sa visite fut précédée par celle de Robert Langelier, directeur général des magasins. Un homme de quarante-cinq ans, bien bâti lui aussi. Cheveux noirs coupés court, visage plein, il portait un costume prince de galles.

— Je vous préviens, dit-il à sa patronne. Jean-Marie Lalonde n'est plus du tout l'homme que nous connaissions. Il ne ressemble en rien à celui qui a battu à peu près tous les records de vente de nos magasins. Il est méconnaissable. Attendez-vous à un choc!

— Laissez-moi lui parler, lui dit la patronne. Indiquez-moi seulement où il est.

— Par là-bas, lui dit Langelier. Au fond, derrière les plantes.

— Je vois, fit Olivette Michaud.

Comme ce petit conciliabule se déroulait pratiquement sous ses yeux, Luigi remarqua cette belle femme mûre aux formes resplendissantes et, bien que mesurant quelque six pouces de moins, il s'enhardit, se dirigea vers elle en roucoulant et en se dandinant légèrement. De sa plus belle voix de contralto, il lui demanda s'il pouvait lui être utile de quelque manière que ce soit.

— Oui, dit la Castafiore en élargissant son sourire. Faites-moi porter un café au lait à la table de Jean-Marie. Vous savez de qui je veux parler?

— Bien sûr, dit l'Italien. Je m'en occupe moi-même.

Satisfaite, Olivette pivota sur sa base et se dirigea vers le déserteur.

Jean-Marie avait passé une très mauvaise nuit. Le banc de bois n'était certainement pas aussi confortable que les sacs de grains qui lui avaient servi de matelas. Mais avait-il le choix? Cela faisait partie de l'accord qu'il avait conclu avec les patrons du Café Mollo. Il pouvait rester à la condition de s'exposer ainsi devant la fenêtre du café toutes les nuits. Quant à sa peinture, il pouvait y travailler le jour. Malheureusement, il était de plus en plus souvent dérangé et il avait de la difficulté à se concentrer. Il venait justement de reprendre la courbe d'un menton sur le grand bloc de papier blanc que lui avait acheté Tony – comme ça il cesserait de dessiner sur les murs –, quand la patronne des magasins Olivette Michaud se pointa dans sa ligne de mire. Elle était suivie par Robert Langelier.

— Monsieur Lalonde! dit la femme d'affaires. Pouvons-nous nous asseoir à votre table?

Jean-Marie leva le nez de son dessin à peine entamé et il balbutia quelques mots en poussant un soupir :

— Je vous en prie.

— Excusez-moi de vous déranger, commença la femme d'affaires, mais j'aimerais bien comprendre.

— Certainement, fit Jean-Marie.

Olivette Michaud prit place dans le fauteuil que lui présenta Robert Langelier, après quoi ce dernier fit de même dans une bergère. Il y eut un petit silence pendant lequel Luigi posa devant la présidente-directrice générale un bol de café au lait crémeux et onctueux.

— Merci, dit-elle.

— Un express pour moi, dit Langelier.

— Très bien.

— Voulez-vous quelque chose? demanda Olivette Michaud à l'intention de Jean-Marie.

— Non, non...

— Bien, dit Luigi. Un express.

Il gambada entre les tables. Avait-il rêvé? Il lui avait semblé que la déesse lui offrait toutes ses dents.

— Que faites-vous? demanda la femme d'affaires quand l'Italien se fut éloigné.

— Je... J'essaie de dessiner le visage d'une femme, une femme... dit Jean-Marie.

— Non, je veux dire, dans ce café, fit Olivette Michaud.

— Ah! Dans ce café...

— Oui.

— Je ne sais pas.

Nouveau silence, pendant lequel Olivette Michaud et Robert Langelier échangèrent un regard qui en disait long. Jean-Marie, le bloc de papier sur les genoux, les cheveux sur les épaules, la barbe en broussaille, la chemise de clown dont les manches étaient relevées au-dessus des coudes, les avant-bras bariolés de couleurs vives, paraissait complètement perdu, plus perdu que jamais.

— Écoutez, reprit madame Michaud, vous avez toujours été un peu excentrique, mais vous ne croyez pas que là vous dépassez les bornes?

— Je ne comprends pas, dit Jean-Marie.

Langelier prit le relais.

— Il faut admettre que votre façon de vendre a toujours été particulière. Hum… Je veux dire par là que vos méthodes n'ont jamais été très orthodoxes. C'est un mystère pour moi. Mais, bon an mal an, vous arriviez toujours en tête de liste des vendeurs les plus performants. Un mystère, vraiment. Vous ne parliez pas beaucoup. On ne peut pas dire que vous parliez beaucoup, n'est-ce pas?

— Non, admit Jean-Marie.

— Mais vous aviez l'art d'écouter, poursuivit madame Michaud. C'est un art qui se perd, ça, aujourd'hui, conclut-elle en trempant ses lèvres barbouillées de rouge dans sa boisson.

— Par exemple, reprit Langelier, vous preniez un coussin sur un canapé et vous vous rendiez chez la cliente pour voir l'effet qu'il produirait dans son salon. Mais, pour cela, vous laissiez votre place dans le magasin. Une chose qui ne se fait pas. Et vous apportiez avec vous le contrat. Une autre chose qui ne se fait pas.

— Mais vous reveniez avec le contrat signé, dit madame Michaud. Et le dépôt de trente pour cent.

— Euh… Oui, dit Langelier.

— Je me souviens d'un jour, reprit madame Michaud, où un client se demandait s'il devait acheter un certain fauteuil de cuir. Vous lui avez demandé d'apporter un livre de lecture, de s'installer et de faire comme chez lui.

— Je me souviens, reprit Langelier, vous l'aviez laissé là toute la journée.

— À la fin de la journée, il avait pris le fauteuil, dit madame Michaud.

— Euh… Oui, dit Langelier.

Il lui arrivait même d'aller acheter le journal pour certains clients.

— Et la fois où il s'est promené avec une chaise de bureau au centre-ville! éclata madame Michaud.

— Ah oui, ça c'était drôle! reprit Langelier. Il avait fait arrêter toute la circulation. Il avait traversé la rue, il était monté au dixième étage de l'immeuble et il avait déposé la chaise dans le bureau du client.

— C'est parce qu'il hésitait à acheter, non?

— Oui, dit Langelier. Il ne savait pas si la chaise conviendrait au décor. Finalement tout allait bien.

— Il en avait pris une dizaine, je crois?

— Vingt-deux, dit Langelier.

— Vingt-deux chaises de cuir à quatre cent cinquante dollars chacune, dit-elle songeuse. Une bonne vente.

— Euh… Oui, dit Langelier.

À la suite de cet épisode, il y eut un autre profond silence. Madame Michaud considérait son employé en se disant que, décidément, il avait beaucoup changé.

Jean-Marie observait les allées et venues dans le café. Magdalena arrosait les plantes. À un moment donné, elle lui fit même un petit signe de la main. Avait-elle passé son audition? Avaient-ils commencé les représentations de la pièce? Jean-Marie n'en savait rien. Tout s'était bousculé ces derniers temps. Luigi zieutait la patronne, de loin. Méo était plus occupé que d'habitude. Tony sortait les tasses du lave-vaisselle. Jacob venait juste de rentrer les sacs de grains. Il devait être quelque part à la cuisine. Et Laura? Que faisait Laura? Était-elle avec son livreur de viandes froides? Non. Elle était à la caisse. Son poste habituel. Il y avait décidément plus de monde que d'habitude. En fait, il y avait de plus en plus de monde. Et, de temps à autre, les clients jetaient un regard curieux dans sa direction. Comme c'était le jour, on avait éteint les projecteurs extérieurs qui pointaient en direction du banc, mais celui-ci était bien là, devant la fenêtre avec la couverture de jute et l'oreiller de café moulu bien en place.

Quelle étrange aventure. Comment en était-il arrivé là? se demanda Jean-Marie. Puis, juste comme il se posait la question, il aperçut Frédéric sur le rebord de la fenêtre. Mais était-ce bien lui? N'allait-il pas émigrer bientôt vers le sud des États-Unis? Peut-être. Quoi qu'il en soit, il l'avait complètement oublié, celui-là. Mais était-ce bien lui? Jean-Marie avait eu le temps de l'observer. Aussi, pendant que madame Michaud reprenait la parole, il essaya de repérer la petite tache que l'oiseau avait sur la calotte. Ce n'était pas facile, car il sautillait le long de la fenêtre, et tout de même Jean-Marie devait rester poli et donner au moins l'impression d'écouter ce qu'on lui disait.

— Quoi qu'il en soit, reprit Olivette Michaud en s'essuyant le bec avec une serviette de table, nous aimerions que vous reveniez. Nous ne savons pas trop au juste ce qui s'est passé. *Burnout?* Crise de la quarantaine? Votre cellulaire qui vous a fait éclater quelques neurones? Nous ne savons pas.

— Et, de toute façon, ça ne nous regarde pas, dit Robert Langelier. Je me rappelle, à quarante ans j'ai eu des problèmes moi aussi. J'avais rencontré une fille...

Un regard de madame Michaud l'arrêta net dans son élan.

— Là où je voulais en venir, reprit-elle, c'est qu'il est normal de s'arrêter de temps à autre. Peut-être avez-vous trop travaillé ces dernières années. Deux semaines de vacances, ce n'est pas assez. Je crois que vous méritez mieux. On peut s'arranger si vous voulez. À la mort de votre frère l'année dernière, vous n'avez même pas pris un jour de congé, ce n'est pas normal, c'est trop vous demander. Je sais bien que la cérémonie s'est déroulée un mardi, votre jour de congé, mais je crois que nous n'aurions pas dû exiger de vous que vous fassiez votre semaine comme d'habitude. Je m'en rends compte aujourd'hui. Peut-être avons-nous nos torts... Quoi qu'il en soit, nous sommes prêts à vous reprendre avec nous. Vous savez, ce n'est pas si difficile. Un bon bain, une visite chez le coiffeur, un nouveau complet, et vous êtres prêt à reprendre le collier, non? N'oubliez pas que vous gagnez un excellent salaire. Soixante mille dollars pour travailler en magasin, vous ne trouverez pas ça ailleurs.

— Je comprends, dit Jean-Marie.

— Alors? On peut compter sur vous?

Pas de doute. Il s'agissait bien de Frédéric. Il s'était arrêté et le regardait maintenant droit dans les yeux. Quel étrange volatile, se dit Jean-Marie. Il a dû remarquer mon absence dans le cagibi. Comme c'est curieux. Puis il pensa à ce que lui avait dit madame Michaud à propos de son frère. Claude Lalonde. Qu'avait-elle dit au juste? Qu'il était mort, bien sûr. Avait-elle ajouté quelque chose? Que savait-elle exactement? Rien, probablement. Elle ne savait rien. Cela valait mieux ainsi. Personne ne savait rien. Son frère, Claude Lalonde, était mort à trente-cinq ans. Trente-cinq ans!

— Alors? On peut compter sur vous?

Qu'est-ce que cette question avait à voir avec la mort de son frère? Qu'est-ce que cette question venait faire dans la conversation? Qu'est-ce que cette question? Qu'est-ce que ça voulait dire? Compter sur lui pour quoi?

Pour revenir au travail, bien sûr. Pour descendre le grand escalier de marbre et de verre qui reliait les deux étages du magasin. Comme la première fois, quand il avait été engagé. Ce grand escalier l'avait fortement impressionné. Comme le prix des meubles, d'ailleurs. Il n'avait jamais vu une table de cuisine de marbre noir à trois mille dollars. Des chaises à huit cents dollars l'unité. Il s'était habitué à tout cela. À parler anglais. À comprendre leur humour. Surtout, à écouter, et à poser des questions. Les laisser parler. Surtout les laisser parler et attendre qu'ils se décident. S'en faire des amis en somme. Être bien avec eux. Les mettre en confiance. Ensuite, forcer la note un petit peu. Les aider à prendre une décision. Et, en attendant, dessiner. La plupart du temps un arbre. Il avait beaucoup aimé dessiner des arbres.

Quand il releva la tête, il s'aperçut que Robert Langelier et Olivette Michaud attendaient une réponse. Il prit conscience à ce moment-là qu'il ne désirait pas retourner au magasin. Sa vie était ici désormais. Et il n'avait pas l'intention de sortir du café. Pas l'intention d'en sortir jamais, peu lui importait les conséquences. Il dut faire un effort pour revenir en arrière, pour se rappeler la question. Qu'est-ce que c'était déjà?

— On peut compter sur vous, monsieur Lalonde?

Et, quoiqu'il les aimât bien, elle et lui, ainsi que ses collègues de travail et la clientèle du magasin, il répondit, avec un pincement au cœur:

— Non. Je ne crois pas.

— Bon. Je m'y attendais un peu, fit madame Michaud. On ne pourra pas dire que nous n'avons pas essayé. Enfin, si vous changez d'avis, vous savez où nous joindre.

Ne se départant en aucune manière de son sourire éclatant, elle se leva et lui tendit la main. Il fallut beaucoup de concentration à Jean-Marie pour qu'il ne cède pas à l'idée saugrenue de lui baiser la main.

— Pour ce qui est de votre prime de départ, dit-elle toujours souriante, vous verrez cela avec monsieur Langelier.

— Bien sûr, dit ce dernier.

— Faut-il payer à la caisse ? demanda-t-elle.

— Je vous prie de me suivre, lui dit Luigi qui l'avait vue se lever et qui était accouru.

— C'est parfait, dit-elle satisfaite. Au revoir, monsieur Lalonde. Vous allez nous manquer. Je vous aimais bien. Mais la vie continue.

— Bien sûr, dit Jean-Marie.

Puis elle s'éloigna en compagnie du patron.

Après son départ, Robert Langelier resta quelque temps avec Jean-Marie pour régler certains détails et pour lui parler d'une cliente, madame Brûlé, que Jean-Marie connaissait bien et qui était inconsolable depuis qu'il avait raté son rendez vous avec elle.

— Elle vit ça comme un abandon. Et elle appelle tous les jours au magasin. Vous croyez que c'est normal ? Qu'est-ce que nous pouvons faire ? Elle ne veut pas d'un autre vendeur. Et c'est une bonne cliente. Appelez-la au moins ! Dites-lui d'accepter de traiter avec quelqu'un d'autre. Essayez de la raisonner.

Cette dernière recommandation fit sourire Jean-Marie malgré lui. Il était bien placé, vraiment, pour ramener quelqu'un à la raison ! Il ne fit aucune promesse mais dit qu'il verrait. Il verrait quoi ? Il n'avait plus son agenda. Il n'avait plus rien. Après le départ de Langelier, il regarda par la fenêtre, mais Frédéric n'était plus là. Peut-être était-il venu simplement lui dire adieu ?

12

La visite suivante fut pour le moins surprenante. En tout cas, Jean-Marie ne s'y attendait pas du tout. Lily, sa fille de quinze ans, s'avança lentement entre les tables et elle découvrit le repaire de son père. À ce moment-là, Jean-Marie était assis derrière un chevalet en bois que Luigi lui avait acheté afin de fêter la commande qu'il venait juste de passer à Roger Sanschagrin pour deux réfrigérateurs neufs Coldstream dotés d'un système à gravité.

Or donc, Lily se faufilait entre les tables comme un personnage de Bouguereau quand Jean-Marie l'aperçut. Le mouvement qu'il avait amorcé fut suspendu.

Il resta un moment la main dans les airs, tenant fermement le fusain qui finit par éclater. Sa fille s'était immobilisée elle aussi et elle le regardait. Cheveux longs, barbu, pantalon et chemise élimés, bariolés de couleurs, pieds nus, vraiment, elle n'avait jamais vu son père dans cet état. Elle-même était vêtue de noir : petite veste de cuir qui, malgré la saison, était ouverte, t-shirt qui laissait voir son nombril où brillait une petite boucle d'or. Cheveux noirs, regard noir, jusqu'à ses lèvres qu'elle avait badigeonnées de noir.

— Tu n'es pas à l'école ? demanda-t-il piteusement.

— Et toi ? Tu n'es pas à ton travail ?

Voilà pour l'entrée en matière. Ensuite Jean-Marie s'empara d'un linge sur le rebord du chevalet et il s'essuya les mains. Pendant ce temps, Lily jeta un coup d'œil sur le banc qui était en vitrine.

— Tu dors là-dessus?

Jean-Marie ne répondit pas.

— Comme ça, c'est vrai? Tu fais ton imbécile ici pendant que je passe pour une vraie folle à l'école?

Jean-Marie ne répondit pas.

— Tu veux quelque chose à boire?

— Un chocolat chaud.

— D'accord.

Jean-Marie fit le nécessaire et Jacob vint déposer sur la table la boisson fumante.

— Beau bonhomme, apprécia Lily.

— C'est un Allemand, dit platement Jean-Marie.

— Belle carrosserie.

Lily trempa ses lèvres noires dans la mousse blanche. Jean-Marie remarqua qu'elle avait les yeux cernés et qu'elle avait maigri.

— Ça ne va pas tellement bien à la maison, dit-elle. Maman est en train de capoter. Elle crie tout le temps pour rien. Samuel ne comprend pas. Il ne sait pas ce qui se passe. Je pense qu'elle va l'amener ici pour te convaincre de revenir. Ouais. T'es un bel écœurant.

Jean-Marie ne répondit pas.

— Et toi, comment ça va?

— Ça va pas fort, dit Lily. Mon chum vient de me lâcher. Ben, *chum*, c'est un grand mot. On sortait ensemble depuis deux semaines. Les gars, c'est tous des cons. On peut pas se fier à eux autres. Ils ne savent pas ce qu'ils veulent. Ou ils le savent trop bien. Une fois qu'ils ont eu ce qu'ils voulaient… En tout cas. C'est pas important.

Puis, chassant la fumée de cigarette provenant d'une table voisine :

— Qu'est-ce qui t'a pris de venir ici ?

— Je ne sais pas.

— Tu voulais avoir la paix ?

— Peut-être.

Puis, tout à coup, elle remarqua la murale à sa droite.

— *Wow!* C'est capotant ça! C'est donc beau! Ça fait penser à une mosaïque byzantine…

— Tu connais ça, toi ?

— Ouais. On étudie ça en arts plastiques.

Elle s'était levée et passait ses doigts sur la surface du mur.

— C'est très beau, dit-elle, et l'effet de craquelures, c'est très réussi.

Puis, tout à coup, comme elle réalisait que son père ne disait rien :

— C'est toi qui as fait ça ?

— Ben oui.

Comme s'il était pris en faute. Cependant, Lily reculait un peu, regardait, étudiait, comparait. Elle retrouvait bien l'ambiance du café, mais il y avait quelque chose en plus qu'elle n'arrivait pas à définir. Cependant, en montrant du doigt Jacob K. :

— L'Allemand.

Puis, se déplaçant le long du mur :

— La fille à la caisse… Le patron probablement…

— Oui.

Elle demeura devant la peinture murale un long moment et Jean-Marie eut réellement l'impression de passer un examen. Puis elle se déplaça et vint se camper devant la toile installée sur le chevalet. Elle remarqua qu'il s'agissait de la cliente qu'elle avait vue sur la peinture murale, Solange Colbert, mais elle ne fit aucun commentaire.

— Je ne savais pas que tu aimais la peinture, lui dit-elle.

— Je ne le savais pas moi non plus, dit Jean-Marie.

À la suite de cet aveu et comme par hasard, on joua *La Bohème* de Charles Aznavour à la radio. Et, pour la première fois, en se rasseyant, Lily sourit à son père.

Ensuite le temps s'écoula paisiblement. Ils parlèrent de choses et d'autres, prirent conscience tous les deux qu'ils n'avaient pas eu souvent l'occasion de discuter de la sorte. À la maison, Manon s'occupait de tout, prenait toute la place disponible, il ne leur restait plus grand-chose. En tout cas, peu d'espace pour manœuvrer, pour se retrouver tous les deux, tout seuls. Lily alla même jusqu'à dire que cela lui faisait du bien de parler avec lui. Jean-Marie revit dans son esprit sa petite fille de quelques mois se traînant à terre dans le passage. Il la revit un peu plus tard lui sautant au cou. L'autobus scolaire. Ses premiers dessins. La première dent qui tombe. Les broches. Les lunettes. Les lentilles. Les tampons. Les garçons.

— Quand est-ce que tu reviens à la maison? lui demanda-t-elle.

— Je ne reviendrai pas, lui dit Jean-Marie.

— T'es complètement cinglé, lui dit-elle.

Puis, comme il ne réagissait pas beaucoup, elle ajouta:

— Je te déteste.

À la suite de quoi elle se leva et se dirigea vers la sortie. En mettant la main sur la poignée de la porte, pourtant, elle se retourna et, tout à coup, bizarrement, avec une sorte de sourire sur ses lèvres noires, elle lui dit:

— *Bye.* À bientôt.

Puis, son corps émouvant d'adolescente disparut dans le vestibule, puis dans la lumière du jour. Jean-Marie songea qu'il n'avait pas à s'en faire. Lily était une première de classe et elle avait une tête sur les épaules. En tout cas, elle avait raison : le soir même Manon se pointa dans le parking avec Samuel. Cette fois, ce ne serait pas aussi facile. D'autant que Jean-Marie ne se sentait pas dans son assiette. Son inactivité physique avait peu à peu engourdi tous ses muscles. Peut-être que, s'il avait pu faire un peu d'exercice, tout aurait été différent. Peut-être aurait-il pu se lever. Peut-être aurait-il pu empêcher cette folie de se poursuivre ?

On lui avait apporté son repas. Magdalena en avait profité pour le remercier encore de l'avoir fait répéter et elle lui annonça du même coup que la première de la pièce aurait lieu le lendemain soir. Il était en train de retirer quelques grains de sésame de sa barbe quand Manon, tenant Samuel d'une main, poussa la porte de l'autre.

— Viens avec moi, Samuel, lui dit-elle.

Ce que le garçon, n'ayant guère le choix, faisait de toute façon. Inutile de dire que son arrivée provoqua un certain émoi dans le café. Mais, cette fois, Tony préféra ne pas s'en mêler et il essuya avec attention des tasses de porcelaine qui lui paraissaient receler quelques gouttes d'eau bouillante au sortir du lave-vaisselle.

Manon se fraya un passage entre les tables et entre les clients qui étaient encore plus nombreux que la fois précédente. On fumait. On parlait fort. Et, par-dessus le bruit des conversations, il y avait encore la musique, le sifflement de la buse à vapeur, le moulin à café et le grondement de la machine à jus d'orange. C'est probablement pour cette raison que Manon hurla par-dessus le tumulte à l'intention de Jean-Marie :

— Tu ne reviendras pas ? Tu as dit à Lily que tu ne reviendrais pas ! Alors j'aimerais que tu dises la même chose à ton fils ! J'aimerais que tu lui dises, à ton fils, que tu ne reviendras pas !

Tout en criant cela, Manon tirait sur la main de Samuel pour le faire avancer vers son père. Ce n'était pas facile, car il résistait. Samuel, huit ans, ne voulait plus rien savoir de son père. Il ne voulait surtout pas l'approcher. Il se tenait loin, à l'écart, dans la mesure du possible. Cependant, Manon ne lâchait pas le morceau. Elle força le garçon à s'asseoir sur la chaise devant celle de Jean-Marie, où il demeura les yeux baissés à fixer obstinément le marbre gris de la table.

— Tu es fier de ce que tu fais ? reprit Manon. Tu es fier de toi ? Regarde ce que tu fais à ton fils ! Il bouscule tout le monde au service de garde. Il refuse d'étudier à l'école. Beau résultat !

Puis, se tournant vers quelques consommateurs :

— Ben oui ! C'est ben beau de passer ses nuits dans une vitrine de café ! C'est exotique, c'est drôle, c'est amusant ! Ben oui ! Mais c'est pas vous autres qui vous tapez tout le boulot pendant ce temps-là par exemple !

— Maman… dit timidement Samuel qui était gêné au-delà du possible et qui rougissait jusqu'à la racine des cheveux.

— Laisse-moi parler, lui dit sa mère. J'ai une réunion de production dans vingt minutes. Je te le laisse. Tu te débrouilleras avec lui.

Comme le père et le fils ne savaient pas trop à qui s'adressait, au juste, cette dernière recommandation, ils se regardèrent l'espace d'une seconde. Manon crut bon de s'expliquer.

— Cet enfant passe tout son temps au service de garde ou à l'école. Il est temps que tu t'en occupes un peu. Je te le laisse le temps de ma réunion. Je reviendrai le chercher plus tard. Fais-lui faire ses devoirs. *Bye!*

Sur ce, elle sortit des cahiers d'exercices, des manuels scolaires, un immense coffre à crayons d'un sac que Jean-Marie n'avait pas remarqué, elle posa le tout sur la table, tourna les talons, retraversa en sens inverse la foule, qui sembla se refermer après son passage comme la mer derrière Moïse et ses Israélites, et disparut.

Jean-Marie remarqua les arbres de l'autre côté du boulevard. Les feuilles avaient changé de couleurs. Maintenant, il y en avait des brunes, des dorées, des jaunes, des rouges, des orange. Il voulut mettre tout cela sur la toile. Il voulut… Puis il regarda son garçon. Sa jolie tête noire. Ses grands sourcils. Son air affairé. Il avait ouvert ses cahiers. Il avait pigé un long crayon à mine dans son coffre. Jean-Marie fit de la place sur la table, lui demanda:

— Veux-tu un gâteau? quelque chose?

— Non…

Il débarrassa la table. Porta le plateau dans la cuisine. Laura et Magdalena en profitèrent pour lui demander qui était ce petit garçon.

— C'est mon fils, dit Jean-Marie.

— Il est mignon comme tout, dit Laura.

— Il est trop *cute*, dit Magdalena.

Jean-Marie revint derrière le chevalet. Il tourna la première page. Puis il dessina son fils. La même timidité que lui.

Jean-Marie avait été un garçon timide lui aussi. Jusqu'au jour où il avait décidé de foncer. Jusqu'au jour où il s'était dit : même si j'ai peur, je fonce quand même. Les autres ne sauront jamais que j'ai peur. J'enfoncerai ça tout au fond de moi, cette peur-là. Il l'avait fait. Les jambes de Samuel, trop courtes, pendaient dans le vide. Par-dessus son polo bleu, il avait un chandail de laine beige. Il avait trop chaud. Pourquoi ne l'enlevait-il pas ? Il devait se sentir mal à l'aise, ici. Il bûchait sur son devoir, concentré, se passait la main dans les cheveux, reniflait, avait de la peine à respirer. Il avait toujours eu de la peine à respirer, comme son frère Claude, son frère à lui, le frère de Jean-Marie.

Comme chaque soir, à peu près à cette heure-là, de plus en plus tôt maintenant, les halogènes s'allumèrent dans le café. Luigi passait entre les tables. Il vint se placer derrière Jean-Marie. Regarda se former les traits de Samuel. Examinait la ressemblance. Et ce qui était invisible. Ce qu'on ne voyait pas sur le modèle, mais qui était bien visible sur la toile. Il y avait de la peine là-dedans. Du désarroi. Derrière, des feuilles de couleur qui s'agitaient, comme prises de panique. Une sorte de mouvement. De tourbillon. Qu'y avait-il encore ? Luigi regardait. Puis Samuel se leva d'un coup.

— J'ai envie.

Il n'attendit pas la permission de qui que ce fût, n'attendit pas qu'on lui indique le chemin. Comme s'il avait toujours été là, il alla directement vers les vécés.

Le soir tombait et Manon n'était toujours pas revenue.

— Elle va le laisser ici, lui dit Luigi. Elle ne reviendra pas.

— Est-ce qu'il peut rester avec moi ? demanda Jean-Marie.

Luigi leva les yeux au ciel avant de soupirer :

— Qu'est-ce qu'il ne faut pas faire pour le marketing !

Puis, en souriant :

— Au point où on en est...

Il ne se plaignait pas trop d'ailleurs. Cette petite mise en scène dans la vitrine, cette quête du record et la pub qui en découlait avaient fait affluer les clients au Café Mollo au-delà de ses espérances les plus folles. N'était-ce pas grâce à ce stratagème qu'il avait pu enfin commander l'équipement dont il avait besoin ? les meubles qui l'avaient fait rêver, saliver ?

— Du moment que vous respectez vos engagements, dit-il en guise de conclusion.

Cela voulait dire coucher sur le banc de bois, se couvrir d'un sac de jute, la tête appuyée sur un oreiller de café moulu. Mais Samuel ? Où coucherait-il ? Il y avait toujours le cagibi. C'était complètement cinglé. Mais toute cette histoire était cinglée. Jean-Marie se sentait à côté de ses pompes. D'ailleurs, il y avait fort longtemps qu'il ne les avait pas vues, ses pompes. Disparues elles aussi. Disparues. Tout avait disparu. Il ne restait plus rien. Que cette peinture. Que ces toiles qui ornaient maintenant tous les coins du café. Une véritable exposition. Il y avait de tout. Des visages. Des arbres. Des fleurs. Des oiseaux. Des natures mortes. Des études. Partout. On n'avait qu'à tourner la tête. Était-ce lui qui avait peint toutes ces toiles ? Était-il l'auteur de tous ces tableaux ? Sûrement. Il ne voyait pas d'autre explication. Ainsi donc, depuis que Solange Colbert, l'alpiniste, la joueuse de badminton, la femme aux cuisses superbes et aux hanches hallucinantes, affolantes, lui avait procuré une boîte de couleurs, il n'avait cessé de peindre avec frénésie, une frénésie qui ne se démentait pas, qui ne semblait pas avoir de fin, au contraire qui augmentait de jour en jour, aurait-on dit.

Luigi paraissait satisfait d'ailleurs. Tout était pour le mieux dans le meilleur des mondes possibles. Il faisait de l'argent. Il aurait un équipement neuf, moderne, efficace. Et, bien qu'il n'y connût pas grand-chose en art, il est indéniable que son établissement prenait du mieux. Enfin, il était plus artistique, plus dans le goût du jour, bref, il était plus coloré. On en parlait. On ne parlait pas seulement de cet énergumène sur son banc de bois. On parlait aussi de son café. Eh bien oui, pensa-t-il encore, tout est pour le mieux. Sur cette pensée réconfortante, il alluma les projecteurs.

Les clients commencèrent à quitter le café. Jacob et Tony commencèrent à placer les chaises sur les tables. Luigi vida la caisse. Méo nettoya les instruments, jeta le marc de café. Laura et Magdalena nettoyèrent les tables, vidèrent les cendriers. Samuel sortit des toilettes au milieu de tout cela en bâillant à se décrocher la mâchoire. Il contourna Gustave qui maniait le balai dans le couloir et il rejoignit son père.

— Qu'est-ce qu'on fait? Maman n'est pas là?

— Non. Tu vas rester ici ce soir.

— T'es pas un peu malade?

— Sois poli.

— C'est plate. Qu'est-ce que je vais faire?

— Prends un bout de crayon et dessine.

— J'ai pas envie.

— Alors promène-toi. Fais ce que tu veux.

Interloqué, Samuel ne savait absolument pas quelle attitude adopter. Il resta sur place, se demandant visiblement quoi faire.

— Maman va revenir?

— Je ne sais pas.

— Mais si elle n'est pas là demain, je n'irai pas à l'école?

— Non.

— *Cool!*

À la suite de quoi il se découvrit tout à coup l'envie de manger. Magdalena, qui passait par là, lui suggéra une danoise avec un verre de lait. Samuel ne demandait pas mieux. Il suivit *la fée aux yeux de velours* avec qui il rangea les pâtisseries dans le frigo de la cuisine. Quand ce fut fait, il revint s'asseoir à la table de son père avec une assiette contenant sa pâtisserie et un verre de lait.

Puis tous les employés quittèrent le café. Tony déposa le sac d'ordures dans la cour. Son père vida la caisse.

— Bonne nuit, monsieur Lalonde. Oubliez pas de prendre votre place dans la vitrine!

— Sûr, dit Jean-Marie.

— Et le petit?

— Je vais l'installer dans le cagibi.

— Ah oui, d'accord, dit l'Italien qui trouvait cette solution tout à fait appropriée.

À vrai dire, il en était rendu au point où plus rien ne pouvait le surprendre.

— Bon, ajouta-t-il encore une fois, bonne nuit!

Il regarda son commerce. Tout lui parut normal. Et, faut-il l'ajouter, comme l'enveloppe contenant les recettes de la journée était particulièrement pesante, il esquissa une sorte de sourire.

— Je me sauve, dit-il encore. Je branche le système et je me sauve.

Ce qu'il fit.

Jean-Marie le vit se rendre à sa voiture en frissonnant, relever le col de son blouson. Décidément, il était bien rond. Il avait dû prendre encore un peu de poids. Il réussit toutefois à s'installer au volant. Il démarra et s'éloigna lentement, comme Tony l'avait fait avant lui en jetant un coup d'œil à la vitrine où Jean-Marie irait s'installer dans quelque temps.

C'était une belle nuit d'octobre. Jean-Marie finissait de ranger ses pinceaux, ses tubes de peinture. Samuel, assis sur le bout de sa chaise, engouffrait sa pâtisserie, terminait son verre de lait. Tout était silencieux. Tout baignait dans la pénombre comme la première nuit. Jusqu'à la lune qui était là elle aussi. Et les étoiles qui s'amenaient dans le décor les unes après les autres.

Vue de l'extérieur, la scène avait de quoi surprendre: un père qui parle à son fils, qui lui demande s'il veut autre chose. Puis, comme son enfant lui répond qu'il n'a plus faim, le père lui dit: Viens, on va se coucher. À la lueur des projecteurs, on voit le père et le fils, l'un devant l'autre. On ne sait pas qui fait les premiers pas, mais, après un moment, il est indéniable qu'ils se retrouvent l'un contre l'autre et que le père, lui, passe lentement sa grande main peinturlurée dans les cheveux noirs de son fils, qui finissent par se teinter de couleurs, naturellement. Puis on ne les voit plus. Les curieux doivent se demander ce qui se passe. C'est qu'ils sont tous les deux partis vers la cuisine après avoir pris derrière le comptoir d'acajou chacun une lampe de poche.

— C'est *cool*! dit encore Samuel en se rendant dans le couloir menant à la cuisine. Puis en poussant sur la porte à battants.

Dans le cagibi les choses n'avaient pas tellement changé si ce n'est qu'on avait retiré toutes les caisses vides et qu'on avait nettoyé. Mais les deux sacs de grains verts étaient toujours là, tout au fond, et Jean-Marie pensa que son fils y serait bien. On avait remis le carton dans la fenêtre et Samuel éclaira le dessin à l'aide de sa lampe de poche.

— C'est ici que tu vas dormir, dit Jean-Marie.

— *Cool!* dit Samuel.

— Installe-toi, je vais te chercher une couverture.

Jean-Marie trouva ce qu'il cherchait dans l'une des étagères: une sorte de nappe qui avait peut-être servi un jour, dans les premiers temps du café. Samuel se dévêtit et il s'allongea sur l'un des sacs.

— C'est drôle, dit-il.

— Tu trouves ça trop dur?

— Non... C'est juste que c'est drôle.

— Ah bon.

Puis il y eut un moment de silence. Samuel remuait sur le jute comme un lézard. Puis il se calma un peu. Ils étaient vraiment seuls tous les deux.

— On entend rien, dit Samuel.

— Essaie de dormir, lui dit Jean-Marie.

Nouveau moment de silence. Jean-Marie couvrit son garçon, puis il éteignit sa lampe de poche. Mais il ne s'en alla pas. Samuel s'amusait à regarder les dessins de Jean-Marie accrochés aux murs en déplaçant le faisceau de sa lampe de poche.

— C'est bizarre. Pourquoi tu as fait tous ces dessins? lui demanda-t-il.

Nouveau silence. Samuel éteignit la lampe. Puis dans le noir absolu:

— Je ne sais pas, dit Jean-Marie. Peut-être pour me rapprocher de mon frère.

— Mais il est mort, répliqua Samuel.

— Je sais, répondit Jean-Marie.

Puis, plus rien. Jean-Marie pensa que son fils s'était endormi et il se préparait à s'en aller à tâtons quand celui-ci lui demanda :

— Papa…

— Quoi ?

— Raconte-moi une histoire.

— Je n'ai pas le temps. Il faut que je retourne à ma place.

— Juste une.

Le nombre n'a rien à voir, se dit Jean-Marie. Pourtant, cet argument le convainquit de rester.

— Bon, juste une, mais après, c'est tout, lui dit Jean-Marie.

— Promis, dit Samuel.

Il y avait si longtemps qu'il ne lui avait pas raconté d'histoires. Bien plus de trois mois. Peut-être un an et demi. Peut-être deux. Il fallait bien qu'il fût dans cette étrange situation pour…

— Raconte-moi l'histoire de l'éléphant, lui demanda encore Samuel.

— D'accord, d'accord, dit Jean-Marie.

Et, pour ce faire, il s'allongea sur l'autre sac de jute, encercla son fils de ses bras et se mit à raconter. C'était une longue histoire, très compliquée, que Jean-Marie avait inventée, et qui avait plu à Samuel quand il avait cinq ou six ans. Lily l'avait aimée aussi. Une vieille histoire, donc, à multiples péripéties.

— Il était une fois un gros éléphant qui s'était endormi dans un parc. Quand il se réveilla, il s'aperçut qu'il avait perdu sa trompe. Il se mit donc à sa recherche. Le premier endroit où il se rendit fut un magasin de porcelaine…

Samuel s'endormit avant la fin de l'histoire. Mais Jean-Marie se rendit jusqu'au bout. Après quoi il sombra dans les bras de Morphée, fils de la nuit et du sommeil.

13

Les Israéliens et les Palestiniens ne cessaient pas pour autant de s'entretuer, chacun selon ses moyens, dans la ville sainte de Jérusalem. Les Israéliens, moins nombreux, avec leurs armes et leurs chars d'assaut sophistiqués ; les Palestiniens, innombrables, avec les moyens du bord, c'est-à-dire avec leurs bombes vivantes. Jean-Marie ne voyait pas la fin du conflit. Ce qu'il voyait, c'était des hommes se tirant dessus, des enfants se faisant égorger, des femmes versant toutes les larmes de leur corps. Jean-Marie entendait les cris et les rafales de mitraillettes. En posant ses pinceaux sur un vieux journal, il avait lu un article à ce sujet. Conflit territorial. Historique. Ancestral. Mur des lamentations. Esplanade des mosquées. C'était toujours le même sujet. C'était toujours la même guerre. Il essayait de chasser les images de son esprit, mais le bruit des coups de fusils, des balles perdues qui ricochaient sur les murs de pierre, était toujours plus fort. Puis, il se réveilla d'un coup sec, tout en sueur.

C'était autre chose. On frappait violemment sur la porte du café. On tirait dessus au point que les vitres en tremblaient. Jean-Marie ne pouvait pas le savoir, mais il était deux heures du matin. Il s'était assoupi. Il pensa qu'il devait regagner son poste sur le banc, sous les projecteurs. En plaçant sa main sur l'extrémité de sa lampe de poche, il l'alluma. Sa main se colora, comme en transparence. En écartant légèrement les doigts, il obtint une luminosité suffisante pour se diriger vers la sortie du cagibi. Il fit bien attention, en quittant son fils, de ne pas le réveiller. Mais il n'avait rien à craindre : Samuel dormait profondément.

Aussitôt arrivé dans le couloir, sous la lune d'octobre, il vit briller l'Audi de Manon en plein milieu du parking, tous phares allumés. La portière était encore ouverte. Elle devait chercher une autre entrée, probablement sur le côté ou à l'arrière du café, parce qu'elle n'était plus devant la porte de l'entrée principale. Jean-Marie promena son faisceau lumineux le long des vitres du café en espérant l'apercevoir, mais en vain. Il se dirigea vers le côté sud, là où une autre porte donnait accès à l'extérieur quand, tout à coup, il la vit surgir devant lui de l'autre côté de la porte de verre. Elle dut poser le pied sur un caillou, car elle faillit trébucher. En reprenant son équilibre, elle plaça la main devant son visage pour éviter la lumière de la lampe de poche.

— Ouvre-moi cette satanée porte, dit-elle.

— Qu'est-ce que tu fais ?

— Je viens chercher Samuel.

Jean-Marie fut à même de constater à ce moment-là qu'elle avait un solide coup dans le nez.

— Quelle heure il est ? demanda-t-il.

— Sais pas, dit Manon. Mais t'es mieux d'ouvrir, autrement je défonce.

Elle brandissait en effet son sac à main.

— Je ne suis pas sûr que ce soit une bonne idée…

— Ouvre cette putain de porte ! dit-elle en saisissant la poignée à deux mains et en secouant la porte comme une damnée.

— Arrête! lui dit Jean-Marie. Tu vas faire partir le système d'alarme!

— Je m'en fous pas mal, du système d'alarme! hurla-t-elle.

— Bon, bon, arrête, dit-il. Je vais voir ce que je peux faire. Passe par-derrière. Je vais t'ouvrir.

— O.K.! dit-elle, tout à coup radoucie.

Elle lâcha la poignée, se trompa de direction, puis, en faisant un effort de concentration inouï, elle se dirigea enfin vers l'arrière du bistrot. Pendant ce temps, Jean-Marie s'était rendu au boîtier contenant le clavier numérique. Il l'avait ouvert. Il observait maintenant, sur le sommet de la plaquette, les broches portant les chiffres du code choisi par Luigi auxquels étaient reliés les quatre fils repérés du circuit imprimé. Une fois qu'il eut découvert le code, il n'eut qu'à le composer. Ce qu'il fit. Puis il ouvrit la porte de la cour arrière.

Manon était bien là, appuyée sur le mur de pierre, dans un état lamentable. Son rimmel avait coulé, ses cheveux étaient en bataille et ses lèvres gercées, mauves, tremblaient de froid.

— Pas trop tôt, dit-elle.

— Entre, tu vas geler, dit-il.

Son imperméable ouvert sur un tailleur Chanel, elle s'engouffra dans le café en exhalant un filet de brume. Jean-Marie referma la porte qui claqua dans un bruit sec. Il replaça le clavier numérique dans son boîtier. Vissa celui-ci à l'aide d'un dix sous.

— Où est Samuel? demanda Manon. Où est mon petit pou?

— Il dort, dit Jean-Marie.

— Où ça?

— Dans le cagibi.

— Hein?

— Dans l'armoire à balais.

En prenant appui sur le mur et en détachant les syllabes pour être sûre d'être bien comprise, elle lui dit :

— T'es un putain de malade mental. Tu sais ça ? Un putain de malade mental.

— T'as bu ? lui répondit Jean-Marie.

— Non. Pas du tout. Juste un peu. C'est ça qui arrive avec ces putains de réunions de production ! Surtout quand c'est des coproductions avec la France, tu comprends ? Il y avait Benoît De Grandpré, tu sais, des Productions Plus Art… Non, tu connais pas. Tu t'en fous. Bon. Fallait quand même fêter ça. Prendre un petit porto. Un petit cognac. Oui. C'était du cognac Rémy Martin X.O. Excellence à cent quatre-vingts dollars la bouteille. Impossible à refuser. Impossible de refuser, tu sais. Oh ! Juste une larme que je dis. Juste une larme. Ça ne paraît pas alors. Ils te servent ça dans un genre d'aquarium, tu sais, genre, c'est un verre, mais tu tiens ça comme un aquarium. Un ballon… Un Spiegelau, un verre allemand. Alors le rhum, là-dedans, je veux dire le cognac, là-dedans, il a l'air tout petit, pauvre petit cognac.

— Tu en as pris plusieurs ?

— Non. Juste un. Quatre. Quatre ou cinq, je sais plus.

Sur quoi elle poussa un profond soupir et se déchaussa, tout comme si elle était à la maison.

— Où est mon petit pou ? demanda-t-elle encore.

Jean-Marie la guida comme un gardien dans un musée en éclairant devant lui. Ils se rendirent dans la cuisine, devant l'entrée du cagibi. Jean-Marie éclaira son fils qui dormait. Tout était tranquille. Cette étrange atmosphère parut calmer Manon singulièrement, en un sens, la dégriser, et c'est avec une voix basse et profonde qu'elle murmura :

— Il ressemble au petit Jésus.

— Manquerait plus que le bœuf et l'âne, chuchota Jean-Marie.

— En fait d'âne, on est servi, dit-elle en le désignant du doigt.

— Très drôle, dit Jean-Marie.

— Merci, dit-elle en souriant.

À la suite de cet échange, Manon laissa tomber son imperméable et elle se colla au corps chaud de Jean-Marie.

— J'ai vraiment envie de baiser, dit-elle.

Son haleine était imbibée d'une forte odeur d'alcool, mais cela ne déplaisait pas à Jean-Marie. À travers sa chemise orange, il sentait les mamelons dressés de Manon. Puis la langue de sa femme s'enfonça dans sa bouche. Sur le coup il en fut un peu surpris, mais cela goûtait bon le cognac. Quant à Jean-Marie, il avait un arôme de café tanzanien. Le baiser se prolongea, toujours plus chaud, toujours plus fluide, en un mot de plus en plus cochon, mouillé, trempé, onctueux, bien baveux, quoi. Puis Manon s'éloigna. Elle se planta au beau milieu de la cuisine et commença à se déshabiller en fredonnant un air de *strip-tease* que Jean-Marie n'avait jamais entendu, enfin, qu'il ne parvenait pas à reconnaître. Du reste, cela n'avait aucune importance. Jean-Marie suivait les mouvements avec sa lampe de poche. Elle fut bientôt nue comme la Vénus de Botticelli dans son coquillage. Jean-Marie en fit autant, en conservant sa lampe de poche, ce qui n'était pas facile. Nu comme le David de Donatello ou celui de Michel-Ange, il s'approcha de Manon. La lampe éclaira son visage, puis ses seins, la toison d'or.

Ils firent l'amour sur les sacs de jute qui étaient restés dans la cuisine. En les plaçant l'un sur l'autre, Jean-Marie put prendre Manon par-devant et par-derrière dans une position on ne peut plus confortable. À la fin de l'exercice, les deux partenaires, épuisés, s'écroulèrent sur le sol où ils reprirent leur souffle peu à peu. Il n'y avait pas beaucoup de lumière dans la pièce. La lampe éclairait faiblement les poussières sur le sol. Pour ménager les piles, Jean-Marie l'éteignit. Il n'y avait pas grand-chose à dire non plus. Chacun écoutait la respiration de l'autre. Il y eut un grand silence. En fait, on n'entendait que le bourdonnement du réfrigérateur vertical. Puis, Manon prit la parole.

— Tu te souviens de notre première rencontre? demanda-t-elle dans le noir.

— Oui.

— J'étais venue te voir au magasin.

— Je sais.

Ce qu'elle voulait dire, ce qu'elle voulait peut-être lui faire comprendre, c'est qu'ils étaient repartis ensemble. Seize ans ensemble, c'est quelque chose.

— Tu m'avais fait toucher les échantillons de cuir. Tu ne disais pas grand-chose. Tes yeux parlaient. Ils disaient tout. Essayez, madame. Touchez, madame. Tu m'avais installée dans une causeuse de cuir. Tu m'avais fait relever les jambes. Tu me les avais placées toi-même sur un pouf de cuir ou je ne sais plus trop. J'avais senti tes mains chaudes à travers le nylon de mon collant. Personne autour de nous ne se rendait compte de rien. Tout se faisait en silence. Ta façon de me regarder. Et moi d'écarter les jambes. Tu te souviens?

Jean-Marie se souvenait très bien.

— C'était profondément indécent. Mais personne, à part nous deux, ne s'apercevait de rien.

Ce n'était pas tout à fait vrai. Robert Langelier les observait du coin de l'œil et il espérait bien que ce petit manège se
terminerait par un contrat. C'est ce qui était arrivé, d'ailleurs.
Manon avait commandé deux causeuses de cuir, pour commencer... Ensuite, il y avait eu la table à café, les lampes, la
console, le mobilier de salle à manger, celui de la chambre à
coucher, les peintures de Claude Lalonde, son frère, les peintures que Jean-Marie avait fait acheter par madame Michaud
et qu'ils revendaient avec un profit de soixante pour cent. Il
avait pris les mesures. Il était allé lui-même dans son condo de
l'île Sainte-Hélène, Tropique Nord, complexe luxueux. Con-
dos à deux cent cinquante mille dollars. C'était bien beau en
effet. Il faisait lui-même beaucoup d'argent. Le dollar canadien valait encore quelque chose. Tout cela était bien loin
maintenant. Ils avaient eu des enfants. Ils s'étaient installés
tous les deux à Label. Dans une maison centenaire qui avait
fait la couverture d'une revue de décoration. Murs de pierre.
Tonnelles. Poutres apparentes. Boiseries dans toutes les pièces.
Ils avaient même voyagé. Ils étaient allés en France, en Italie,
en Allemagne. Ils avaient rapporté des souvenirs de tous ces
voyages. Ils avaient tout pour être heureux. C'est ce que
Manon essayait de lui faire comprendre. Elle parlait. Elle
parlait. Elle parlait. D'une voix faible. Presque inaudible. Puis
elle se tut. Jean-Marie écouta de nouveau le silence. Puis
Manon commença à ronfler. Elle couvrit bientôt le bruit du
réfrigérateur. Celui du système de chauffage à air chaud.

Jean-Marie chercha à tâtons dans le noir les vêtements de
Manon. Puis, avec précaution, il lui enfila ses bas, sa culotte,
son soutien-gorge, son chemisier, sa jupe. Il la maniait comme
une pâte, comme de l'argile, en faisant très attention. Cette
opération fut extrêmement longue, mais Jean-Marie ne

comptait pas le temps. Cela n'avait plus aucune importance pour lui. Quand elle fut habillée, il rangea ses escarpins à côté d'elle et il la couvrit de son imperméable. Après quoi, toujours dans le noir, il ramassa sa chemise, enfila son pantalon et il sortit de la cuisine muni de sa lampe de poche. Il devait être environ quatre heures du matin. Les projecteurs éclairaient une place vide. Il n'y avait personne sur le banc de bois. Et, sur le chevalet, une grande feuille de papier blanc. À côté du chevalet, cependant, un panneau de plastique noir sur lequel ressortaient des chiffres blancs que l'on pouvait tourner à volonté, sorte de calendrier qui témoignait du nombre de jours que Jean-Marie avait passés dans le Café Mollo depuis son arrivée. Il y avait soixante-huit jours de cela. Les chiffres se détachaient sur le fond noir et luisant du panneau publicitaire. Une autre idée de Tony. Ainsi, on saurait toujours à quoi s'en tenir quant à la performance du *performeur*!

Jean-Marie se mit aussitôt au travail. Il avait très envie de peindre ce qu'il avait vu. L'expression pathétique de sa femme. Les couleurs. La douleur. Le mouvement. Le désir. Tout cela. Il dessina à grands traits l'arrivée de Manon derrière la vitre du café, son visage atterré, son corps en déséquilibre, avec en arrière-plan les lampadaires du boulevard, les taches que faisaient à l'horizon les grands sapins bleus. Sans s'en rendre compte, sans avoir conscience de ce qu'il faisait, il créait un effet de profondeur, il se livrait à des exercices de perspective. Puis il voulut, après plusieurs esquisses, il voulut y ajouter de la couleur, il voulut rendre la couleur des sapins, le bleu, le vert, et puis le mauve des lèvres de Manon, le noir de ses yeux coulants, et puis la violence violacée de la nuit, et puis la froideur pâle des étoiles, et puis… Il ouvrait les tubes de peinture, écrasait l'huile sur sa palette, appliquait la substance sur la toile à petits coups secs, frénétiques, absorbé entièrement par cette image : Manon derrière la porte vitrée qui le regardait bouche bée avec des yeux écarquillés.

Il travailla jusqu'aux premières lueurs de l'aube, insensible au temps qui passait, à la fatigue, aux courbatures, à la soif, à la faim, dans un autre monde. Dans un autre univers. Et puis, quand il vit sur la toile une partie de ce qu'il avait imaginé, il s'arrêta, posa son pinceau sur le rebord du chevalet et, sans reboucher ses tubes de peinture, il se glissa dans son sac de jute, sur lequel il n'avait pas remarqué qu'il était écrit en grosses lettres rouges CAFÉ MOLLO. Il cala l'oreiller de café moulu sous sa tête et il s'endormit. Il était sept heures cinquante.

Luigi fut satisfait de constater que Jean-Marie était à son poste, sous les projecteurs, que les mots CAFÉ MOLLO étaient bien en évidence sur le sac de jute et que quelques curieux étaient assemblés pour regarder la scène. Il le fut moins cependant lorsqu'il constata que le système d'alarme était désactivé : la diode électroluminescente ne clignotait plus. Mais c'est en constatant que Manon Beauregard était étendue de tout son long dans la cuisine qu'il émit ce commentaire sur un ton courroucé :

— Bordel de putain de merde !

Quant à Méo qui arriva quelques minutes plus tard, il se contenta de tourner l'une des feuilles du présentoir : soixante-neuf. Puis, prenant les clés que Luigi avait déposées sur le comptoir, il déverrouilla la porte principale et laissa entrer les clients.

Peu de temps après, Magdalena arriva, suivie de Jacob et de Laura. Toute cette histoire avec Jean-Marie les amusait énormément. Ils émirent des commentaires sur la performance de ce dernier : soixante-neuf jours, c'était quelque chose ! Ils s'envoyaient de petits regards entendus, se bousculaient, rigolaient. Il y avait une sorte d'ambiance un peu lubrique, dévergondée, qui agaçait énormément Luigi. Puis, quand il les vit se diriger vers la cuisine, il se surprit à vouloir leur dire de faire attention parce que… Et puis il pesta contre lui-même. Non mais ! Voilà qu'il s'occupait du confort de cette femme, maintenant. Non mais ! Qu'est-ce qu'il en avait à foutre ? Pourtant, malgré lui, il laissa échapper :

— Faites moins de bruit. Pas nécessaire de crier. Y a quelqu'un qui dort.

Ses employés, Méo compris, en marquèrent de l'étonnement. C'était bien la première fois que Luigi se souciait du confort de Jean-Marie. D'ailleurs, il n'y avait qu'à voir : celui-ci dormait profondément dans son sac de grains, tout à fait insensible à ce qui se passait autour de lui. Et comme Luigi ne se décidait toujours pas à leur dire de quoi il retournait au juste, ils firent une entrée fracassante, comme d'habitude, dans la cuisine.

Ce qui les attendait était assez surprenant. Tout d'abord, Manon s'était agitée dans son sommeil et l'imperméable gisait maintenant à ses pieds. Elle avait probablement voulu empoigner un des sacs de grains, en tout cas, elle était installée sur l'un d'eux, la jupe relevée et les fesses exposées. La position était assez évocatrice. À tout le moins, elle permettait de constater que Manon avait un joli petit cul. Même que Jacob en tressaillit et que Magdalena lui donna un coup dans les côtes. Mais le tableau ne s'arrêtait pas là. Parce que Samuel, huit ans, qui venait de se réveiller, observait sa maman roupiller vêtu seulement d'un slip qui bâillait, le ventre rebondi, en se grattant la tête.

Au même moment, on frappa à la porte des fournisseurs. Laura pensa à Yvan Bienvenu avec qui elle avait partagé sa passion naissante pour la peinture dans quelques lieux du café et à l'abri des regards indiscrets, et elle se dépêcha d'aller ouvrir. Ce n'était pas lui. Albert Thomas, pâtissier de son métier, venait livrer les bricoles habituelles : croissants à la pâte d'amande, tartes au citron, chocolatines, brioches, baguettes, ficelles. Il fut fort surpris de constater qu'on était si nombreux à l'attendre. D'autant que Luigi et Méo étaient arrivés sur ces entrefaites et que Manon, réveillée par les coups frappés à la porte, s'était relevée en s'appuyant sur le bras vigoureux de Jacob. Un peu éberluée, fripée, assommée, étourdie, et ayant un mal de crâne épouvantable, elle remarqua tous ces gens autour d'elle qui l'observaient. Et elle qui, habituellement, était si loquace ne put que constater, assez timidement d'ailleurs :

— Je me suis endormie.

Puis, apercevant son garçon en slip au milieu de la cuisine :

— Qu'est-ce que tu fais là, toi ?

Samuel ne savait pas trop, mais il était très content de ne pas aller à l'école.

— J'ai envie, dit-il.

Ce fut comme le coup d'envoi d'un ballon de football. On aurait dit que tous les personnages revenaient à la vie, prenaient conscience, subitement, de ce qu'ils avaient à faire et ils se précipitèrent dans la mêlée. Luigi réglait la circulation :

— Dégagez ! Dégagez ! disait-il.

Le pâtissier déposa ses boîtes sur la table, Laura retourna à la caisse, Méo à sa machine à café, Jacob transporta quelques sacs de grains, Gustave, arrivé entre-temps, servit les clients, Magdalena s'occupa des pâtisseries, Luigi du bon de livraison, et Manon, après que Samuel eut fait ses petits besoins, l'aida à s'habiller.

Quelques minutes plus tard, Manon se pointa dans le café en tenant fermement la main de Samuel et elle se rendit directement au banc de bois turquoise de Jean-Marie. Elle le secoua jusqu'au moment où il ouvrit les paupières.

— On s'en va, dit-elle.

Elle attendit un long moment que Jean-Marie ait retrouvé le sens des réalités. Un soleil froid, glacial, lui entrait dans les yeux. La bouche pâteuse, il demanda :

— Vous ne prenez pas le temps de déjeuner ?

— Non, tu ne m'as pas comprise. On part avec toi. Tu viens avec nous.

Jean-Marie s'assit sur le banc. Il se débarrassa de son sac de jute.

— Je ne crois pas que ce soit possible, dit-il.

Manon serra la main de son fils à lui faire mal, mais il n'osa pas se plaindre. Elle fit un effort pour ne pas hurler.

— C'est à cause de ce stupide concours ? C'est à cause de moi ? C'est à cause de ces stupides dessins ? C'est à cause de quoi ? Tu veux finir comme ton frère, c'est ça ?

Jean-Marie regardait Samuel qui baissait la tête. Il regardait Manon qui avait les yeux rouges. Il avait mal. Il n'arrivait pas à parler. Il avait la gorge sèche.

— Je ne sais pas quoi te dire. Je dois rester ici.

— Écoute-moi bien, dit Manon. Cette fois, j'en ai assez. J'en ai assez d'avoir mal. J'en ai assez d'être malheureuse. J'en ai assez d'attendre. J'en ai assez de crier. J'en ai assez de me plaindre. Je vais partir. Je ne te laisserai plus me faire du mal, tu comprends ? Est-ce que tu comprends ? Est-ce que tu m'entends ?

— Oui, dit Jean-Marie au comble du malheur.

— Je m'en vais, dit-elle.

Il y eut un temps. Un silence. Comme si plus rien ne pouvait bouger dans le café. Comme si plus rien, absolument rien, n'avait de sens. Puis, Manon reprit la parole.

— Dis bonjour à ton père.

Ça voulait dire adieu. Samuel le savait très bien. En fait, il serait plus juste de dire qu'il le sentait. Mais quelle importance, au fond ? Il murmura bonjour docilement. Jean-Marie fit de même. Sur une table, à quelques pas de là, il y avait une brioche à la cannelle que Samuel n'avait pas touchée. Un café froid que Manon n'avait pas bu. Il les vit s'éloigner dans le parking. Samuel, assis en arrière, se retourna. Il regarda son père s'éloigner de lui. Puis, plus rien. Du silence et du bruit.

14

Le mois de novembre. Jean-Marie observait des joueurs de backgammon quand on frappa discrètement sur son épaule. L'instant d'après, un grand type dégingandé se présenta en souriant.

— Bonjour. Je m'excuse de vous déranger. Michel Dion du *Pub Info*.

Il attendait visiblement qu'on l'invite à s'asseoir.

— Tony ne vous a pas dit que je voulais vous rencontrer ?

— Non.

— C'est pour un article dans notre journal. Ça ne prendra pas beaucoup de temps. Juste rétablir les faits. Votre démarche est particulièrement intéressante. Je peux ?

— Allez-y.

Il retira un parka noir, muni d'une quantité invraisemblable de poches, qu'il déposa sur le dossier de sa chaise. Puis il s'assit. Il sortit de l'une de ses innombrables poches un cahier à spirale et décapuchonna un stylo mordillé.

— J'avais très hâte de vous rencontrer. J'ai fait moi-même pas mal de bêtises dans ma vie, mais jamais je ne me suis rendu aussi loin. Vous allez battre tous les records. C'est bien ça que vous voulez, non ? Battre tous les records ?

— Je ne sais pas.

— Modeste en plus! Mais, dites-moi, comment vous est venue l'idée? Qu'est-ce qui a déclenché ce besoin de vous dépasser, d'aller au bout de vous-même? Vous avez sans doute des modèles. Avez-vous été influencé par cet homme qui est resté cent quatre-vingts jours dans un poteau ou par cette Malaysienne dont parlait Tony qui est restée enfermée je ne sais plus combien de mois dans son aquarium avec ses scorpions venimeux? Vous devez être fier de vous. J'ai regardé sur l'affiche en entrant, on ne peut pas la manquer, cent vingt jours! Cent vingt jours enfermé ici sur votre banc de bois. Mais vous êtes bien organisé. Vous avez de quoi vous désennuyer. Toutes ces toiles, ça occupe l'esprit. C'est ça qui doit être le plus dur, j'imagine. Moi, je suis incapable de rien faire. Il faut que je m'occupe l'esprit, il faut que je fasse quelque chose. Que je sois actif.

— Je comprends, dit Jean-Marie qui jamais de toute sa vie ne s'était senti aussi misérable.

À quelques pas de lui, des spectateurs avaient rejoint les joueurs de backgammon. Jean-Marie était fasciné par le jeu des ombres et des lumières. Les joueurs se tenaient assis près de la fenêtre. Deux joueurs concentrés, trois spectateurs regardant en direction des joueurs. Un autre garçon était assis à califourchon sur une chaise, tournait le dos à la scène. Comment cela se faisait-il que l'on voyait également le visage des spectateurs? D'où provenait au juste la lumière?

Sans plus se soucier, donc, du journaliste de l'hebdomadaire régional, Jean-Marie se leva. L'autre, fort surpris, interrompit son discours et répéta comme un mouton:

— Mais, mais...

Jean-Marie se campa derrière son chevalet et il esquissa les premières lignes de cette autre toile, mordu par cette envie dévorante qu'il avait de restituer sur la toile ce qu'il voyait, et ayant une peur bleue que tout cela disparût. Les joueurs pourtant étaient bien en place, presque immobiles, la lumière se déplaçait, la musique de Pink Floyd semblait baigner tout le café dans une ambiance d'irréalité. Oui, Jean-Marie était déjà dans un autre monde.

Le journaliste pourtant se leva à son tour et il alla le rejoindre.

— Vous n'aimez pas beaucoup parler de vous, hein?

— Non, dit Jean-Marie, pas beaucoup.

— Pourtant, ce que vous vivez est assez extraordinaire. Je veux dire, ça sort de l'ordinaire. Je sais. Ça veut dire la même chose. Ce que je veux dire, c'est que...

En réalité, il n'avait rien à dire. Et, comme il n'avait rien à dire, il parla de lui. Cela dura un bon moment. Puis, il se tut. Il devait écrire par la suite qu'il n'avait jamais obtenu une aussi bonne interview, ce qui n'aurait pas surpris Jean-Marie s'il l'avait lu, car il n'avait jamais procédé autrement pour vendre: il laissait parler. Il écoutait. Cela se résumait à cela. Mais, pour l'heure, l'attention de tous les clients du café était sollicitée par l'arrivée d'une énorme femme.

Il s'agissait de Micheline Brûlé. Cette dernière s'était engouffrée dans le vestibule, mais on se demandait comment elle pourrait ouvrir la porte intérieure tellement sa masse était imposante et l'espace qu'elle occupait considérable. Mais, bien qu'elle fût énorme, elle était souple et, jouant habilement de son poids, elle réussit à dégager un peu de place en se ramassant sur le côté, ce qui lui permit de tirer sur la poignée de la porte et de se retrouver subitement dans l'entrée. L'exercice, qui tenait carrément du prodige, passa pratiquement inaperçu, car on n'en avait que pour ses formes démesurées.

Le journaliste, qui sentit que quelque chose se préparait, remit le capuchon de son stylo et referma son cahier. Peu de temps après, la baleine ondula entre les tables et se dirigea vers Jean-Marie en laissant dans son sillage des tables et des chaises éparpillées cul par-dessus tête. Le journaliste saisit son parka à tiroirs, y enfouit cahier et stylo et s'éloigna juste à temps pour éviter une lame de fond qui l'aurait emporté.

— Jean-Marie! hurla-t-elle.

En réalité, elle n'avait nullement hurlé. C'était sa voix normale, naturelle, si l'on peut dire. Aurait-elle hurlé que les fenêtres n'auraient pas résisté, pas plus qu'aucun autre objet de verre. Cependant, elle s'arrêta à la hauteur du journaliste qu'elle regarda de ses yeux ronds.

— Je m'en vais, dit-il.

Après quoi, il balbutia à l'adresse de Jean-Marie:

— Je vous tiendrai au courant. L'article devrait paraître la semaine prochaine.

— Je ne vous fais pas peur, toujours, articula, hilare, l'énorme femme à l'endroit du journaliste.

— Pas du tout, mentit ce dernier qui s'éloignait déjà vers la sortie. Au revoir.

— C'est ça. Bon débarras, dit-elle.

Elle s'adoucit alors, elle s'attendrit et, avec des yeux de merlan frit, couva du regard Jean-Marie Lalonde. Son intention, évidente, était de le serrer dans ses bras, de le couvrir de baisers, mais le chevalet posait un problème, sans parler des tables alentour, des plantes, bref, il était plus facile pour Jean-Marie de se déplacer, ce qu'il fit.

— Madame Brûlé, dit-il en contournant le chevalet.

Finalement, elle le saisit par les poignets, lui tira la barbe, l'entraîna dans son giron, le serra sur son cœur, enfin, l'intention y était.

— Monsieur Lalonde! Vous m'avez fait peur. Que c'est bon de vous retrouver!

— Sûr, dit Jean-Marie, le visage enfoui entre les deux gros seins de la volumineuse personne.

Bien qu'assourdie, la voix de Jean-Marie lui parvint, et la femme éloigna la tête de Jean-Marie de son sein pour mieux le regarder, ce qui lui permit, à lui, de reprendre son souffle.

— Alors, monsieur Lalonde, mais qu'est-ce que vous faites ici? Qu'est-ce que c'est que cette barbe? Qu'est-ce que c'est que ce déguisement? Vous avez maigri. Vous ne mangez pas assez. Ce n'est pas en restant ici que vous allez prendre des calories. Vous avez le teint vert de Vermeer ou de Vélasquez… Véronèse, je veux dire Paolo Veronese, vous connaissez? Non. Ça n'a pas d'importance. Ce que je veux dire, c'est que votre vie ici ne vous vaut rien. Il faut revenir dans le monde des vivants! À quoi ça rime de vous enterrer ici?

Après ce flux de paroles ininterrompu, la grosse femme sortit un mouchoir de son sac et elle s'essuya les yeux. Puis elle chercha une chaise qui pourrait contenir son large cul.

— On peut s'asseoir? demanda-t-elle.

Troublé, Jean-Marie lui demanda d'attendre tandis qu'il allait s'enquérir à Luigi ou à quelqu'un d'autre d'un meuble adapté à cette nature généreuse.

On finit par découvrir, tout au fond du café, section fumeurs, un énorme fauteuil Voltaire dans lequel étaient installés deux amoureux transis accompagnés de quelques amis. Une fois la situation expliquée, ils acceptèrent de bonne grâce de céder leur fauteuil. Jacob et Gustave le transportèrent parmi la foule des curieux. Luigi ne leva même pas les yeux au ciel. Il essuya placidement un verre humide sortant du lave-vaisselle. Même que Tony le regarda d'un air inquiet.

— Va falloir agrandir, pas de doute, fut le seul commentaire de Luigi.

— Oui, dit Tony.

Ainsi donc, le fauteuil à oreillettes se déplaça au milieu de la foule, traversa quelques arpents de neige et aboutit enfin sous le postérieur proéminent de la belle grosse Micheline Brûlé qui s'empressa de s'y asseoir, ce qui provoqua un joyeux craquement semblable à celui que fait une bûche de bois sec qui se consume dans l'âtre de la cheminée. Puis, après avoir remué légèrement pour bien caler son fessier dans le réceptacle, elle poursuivit sa diatribe.

— J'ai eu beaucoup de peine en entendant cette nouvelle. Vous savez, je vous ai attendu toute la nuit. Ce n'était pas très fin de votre part. Je me suis inquiétée. Je n'étais pas la seule. Au magasin aussi ils s'inquiétaient. Et ça leur a pris du temps avant de me dire où vous étiez. Mais qu'est-ce que j'ai fait ? Est-ce que je vous ai causé du tort ? Il me semble que j'ai toujours été une bonne cliente pour vous. Vous êtes le seul qui... Vous le savez, tous les autres rient de moi. Vous êtes le seul en qui je peux avoir confiance. Le monde est cruel pour une personne comme moi. Vous le savez. Je ne veux pas prendre un autre vendeur. Si c'est une question d'argent...

— Ce n'est pas une question d'argent.

— Alors ? De quoi s'agit-il ?

Non, Jean-Marie n'avait pas la berlue. Elle attendait la réponse. Elle attendait réellement la réponse. Alors, pour la première fois peut-être, il prit le temps de réfléchir.

— Il y a les images, commença-t-il. C'est difficile à expliquer, mais il y a des tas d'images qui envahissent mon esprit. C'est comme si... comme s'il fallait que je les dessine sur le papier, que je les étale sur la toile pour ne pas les oublier.

— Comme votre frère.

— Oui. Comme Claude.

— Vous ne voulez pas suivre les traces de votre frère, quand même…

— Je ne sais pas.

— Écoutez, Jean-Marie. Ce que vous dites là est grave. Je n'ai pas envie de m'amuser, moi. Ce n'est pas votre faute ce qui est arrivé.

— Je n'étais pas là.

— Ce n'est pas votre faute.

— Je n'étais pas là.

— Vous n'êtes pas responsable!

Micheline Brûlé poussa un profond soupir.

— Vous êtes en train de faire exactement la même chose avec votre famille… Vous faites ce que font tous les hommes. Qu'est-ce que je vais devenir, moi? J'ai besoin de vos services. J'ai besoin de vos conseils.

— Vous êtes capable de vous débrouiller toute seule. Vous avez du goût. Fiez-vous à votre goût.

— Vous savez très bien que je n'ai aucun goût. Arrêtez de me mentir.

— Ce n'est pas si difficile.

— Alors, vous allez m'abandonner? Comme vous avez abandonné votre femme et vos enfants?

— Oui.

— Tout ça pour peindre ici. Pour vous exposer en vitrine.

— Oui.

— Et vous n'avez aucun remords?

— Je ne peux pas agir autrement.

— C'est facile, ça. C'est exactement ce que m'a dit mon mari avant de me quitter. Je ne peux pas agir autrement. On peut toujours agir autrement. Il y a des gens qui comptent. Il y a une humanité qui grouille autour de vous. Vous ne pouvez pas faire abstraction de tout ça. Jean-Marie observait son amie. Son ancienne cliente. Il observait cette grosse femme qui semblait contenir en elle une autre femme, plus jeune, une jeune fille, mince, très jolie, comme elle avait dû l'être à dix-sept ou dix-huit ans. Qu'est-ce qui avait provoqué cette transformation? D'où venait toute cette peine? toute cette douleur? tout ce malheur? Comment lui dire qu'en ce moment même il se sentait plus près du monde qu'en tout autre moment? Comment dire ces choses? Jean-Marie ne savait pas. Il y eut un moment de silence. Puis, Micheline Brûlé reprit plus bas:

— J'ai été bonne avec vous. C'est moi qui ai acheté presque toutes les toiles de votre frère. Mais je n'achèterai pas les vôtres. Vous savez très bien pourquoi. Je ne veux pas vous encourager dans votre folie.

— Est-ce que c'est de la folie?

— Oui. Oui. C'est de la folie. Et vous savez où ça mène. Vous avez vu ce qui est arrivé à Claude. Vous…

— Ça n'a rien à voir, dit Jean-Marie. La situation est différente.

— Je ne crois pas, dit Micheline Brûlé.

Il y eut un autre moment de silence. Puis, cette fois, ce fut Jean-Marie qui reprit plus bas:

— On finit tous par mourir de toute façon.

Elle aurait probablement protesté. Elle aurait sûrement explosé, vociféré. Elle se serait indignée, aurait voulu encore une fois le ramener à la raison, lui faire voir la réalité en face, lui faire comprendre le bon sens. Mais Luigi tendit son cellulaire à Jean-Marie.

— Pour vous, dit-il.

Jean-Marie releva la tête, surpris, il n'avait pas vu le patron approcher entre les fougères.

Puis Luigi se tourna vers l'énorme.

— Quelque chose à boire, madame?

— Un thé, dit-elle.

Elle fit mine de se lever.

— Laissez, dit Luigi. Je vous l'apporte.

Il ne tenait pas à ce qu'elle retraverse le café en sens inverse. D'ailleurs, les clients avaient envahi les tables alentour, la marée humaine s'était refermée sur son passage, et il ne voyait pas comment il pourrait lui-même regagner sa place derrière le comptoir. Il y parvint finalement en jouant du coude et en se déhanchant à la manière d'un danseur de flamenco. Quand il arriva à la hauteur de la théière de cristal, il songea encore une fois qu'il faudrait agrandir. Pendant ce temps, Jean-Marie écoutait ce qu'on lui disait au téléphone tout en subissant le regard de reproche de Micheline Brûlé.

— Je ne sais pas si tu le sais, lui dit son ami Martin Lapierre, mais on joue au badminton ce soir. Tous les mardis soir on jouait au badminton. On avait déjà payé le terrain. J'ai essayé de te joindre je ne sais plus combien de fois. Je t'ai envoyé des télécopies, des courriels, j'ai téléphoné chez toi, au magasin… Là, j'en ai assez. Ça fait un moment que je sais où tu te caches. Mais j'attendais que tu m'appelles pour t'expliquer. Ben non. Monsieur ne se présente pas à sa partie, mais monsieur ne se donne même pas la peine d'appeler. Je t'ai attendu pendant une heure! Heureusement que j'ai trouvé une autre partenaire sur place. Je n'ai pas complètement perdu mon temps. Mais là, ça va faire. Quatre mois que tu ne t'es pas montré la face. Quatre mois que tu ne donnes pas de nouvelles.

Alors je vais te dire ce que je vais faire. Je m'en viens te chercher. Je vais t'attacher avec des câbles s'il le faut, mais je vais te tirer de ton trou !

Sur quoi il raccrocha. Jean-Marie n'avait pas dit un mot.

Un peu plus tard, après de multiples contorsions, Luigi déposa sur la table un plateau contenant une théière, un sucrier, un crémier, deux cuillères à thé et deux tasses de porcelaine. Il reprit le cellulaire que lui tendait Jean-Marie et disparut. Quant à Micheline, elle sirota son thé citron sans piper mot, mais n'en pensa pas moins.

Martin Lapierre se présenta après le souper, alors que Micheline Brûlé avait quitté les lieux, que la noirceur était tombée depuis longtemps et que les consommateurs étaient moins nombreux. C'était un homme de forte stature, un peu comme Jean-Marie. Il avait les épaules larges, les cheveux courts, gominés, dressés sur la tête, mais il avait des rondeurs que Jean-Marie n'avait pas. Enfin, qu'il n'avait plus. C'était un homme en santé. Costaud. Ce qui frappait, c'était ses jointures qu'il avait proéminentes. À part cela, il n'avait rien de bien extraordinaire. Il avait trente-huit ans. Possédait sa propre compagnie de graphisme.

De tous les visiteurs et visiteuses que reçut Jean-Marie au cours de cette période, Martin Lapierre fut probablement celui qui marqua à sa vue le plus d'étonnement, de stupeur et d'incompréhension. Plus que cela, il fut carrément rebuté, effrayé par l'aspect extérieur de Jean-Marie qu'il jugea à la fois lamentable, excentrique, burlesque, bref, indigne de celui qu'il considérait jusque-là comme son ami.

Bien qu'il n'eût pas apporté de câbles avec lui, il tenait sa raquette de badminton dans sa main droite. Et bien qu'elle fût recouverte de son étui de plastique, il la tenait fermement. On aurait dit qu'il comptait s'en servir pour frapper son partenaire.

À ce moment-là, le pantalon de Jean-Marie était franchement troué, sa chemise avait perdu tous ses boutons et elle était ouverte sur sa poitrine velue mais amaigrie. Sa barbe n'avait pas réellement poussé, mais elle était plus dense. Quant à ses cheveux, noirs et bouclés, ils étaient propres, mais possédaient maintenant des reflets bleutés. Martin Lapierre se figea sur place. En fait, il n'arrivait tout simplement pas à croire ce qu'il voyait.

Le café ressemblait à un musée. Il y avait un long banc turquoise dans la vitrine, éclairé par des projecteurs. Il était vide. Mais, accrochées dans le couloir et derrière le comptoir, il y avait une quantité de toiles plus colorées les unes que les autres. Il y avait même une cloison complète dans la section des non-fumeurs qui était occupée par une gigantesque peinture murale. Et, devant cette fresque, l'inconcevable : une sorte d'hurluberlu derrière un grand chevalet de bois qui peinturlurait, qui appliquait sur une toile de la couleur, cela semblait représenter une femme énorme, mais comment se faisait-il qu'il y avait une jeune fille derrière tout ça ? Martin ne se posa pas la question trop longtemps. Ce qui l'intéressait, c'était l'hurluberlu derrière la toile. Mais enfin, qu'est-ce qu'il faisait là ? Vendeur émérite, investisseur avisé, joueur de badminton plus que respectable, père de famille acceptable, amant potable, s'imaginait-il, Jean-Marie n'avait pas d'affaire là !

Tout de même. Tenant sa raquette d'une main et repoussant les feuilles des plantes qui entouraient Jean-Marie de l'autre, il fit irruption dans le repaire de son partenaire de sport.

— Mais qu'est-ce que tu fais là? lui demanda-t-il.

— Le portrait d'une amie.

— Nous allons être en retard pour la partie!

— Je ne joue plus, lui dit Jean-Marie. Désolé.

— Désolé. Tu es désolé?

— Oui.

— Eh bien, ça ne paraît pas. Tu te fous de tout le monde! Ta femme est en train de devenir folle. Tes enfants sont au bord de la crise de nerfs! Et tes amis... Tu t'en fous complètement!

— Non.

— Oui. Oui, tu t'en fous. Je ne pensais pas que c'était aussi grave. Je pensais que peut-être j'arriverais à... Ça n'a pas de bon sens! T'es fou, mon pauvre vieux. Tu devrais consulter un psychologue!

— Peut-être en effet.

— Arrête de te foutre de ma gueule! hurla Martin Lapierre, un gars calme habituellement, reconnu pour son sang-froid.

— Je ne... commença Jean-Marie.

Mais il ne put terminer sa phrase parce que l'autre avait déposé sa raquette sur la table et il l'entraînait avec lui vers la sortie.

— Il faut que tu prennes l'air. Que tu t'éloignes de cet endroit pourri.

Jean-Marie s'accrochait à son chevalet, traînait sa toile sur le plancher, éparpillait les tubes de peinture en tentant de s'agripper aux pattes des tables. Martin le tirait, à demi dévêtu, en le tenant par les pieds. Mais, en voulant ouvrir la porte donnant sur le vestibule, il se retourna et Jean-Marie en profita pour s'enfuir. Les clients et les employés, spectateurs de la scène, étaient stupéfiés et n'avaient pas la force de réagir. On eût dit que tout cela était irréel, se déroulait très loin d'eux, dans un autre pays, dans un autre monde, à la limite. Et pourtant tout cela était bien réel. Jean-Marie se carapata vers le cagibi où il s'enferma. Martin tambourina sur la porte pendant que Luigi, Tony et quelques autres se demandaient s'ils devaient appeler la police. Au calme paisible des dernières heures avait succédé une agitation sans précédent, comparable seulement, en fait, à la découverte de l'intrus il y avait de cela quelques mois maintenant.

— Sors de là, espèce de froussard! criait Martin Lapierre.

— Je ne sortirai pas! criait Jean-Marie.

La situation semblait sans issue. Et, en effet, elle l'était. Les deux hommes échangeaient les invectives comme auparavant ils avaient échangé les smashs. Bien qu'il fût demeuré longtemps sans faire d'exercice, Jean-Marie avait conservé une poigne solide et Martin ne parvenait pas à ouvrir la porte. Si bien qu'après un certain temps il laissa tomber. Il s'assit par terre et la discussion reprit d'un côté et de l'autre de la porte comme auparavant d'un côté et de l'autre du filet. Et comme il n'y avait plus grand-chose à voir, les curieux se retirèrent peu à peu. Et comme on allait bientôt fermer, les employés commencèrent à ranger et à nettoyer. C'est donc dans un silence relatif que les deux amis échangèrent leurs dernières paroles.

— Je ne te comprends vraiment pas, disait Martin. Tu as tout pour être heureux. Ta femme est superbe. Elle gagne bien sa vie. Tes enfants… Un gars et une fille, le couple parfait.

Ils sont en santé. Qu'est-ce que tu veux de plus? Tu vas gâcher tout ça pour un stupide concours?

— Le concours n'a rien à voir là-dedans.

— Tu vas perdre tous tes amis. Tu as déjà perdu ton job. Tu as perdu ta BM. Tu vas tout perdre. Tout. Tu vas te retrouver tout seul. Seul et misérable. C'est ça qui va arriver. C'est ça que tu veux? Au moins s'il y avait une femme là-dessous! Est-ce qu'il y a une femme? Il y a une femme, c'est ça? Ici? Tu ne veux pas la quitter. Une femme ou une fille? C'est ça? Une mineure? Je ne sais pas, moi, merde, réponds-moi!

Jean-Marie avait lâché la poignée de la porte et il s'était assis lui aussi dans le cagibi. Il pensait à Solange Colbert, mais il ne répondait pas. Oui, se disait-il. C'est peut-être pour ça. Bien qu'il n'en fût pas sûr. Il avait beau sonder ses sentiments, il ne recevait rien en retour, aucun message. C'est vrai, au fond, pour quelle raison ne voulait-il pas sortir? Il lui semblait qu'il y avait un long moment qu'il ne s'était pas posé la question. Il y avait ces portraits à faire… Il voulait immortaliser tous ces gens qu'il avait aperçus, côtoyés, ces gens anonymes et ces anciens amis, sa famille… Était-ce pour cela et pour cela seulement qu'il restait enfermé dans le café? En tout cas, ce n'était certainement pas pour ce fameux record dont il se foutait éperdument. Alors? Alors quoi? Quoi? D'où lui venait ce besoin d'effectuer ce travail? Et, une fois ce travail accompli, quitterait-il enfin son refuge? Qu'est-ce qui l'empêchait de partir et de revenir plus tard? Qu'est-ce qui l'empêchait de peindre chez lui? Toutes ces questions se bousculaient dans sa tête, mais une force inconnue, mystérieuse, l'empêchait de se lever, d'ouvrir la porte et de repartir avec son ami. Aussi, pour la première fois, se demanda-t-il sérieusement s'il n'était pas devenu fou, s'il n'y avait pas dans son cerveau quelque chose qui s'était détraqué. Après tout, son frère avait bien… Il chassa l'image qui s'était présentée à son esprit. Enfouit son visage dans ses mains.

Quelques heures plus tard, quand il releva la tête et qu'il ouvrit la porte, Martin n'était plus là et le café baignait une fois de plus dans une totale obscurité.

— Tu l'auras voulu, lui avait dit Martin. Tu l'auras voulu.

Mais Jean-Marie n'avait pas entendu. Encore moins compris ce que l'autre avait voulu dire.

15

Il y avait quelque chose qui se préparait. Était-ce dû à cette petite neige folle qui s'éparpillait au gré du vent dans le parking ? Jean-Marie n'aurait su le dire, mais il y avait une sorte d'excitation dans l'air, quelque chose de presque palpable. Était-ce dû aux préparatifs de Noël ? Cela non plus, Jean-Marie n'aurait su le dire. Pourtant, depuis le matin, on avait commencé à installer les guirlandes, les lanternes et les lumignons. Eh oui ! Le temps avait passé, drôlement passé, et on approchait maintenant à grands pas de la fête de Noël. Quatre-vingt-dix jours que Jean-Marie faisait office de décoration officielle. Tony avait même eu la bonne idée de le coiffer d'un bonnet de lutin pour la nuit. Sous les projecteurs, le grelot argenté faisait un bel effet. Eh oui ! Déjà la mi-décembre. Bientôt le solstice d'hiver. Les jours raccourcissaient. La luminosité devenait une denrée rare. Les choses allaient changer après Noël, mais pour l'instant, l'obscurité, l'obscurité presque tragique régnait en maître dans l'âme de Jean-Marie. Il l'avait cherché après tout. L'avait-il réellement cherché ? Martin, en le quittant, il y avait de cela quelques semaines, lui avait dit : Tu l'auras voulu. Mais Jean-Marie n'avait pas entendu.

Tony et Luigi, qui avaient fait des affaires d'or en exposant Jean-Marie en vitrine, attendaient toujours la livraison de leurs fameux réfrigérateurs blancs Coldstream. C'était pour ce jour-là. Ils allaient pouvoir débrancher les vieux meubles malades, ils allaient enfin pouvoir les remplacer. Fébrile, Luigi se promenait derrière le comptoir, le cellulaire à l'oreille. Depuis le matin, il appelait régulièrement à la compagnie pour connaître l'heure de la livraison. Cela prenait plus de temps que prévu. On ne déplace pas de pareils mastodontes aussi facilement. Le DELICE DDSG-12 qu'ils avaient finalement choisi pesait neuf cent quatre-vingt-cinq livres. Quant au modèle INNOVA 500 R, il faisait tout de même trois cent cinquante-huit livres. Et puis il y avait la circulation. Le camion était immobilisé sur l'autoroute Métropolitaine. Mais Luigi n'avait pas à s'inquiéter. Ils étaient en route. Ils allaient arriver d'un instant à l'autre.

Luigi n'était pas inquiet. Il était impatient, anxieux, ému, excité, au même titre qu'un amoureux qui attend sa dulcinée. C'était son cadeau de Noël, sa terre promise, sa coupe Stanley, son *super bowl*, son mondial de soccer tout à la fois. Il donnait des ordres contradictoires, s'énervait pour des riens puis voulait embrasser tout le monde, bref, il était insupportable et tous les employés avaient très hâte qu'il reçoive enfin ses appareils pour avoir la paix.

Cela se produisit en fin d'après-midi au moment même où Lily rendit visite à son père pour la deuxième fois. Jean-Marie la vit s'avancer entre les tables alors qu'on ouvrait la porte des fournisseurs dans la cuisine. Décidément, les meubles ne passaient pas par là. Il fallait d'abord sortir les vieux engins par la porte, beaucoup plus large, qui donnait au sud. Laura et Magdalena entreprirent de sortir tous les produits du grand réfrigérateur malade et du présentoir. Jacob et Gustave effectuèrent le relais jusqu'à la cuisine tandis que Méo et Tony servaient les clients incommodés par tout ce va-et-vient. Quant à Luigi, il était tout à fait inutile. Il allait d'un groupe à l'autre, donnait des conseils, des recommandations que personne n'écoutait. Tout de même, il finit par suggérer que l'on sortît d'abord les vieux débris afin de pouvoir accueillir les merveilles nickelées, chromées et stylisées. Les livreurs de la compagnie Coldstream furent mis à contribution et, après avoir débranché les vieux appareils et avoir dégagé un passage menant à la sortie du côté sud, on souleva le malade que l'on déposa sur un chariot à plateau.

Jean-Marie surveillait l'opération du coin de l'œil tandis que sa fille s'asseyait devant lui. La porte du côté sud était maintenant grande ouverte et un attroupement s'était formé autour du vieux réfrigérateur que l'on accompagnait maintenant vers la sortie. La procession avançait cahin-caha, sous les recommandations de chacun : pas trop vite, attention à la table, tu m'écrases le pied et toutes ces sortes de choses. L'œil humide, Jean-Marie aperçut tous ces gens agglutinés dans le cadre de la porte, poussant, tirant, pestant ; puis enfin le grand malade blanc qui avait rendu l'âme, qui avait servi si longtemps, vaillamment, jusqu'au dernier jour, franchit le seuil de la porte et glissa sur une fine pellicule de neige. On le repoussa encore quelque peu vers l'arrière du café puis il disparut tout à fait du champ de vision de Jean-Marie.

La porte toujours ouverte, les employés et les livreurs revinrent rapidement à l'intérieur pour se réchauffer en apportant avec eux un grand courant d'air glacial qui se répandit dans le café en faisant virevolter les napperons. Lily, toujours vêtue de sa petite veste de cuir noir malgré la saison, frissonna. Jean-Marie remarqua qu'elle avait les lèvres bleues.

— Ça ne va pas du tout, laissa-t-elle tomber. Tout est en train de lâcher.

Elle trembla convulsivement. Était-ce dû au froid? Elle ferma sa veste de cuir qui cachait à peine la peau de son ventre.

— La plomberie a lâché dans la salle de bain. Tout est en train de couler. Le sous-sol est inondé. L'ordinateur est pété. On ne peut plus surfer sur Internet. On ne peut plus rien faire.

— Le sous-sol est inondé?

— Ben... Y a de l'eau qui coule du plafond au-dessus du cinéma maison. C'est en train de bousiller tous les fils, je pense. Le tapis est fini en tout cas. Ça sent mauvais.

— Ta mère n'a pas appelé le plombier?

— Elle n'est jamais là.

— Quand même...

— Elle boit. Je ne t'avais pas dit ça?

— Elle a toujours bu un peu...

— Ben là, elle boit beaucoup. Pis pas juste du vin. Même Samuel l'a remarqué. Pis lui, y va pas bien non plus. Il s'est fait expulser du service de garde. Il frappe tout le monde. Ça te surprend, hein? Pis moi, j'ai pas de *chum*. Je suis toute seule pis je m'ennuie.

— Tout va mal, quoi.

— Oui! Tout va mal! Tout va mal, si tu veux le savoir!

Elle avait crié.

— Je pense que je vais laisser les études. Je pense que je vais faire le trottoir pour m'occuper un peu.

— Tu n'es pas sérieuse?

— Tu peux parler, toi! T'es bien placé pour donner des conseils! Quand est-ce que tu vas revenir à la maison? Quand est-ce que tu vas cesser de faire le clown?

À ce moment-là, Jean-Marie aperçut le camion de la compagnie Coldstream reculant dans le stationnement, passant devant la grande fenêtre de la façade et se rangeant sur le côté, l'arrière du camion vis-à-vis de la porte sud. Peu de temps après, un employé ouvrit la porte et grimpa à l'intérieur. Le chauffeur vint le rejoindre et ils détachèrent les deux grosses boîtes de carton amarrées solidement aux parois. Puis, à l'aide d'Exacto, ils déballèrent la marchandise. Elle apparut enfin derrière un plastique transparent. Ils retirèrent les angles de caoutchouc mousse scotchés aux quatre coins des appareils et les débarrassèrent de leur couche de protection. Ainsi dénudés, les appareils avaient fière allure. Jean-Marie pouvait les apercevoir, de loin, entre les curieux. Cependant, Lily reprenait la parole.

— Je ne sais pas si tu le sais, mais Martin est venu consoler maman hier soir.

— Martin est un bon ami.

— Non. Tu ne comprends pas. Il est resté toute la nuit.

L'un des livreurs avait tiré une passerelle de métal devant la porte du café. Puis les deux hommes munis de courroies de cuir soulevèrent le premier engin et le déposèrent sur un chariot. Après quoi ils entreprirent de le sortir. Ils utilisèrent un câble qui retint le chariot pendant sa descente sur la passerelle. Luigi demanda à Jacob et à Tony d'aider les déménageurs dans leur manœuvre, ce qu'ils firent en amortissant la poussée de l'appareil vers le bas de la pente.

— C'était à prévoir, dit Jean-Marie.

— Ça ne te fait rien? Tout s'écroule autour de toi et ça ne te fait rien?

— Oui. Ça me fait quelque chose.

— On ne dirait pas.

L'opération était délicate, mais les cinq hommes avaient réussi à faire descendre l'appareil sans trop de mal. Luigi bourdonnait autour des travailleurs, leur disait cent fois de faire attention. Les clients autour de lui remettaient leur manteau, chaussaient leurs mitaines, enfonçaient leur tuque de laine tout en exhalant un long filet de brume. Mais enfin on finit par faire entrer le réfrigérateur dans le café. Le présentoir, beaucoup plus facile à manier, fut descendu sur un diable. Puis on referma la porte à la grande joie de tous les consommateurs. Luigi se tapait dans les mains pour se réchauffer, soufflait sur ses doigts tout en contournant les belles bêtes flambant neuves. Jean-Marie ne put faire autrement que d'admirer les engins.

— Je ne suis pas ici pour ça, dit enfin Lily après un long silence. Je veux savoir si tu vas venir à Noël.

— C'est mon cadeau! disait Luigi à tout le monde en se frottant les mains.

— Papa! Est-ce que tu m'écoutes?

— Oui, oui, je t'écoute. Excuse-moi.

— Tu n'as pas l'air de te rendre compte de ce qui se passe! Est-ce que tu sais que maman a vendu ta BM? Est-ce que tu sais qu'elle a vendu toutes tes affaires? ta valise, ton cellulaire, ton portable? Est-ce que tu sais qu'elle est en train de se débarrasser de toutes tes affaires dans la maison? Hein? Ça n'a pas l'air de te déranger beaucoup. Tu nous laisses tomber, c'est ça? Tu ne veux plus rien savoir de nous? Hein? C'est ça?

— Non. Je vous aime.

Cette fois, Lily se leva.

— Menteur! Tout ce qui t'intéresse, c'est tes peintures! Mais personne n'en a rien à faire de tes peintures! Tu ne viendras pas à Noël, hein, c'est ça? Tu vas rester dans ton trou? C'est Martin qui a raison. T'es fou. T'es complètement fou.

C'est un psychiatre que ça te prendrait! Ben, j'ai des bonnes nouvelles pour toi. Grand-papa a contacté un docteur. Il faut te faire soigner, papa. Il faut te faire soigner, ça presse! Jean-Marie essaya de la retenir. Il voulut se lever, mais ses muscles ne répondaient pas. Ses membres ankylosés étaient inertes. Qu'avait-il fait? Lily s'éloignait en courant. Peut-être pour cacher les larmes qui se figeaient déjà sur ses joues.

— Je ne reviendrai pas! cria-t-elle. Je ne reviendrai plus jamais!

Les flocons tombaient lourdement dans le parking et sur les cheveux de sa fille. Ce n'est plus ma fille, pensa-t-il. Je n'ai plus rien qui m'appartienne. Plus rien. Par ma faute. Il se sentit très fatigué. Laissa un dessin qu'il avait commencé.

Il ne l'avait certainement pas souhaité, mais il reçut effectivement, quelques jours plus tard, la visite d'un éminent spécialiste. La rencontre eut lieu juste avant Noël. À ce moment-là, les deux appareils neufs Coldstream ronronnaient paisiblement le long du comptoir. Toute la nourriture artistement présentée rayonnait sur les tablettes. Les chromes brillaient. À quelques pas de là, les lumières multicolores scintillaient dans le sapin. Les visages d'à peu près tout le monde étaient illuminés, les corps et les esprits transportés de joie. Des guirlandes composées de feuilles de gui et de cerises rouges en plastique décoraient également la vitrine de Jean-Marie. Somme toute, c'était une belle journée d'hiver. La première, en fait. Il y avait de la neige à l'horizon qui recouvrait les conifères et quelques tas de *slush* grise dans le stationnement.

Le docteur Fourier, Antoine Fourier, psychiatre de formation, pénétra dans le stationnement à bord d'un cabriolet rouge dont il avait pris soin, il va sans dire, de relever la capote. Il s'extirpa de son engin et se dirigea d'un pas décidé vers le café. Il remarqua, naturellement, la vitrine où était exposé le banc de Jean-Marie ainsi que le panneau annonçant la performance de ce dernier, et en prit bonne note. Puis il tira sur la poignée de la porte et s'engouffra dans le vestibule.

C'était un homme de petite taille mais sûr de lui, qui avait des cheveux drus, en bataille mais bien coupés, des lunettes rondes à la monture transparente. C'est tout ce que l'on pouvait en dire pour l'instant, car un long imperméable beige boutonné jusqu'au col empêchait d'apprécier sa tenue recherchée. Il ne mit pas longtemps à dénicher le repaire de Jean-Marie, mais commanda d'abord un double espresso avant de s'y rendre. Muni de sa petite tasse, il s'approcha de la table de Jean-Marie qui rêvassait à ce moment-là. Il déposa sa boisson et demanda s'il pouvait s'asseoir. Naturellement, dit Jean-Marie qui jamais ne s'opposait à ce qu'on lui rendît visite. Du reste, cela faisait partie de l'entente qu'il avait conclue avec Luigi et Tony.

Le psychiatre retira son imperméable et le peintre remarqua que l'autre était habillé d'une veste de tweed aux losanges dans un camaïeu de bleu et qu'il affichait un nœud papillon. Après avoir plié son imperméable et l'avoir déposé sur le siège du fauteuil Voltaire qui était encore là, il entra dans le vif du sujet.

— Ce n'est pas dans mes habitudes, dit-il d'une voix chaude et précise, d'offrir des séances à domicile, si je puis dire, et encore moins à quelques jours de Noël, mais votre beau-père m'a offert un sacré paquet d'argent et il était difficile de refuser. Je ne fais pas exception à la règle. L'espèce humaine est relativement raisonnable, sauf dans deux domaines où elle est vraiment folle comme une bande de lapins: le sexe et l'argent. Ainsi donc me voici. On m'a dit que vous n'étiez pas forcément réfractaire à l'idée de me voir et de me parler…

— Non, dit Jean-Marie.

Comme le maître ne savait pas encore comment interpréter cette réponse, il but une gorgée de café et s'attarda aux tableaux peints par Jean-Marie et qui reposaient pêle-mêle autour de lui, appuyés sur le mur, sur le dossier des chaises, sur le banc turquoise, sur le sol. Des portraits surtout. Beaucoup de portraits. Toutes sortes de gens.

— Vous peignez depuis longtemps? demanda l'analyste.

— Depuis que je suis malheureux, répondit l'analysé.

Cette réponse parut plaire au psychiatre qui prit le temps de détailler son patient. Couvert de couleurs, il avait l'air lui-même d'une peinture. C'était un sujet intéressant. Il aurait sûrement du plaisir à mener cette régression, de la conséquence au principe, bien qu'il eût en tête les paroles de Cocteau: *Un de ces peintres qui échappent à l'analyse*. Mais bon, il se secoua, vida sa tasse, la plaça au centre de la soucoupe et posa une autre question.

— Depuis quand êtes-vous malheureux?

— Depuis longtemps.

— Qu'est-ce que c'est pour vous, être malheureux?

— Être loin des miens.

— Pourtant, c'est vous qui vous êtes réfugié ici. On ne vous a pas forcé. Vous le faites de votre plein gré.

— Non. On m'enferme.

— Qui vous enferme?

— Moi.

— Votre *surmoi* voulez-vous dire.

— Vous ne croyez pas à ces niaiseries?

— Non. Mais je veux comprendre.

— Je me suis enfermé ici pour échapper à quelque chose.

— À quoi?

— C'est là que j'en suis. Je ne sais pas.

— Nous allons essayer de trouver, dit l'analyste.

— Je veux bien, dit Jean-Marie.

— Quand avez-vous pris les pinceaux pour la première fois? Quand avez-vous commencé à dessiner? Vous souvenez-vous de vos premiers dessins?

Jean-Marie se souvenait d'avoir dessiné une voiture. Une voiture blanche. Il avait vu son père s'en aller dans une voiture blanche. Était-ce lui qui avait dessiné la voiture ou son frère? Et qu'était-il advenu du dessin? L'avait-il détruit? Pourquoi? Trop de questions. Et, tout à coup, celle de l'analyste:

— On m'a dit que vous aviez perdu votre frère?

— Oui.

— Comment cela s'est-il passé?

— Mal.

— Que voulez-vous dire?

— Il avait trente-cinq ans.

— Mais encore?

— On l'a retrouvé pendu dans son atelier.

— Qui l'a retrouvé?

— Un ami.

— Et il vous a appelé?

— Oui.

— Vous y êtes allé?

Jean-Marie ne répondit pas. Il lui avait dit que son dessin était laid. Ça ne l'avait pas empêché d'être un jeune peintre prometteur. Et de se tuer à trente-cinq ans. C'est ce qu'il avait fait contre toute attente. C'est toujours contre toute attente que l'on agit ainsi. Ce n'est pas cela que l'on attend de vous. Cherchons les causes. Arrêtons le massacre.

— Vous croyez que c'est en restant ici qu'il va ressusciter?

— Non.

— Que croyez-vous?

— Rien. Je ne crois plus à rien.

— C'est une réaction normale. Vous l'avez vu au salon funéraire? Vous lui avez touché?

— Oui.

— Vous avez pleuré?

— Je l'avais vu d'abord à la morgue. Pour l'identification.

— Je comprends. C'est là que vous l'avez touché?

— Oui.

— Vous avez pleuré?

— Je ne l'avais pas vu depuis très longtemps en fait. Au début, il venait au magasin pour porter ses toiles, puis ensuite il envoyait quelqu'un d'autre.

— L'ami en question?

— Non. Ce n'était jamais le même.

— Vous soupçonniez ses petits amis de le voler?

— Oui. Ils le volaient.

— Vous le lui aviez dit?

— Oui.

— Quelle avait été sa réaction? Comment réagissait-il?

— Il s'en foutait.

— Alors l'ami vous a appelé…

— Ce n'était pas un ami. C'était quelqu'un dans l'immeuble, au même étage…

— C'est lui qui a découvert le corps. Et vous n'y êtes pas allé.

— On ne se voyait pas souvent.

— C'était votre frère.

— Oui.

À la suite de cet échange, il y eut un interminable silence. Puis le psychanalyste consulta sa montre, une Rolex flambant neuve :

— Bon, dit-il, ce sera tout pour aujourd'hui. Que comptez-vous faire à Noël ? Vous savez que vous êtes attendu dans votre famille… Vous ne pourrez pas rester ici éternellement. Personnellement, je n'ai rien contre le fait de venir vous voir ici, surtout si on continue à me payer aussi grassement, mais on m'avait demandé de faire en sorte que vous regagniez vos pénates pour Noël et je dois avouer que ça arrangerait tout le monde si vous accédiez à cette demande. La psychanalyse n'est pas une fin en soi. Elle doit déboucher sur quelque chose. Vous comprenez ? Je peux très bien vous voir chez vous. J'ajoute que mon cabinet est très confortable. Et que je peux vous faire du bon café. Bon. À vous de décider. Je vous laisse ma carte.

Il lui tendit le bristol.

— Et n'oubliez pas. C'est sans frais de votre part.

Puis, comme Jean-Marie ne disait toujours rien, il disparut. La consultation avait duré quarante-cinq minutes.

Après le départ du psychiatre, Jean-Marie demeura deux jours dans un état de prostration épouvantable. Il n'arrivait même pas à soulever ne serait-ce que l'ombre de son crayon, ce qui est tout de même normal : a-t-on jamais entendu dire que l'on puisse soulever une ombre ? Quoi qu'il en soit, tout ce dont il était capable, c'était de s'étendre de tout son long sur le banc de bois et de se laisser griller le visage par les projecteurs. Ce qu'il fit.

Quant au bristol, il s'en servit pour se curer les dents. Après quoi, il le jeta dans la poubelle.

16

Vue de l'extérieur, la scène avait de quoi surprendre. Tout d'abord, il y avait ce fameux banc de bois turquoise qui exposait devant la fenêtre un homme enfoncé dans un grand sac de jute sur lequel on pouvait lire les mots imprimés en rouge : CAFÉ MOLLO. Et puis, juste à côté de ce banc, un panneau en plastique noir sur lequel se détachaient trois chiffres blancs : 158. C'était le nombre de jours qu'avait passés l'énergumène dans le café sans jamais en sortir. Un exploit pour les uns. La plus infâme stupidité pour les autres. Quoi qu'il en soit, ce tableau, presque surréaliste, était encore éclairé par de puissants projecteurs installés à l'extérieur du café. Le type, qui arborait par ailleurs un bonnet de lutin sur la tête, semblait dormir. Les gens s'arrêtaient devant la vitre pour le regarder, comme les petits enfants le font encore au centre-ville de Montréal devant la vitrine animée d'Ogilvy ou de Holt Renfrew. Le spectacle n'était pas très animé, mais côté insolite on pouvait difficilement demander mieux.

À l'intérieur du café, l'ambiance était franchement décontractée. Tout le monde semblait de bonne humeur. Aux guirlandes, sapin, lumières de toutes sortes on avait encore ajouté des ballons multicolores çà et là sur les murs. Il y en avait aussi sur le sol qui virevoltaient dans les airs quand on s'approchait d'eux ou quand on ouvrait la porte. Dans un coin, près de la balance, Magdalena et Jacob s'embrassaient à bouche que veux-tu. Laura flirtait avec Yvan Bienvenu, son livreur préféré. Méo contait fleurette à une jolie jeune fille. Luigi, muni d'un chiffon propre, très propre, qu'il passait et repassait sur les chromes de ses deux nouveaux engins, était engagé dans une conversation avec Roger Sanschagrin, son représentant Coldstream, qui était venu lui rendre visite pour voir si tout allait bien. Oh là là, ça allait bien, oui monsieur, Luigi était satisfait. Il songeait même à agrandir, avec son fils Tony. Heureusement qu'il était là, celui-là. Derrière la caisse, il comptait et recomptait l'argent. Quelle bonne idée il avait eue de placer Jean-Marie en vitrine et de lui payer ce matériel d'artiste. Grâce à lui, la clientèle avait augmenté et elle continuait d'augmenter. Tony avait encore toutes sortes d'idées pour faire fructifier le capital.

En un mot, cette veille de Noël se déroulait plutôt bien. Vers dix-sept heures, il n'y eut presque plus de clients et l'on procéda à une distribution de cadeaux. Jean-Marie ne fut pas oublié. En plus du matériel d'artiste composé de pinceaux, tubes de couleurs, nouvelles toiles blanches immaculées, Tony offrit à Jean-Marie un coton ouaté noir comme en portaient tous les employés ainsi qu'un béret basque de même couleur sur lequel le logo CAFÉ MOLLO était imprimé en lettres de feu : il faisait partie de la famille. Quant à Jean-Marie, il donna à chacun d'eux un dessin à l'encre de Chine qui le représentait. Les portraits, d'une hallucinante vérité, furent fort appréciés. Et puis, après les souhaits d'usage, à peu près tout le monde quitta le café. Il ne resta plus que Luigi qui ferma l'établissement à dix-huit heures précises. Il donnait un réveillon chez lui le soir même et n'avait pas l'intention de s'attarder. Pourtant, en jetant un dernier regard en direction de Jean-Marie, il eut comme un léger pincement au cœur. Que de temps avait passé depuis qu'il avait découvert la berline de Jean-Marie dans le stationnement et qu'il avait tant pesté contre lui. C'était avant de le connaître. Mais le connaissait-il vraiment? Luigi réalisa qu'il ne lui avait jamais réellement parlé. Il le considérait, à dire vrai, comme un accessoire. N'était-ce pas exagéré de penser cela? Luigi, dans l'entrée, son manteau d'hiver sur le dos, ses clés de voiture dans une main et le lavis de Jean-Marie dans l'autre, se posait la question.

Jean-Marie avait repris sa place sur le banc turquoise, sous les projecteurs. Il regardait la neige tomber. Il était seul. Luigi s'approcha de lui. Pris d'un malaise profond, indéfinissable, il s'éclaircit la gorge. L'autre tourna la tête vers lui. C'était peut-être dû aux projecteurs, mais on eût dit que son visage et ses bras avaient grillé. Il avait le teint bistre. Surtout, il semblait à des années-lumière de l'endroit où il était. Il semblait enfermé en lui-même. Si profondément ancré en lui, en fait, que Luigi ne savait comment l'aborder. Il regarda la neige. Le scintillement des flocons. C'était beau. Luigi contempla le spectacle quelque temps. Puis il vint s'asseoir sur le banc, à côté de son hôte. Il n'avait pas l'intention de rester très longtemps. Il devait partir. Sa femme l'attendait. Elle allait lui faire une scène s'il ne rentrait pas immédiatement. Il le savait. Pourtant, il s'attarda. Puis, d'un ton bourru, il demanda, en désignant les vêtements de coton noir empilés à côté de lui:

— Vous les mettez pas? Vous aurez plus chaud… C'est pas chaud ce soir. La veille de Noël…

Jean-Marie réalisa que l'autre lui parlait et qu'il était troublé.

— Ah oui, les vêtements… dit-il.

Mais il n'était pas là. Il était dans un autre monde. C'était tellement évident que Luigi laissa tomber:

— Pourquoi vous ne rentrez pas chez vous?

— On a un accord, non?

Luigi se foutait bien à ce moment-là du marché qu'ils avaient conclu. C'était la veille de Noël, nom de Dieu, et la veille de Noël, on la passe en famille! On n'a pas idée de s'isoler comme ça, ce n'est pas chrétien, ce n'est pas bien, et lui, Luigi Alzaco, de la famille des Alzaco de Turin, *Torino*, capitale du Piémont et chef-lieu de province, lui, il ne pouvait comprendre ça. Mais quel genre d'homme était celui-là? Il avait vu sa femme: belle femme. Sacré caractère, mais belle femme. Une femme, quoi. Et sa fille. Et son fils. Et ses amis. Putain de bordel de merde, se disait-il. Je ne comprends pas. Je ne comprendrai jamais ces Québécois. D'un autre côté, ce n'était pas de ses affaires. Ou plutôt oui. C'était de ses affaires justement. C'était les affaires. Les affaires, c'est les affaires, se disait-il, et justement elles n'avaient jamais été aussi bonnes. Alors? Il n'allait certainement pas s'en plaindre. Comme disait d'ailleurs le propriétaire des franchises à Toronto, *business as usual*. C'est ça, se disait-il pour se convaincre. *Business as usual*. Bon, puisque c'est comme ça...

Après avoir joué pendant un moment avec son trousseau de clés auquel était accroché un petit ballon de foot, il répondit enfin à Jean-Marie.

— Oui, on a un accord... Le commerce marche bien. Mais je comprends pas pourquoi tu fais ça. Tu pourrais au moins pour cette nuit... Bon, ce n'est pas mes affaires, dit-il encore.

— Oui, c'est vrai, dit Jean-Marie. Je pourrais sortir d'ici. Pourquoi est-ce que je ne le fais pas? Je ne le sais pas. Honnêtement, je ne sais pas. C'est peut-être de l'obstination de ma part. De l'entêtement. Je ne sais pas.

— Tu n'aimes pas ta femme? Tu n'aimes pas tes enfants?

— Oui.

— Tu penses que tu ne les mérites pas?

Jean-Marie ne répondit pas.

— Tu ne t'aimes pas, hein?

Jean-Marie ne répondit pas.

— Qu'est-ce que tu as fait pour ne pas t'aimer comme ça? Hein? Qu'est-ce que tu as fait?

— Mon frère est mort, dit Jean-Marie.

Puis, comme il n'ajoutait rien, Luigi remarqua:

— Mais toi, tu es vivant.

Jean-Marie se le demandait. Quant à Luigi, il avait été aussi loin qu'il pouvait aller. Il se leva.

— Je peux te déposer quelque part si tu veux. Je le dirai pas à Tony. Personne le saura. Une visite dans ta famille. Pour cette nuit...

— Merci, dit Jean-Marie, mais sans relever la tête.

Luigi consulta sa montre. Il était plus que temps de partir.

— Bonne nuit alors, dit-il sans plus le regarder.

— Bonne nuit, dit Jean-Marie.

Mais l'autre était déjà parti depuis un bon moment.

— Bonne nuit, répéta-t-il sans trop savoir à qui il s'adressait.

Puis il observa autour de lui, le café désert, le sapin dans un coin, les guirlandes suspendues au-dessus du comptoir, les tables vides, les chaises renversées sur les tables, le tiroir ouvert de la caisse, tous les instruments rangés sur les tablettes, tout était bien propre, bien ordonné, chaque chose à sa place, et lui dans ce décor, qui jurait. Tout était propre et pimpant. Tout était d'une épouvantable tristesse. Il examinait ses mains qui tenaient encore un pinceau. À quoi bon? Il lui sembla qu'il n'avait plus rien à dire, plus rien à peindre. Et pourtant, il n'avait jamais eu autant de matériel. En plus de l'huile, il avait de l'encre, des toiles, des blocs de papier à dessin, des crayons, des fusains... Tout cela pour quoi? Les présents étaient à ses pieds, ses pieds noirs de café et de poussière. Noirs de café surtout, parce que le café s'incrustait partout, il en avait sous les ongles, dans les cheveux, dans la barbe, partout, cela ne partait pas.

Cette fois, il était bien seul. Il avait coupé tous les ponts. Personne ne viendrait le voir ce soir dans la vitrine. C'est probablement ainsi que se sentait son frère le jour où il avait mis fin à ses souffrances. Peut-être. Il aurait dû y aller. Il n'aurait pas dû le laisser seul. Il était trop tard maintenant. Trop tard.

Jean-Marie frissonna. Il remarqua le coton ouaté sur le banc.

À la morgue, on lui avait montré son frère sous un drap blanc. Sous la table, il y avait un sac de plastique qui contenait ses vêtements. Jean-Marie avait tiré le drap. Son frère était apparu. C'était bien lui. Claude. Il dormait. Il semblait dormir. Jean-Marie avait posé sa main sur son torse. Claude. C'était bien lui. Oui. Jean-Marie répondait aux questions. Tout s'était passé très vite. À peine le temps de constater que Claude était bien mort. Que le cœur ne battait plus. Qu'il ne bougeait plus. Plus du tout. Il était encore chaud. Tiède. À ce souvenir, à cette main posée sur son torse, Jean-Marie lâcha le pinceau qui roula par terre. Puis, pour la première fois, il pleura la mort de son frère. Il ne l'avait jamais fait. Il avait toujours gardé cela en lui, mais maintenant c'était plus fort que lui, la peine le submergeait.

Il pleura longtemps. Se moucha dans sa chemise – ce qu'il en restait. Puis, après un temps, un long moment de silence et d'ennui, il se leva, péniblement, et il se dirigea, avec ses nouveaux habits, vers les toilettes des hommes.

Il se dévêtit, et là, devant la glace, il se lava, se fit un shampoing, se décrotta du mieux qu'il put. C'était encore un très bel homme : large d'épaules, grand, les côtes légèrement saillantes cependant, mais dans son œil, dans son expression, dans tout son corps, en fait, il y avait comme une sorte de résignation, quelque chose qui lui faisait baisser les bras, courber le dos.

À cet instant, il se regarda dans le miroir. Entièrement nu, barbu, moustachu, poilu, il essuya une larme au fin fond de son œil gauche, puis il entreprit de se rhabiller. Cela ne fut pas bien long. La combinaison de coton ouaté lui allait à ravir, ne manquait que les chaussures.

Sans trop savoir pourquoi, il revint dans le café désert et silencieux. Qu'espérait-il y trouver ? Ses anciens souliers de cuir ? Oui, ils devaient être là, cachés quelque part. À moins que ce ne fût pour téléphoner ? En effet, il s'approcha de la porte d'entrée principale, remarqua le téléphone dans le vestibule. Il sembla hésiter. Que se passait-il dans son esprit ? Avait-il l'intention de s'en aller ?

Il était dans l'entrée. En plein milieu de l'entrée. Attendait-il la sonnerie du téléphone ? Attendait-il quelque chose ? En tout cas, il ne retrouva pas ses souliers. Il n'en eut pas le temps. Parce que, venu de l'arrière du café, un bruit se fit entendre. Une sorte de grattement. Était-ce une souris ? un rongeur quelconque ? Il s'immobilisa. Prêta l'oreille avec plus d'attention. Le grattement se transforma. Il lui paraissait maintenant que l'on cognait discrètement à une porte. Quelle porte ? La porte des fournisseurs ? Non. C'était la porte arrière. Celle qui donnait sur le parking arrière. Le cœur de Jean-Marie cessa de battre. Qui cela pouvait-il être ?

Il se dirigea lentement vers l'endroit d'où provenaient les petits coups, désactiva le système d'alarme et ouvrit la porte.

Solange Colbert était là devant lui, souriante, un paquet sous le bras, comme si c'était la chose la plus naturelle du monde. Elle ne semblait pas impatiente de pénétrer à l'intérieur. Elle attendait peut-être que Jean-Marie fût remis de sa surprise.

— Je peux entrer ? finit-elle toutefois par demander.

— Euh, oui, oui, fit Jean-Marie, excusez-moi.

— Y a pas de mal, dit-elle.

Une fois à l'intérieur, elle secoua sa chevelure auburn et des tas de petites lumières blanches se fracassèrent sur le sol.

— Je ne vous ai pas vu à votre place habituelle, dit Solange, alors j'ai pensé…

— Bien sûr, dit Jean-Marie.

Il lui tendait les bras pour prendre son manteau recouvert de cristaux de neige. Un manteau rouge en mohair, un foulard de même couleur, une peau blanche, des prunelles noisette, un sourire moqueur qui accentuait l'éclat de ses pommettes roses.

— C'est tranquille ici, dit-elle.

— Oui.

Il avait son manteau dans les mains, le foulard, le paquet dans un sac brun. Elle s'appuyait sur lui.

— Je peux enlever mes bottillons ?

— Oui…

Elle portait une robe de dentelle blanche, une ceinture rouge. Elle était très belle. Il le lui dit.

— Vous êtes très belle.

— Merci…

Puis, après un moment, alors qu'il ne bougeait pas, alors qu'ils étaient toujours dans l'entrée :

— On peut peut-être se tutoyer ?

— Bien sûr, dit-il.

Cela allégea quelque peu l'atmosphère.

— Alors, tu es toujours ici, lui dit-elle.

— Oui.

— Ce n'était pas une blague.

— Ce n'était pas une blague, dit Jean-Marie en souriant.

— Tu as un très beau sourire, lui dit-elle.

Avait-elle approché ses doigts de sa bouche ? Difficile à dire. Ils étaient encore dans la pénombre. Il eût fallu, pour qu'on le sache, qu'ils s'avancent un peu, qu'ils s'engagent dans le couloir qui, lui, était éclairé.

— Je t'ai apporté un cadeau, lui dit-elle.

— Ah oui, merci.

Mais qu'avait donc Jean-Marie ? Il semblait paralysé, n'y rien comprendre. Il ne regardait pas le sac contenant le présent. Il ne la quittait pas des yeux. C'est sans doute pourquoi elle ajouta, en guise d'explication :

— C'est Noël bientôt. Il est presque minuit.

— Ah oui, dit encore Jean-Marie.

— Tu ne l'ouvres pas ?

— Bien sûr…

Pour la première fois il prit conscience de ce qu'il avait dans les mains et il chercha un endroit pour déposer tout cela. Il s'engagea donc dans le couloir suivi de Solange qui admira au passage les nombreuses toiles de l'artiste accrochées au mur.

— C'est très joli, dit-elle en s'arrêtant devant une eau forte représentant une jeune fille au regard perdu trempant ses lèvres noires dans un chocolat chaud.

Jean-Marie revint un instant sur ses pas.

— Oui, euh, c'est…

Mais déjà elle était devant une autre toile. C'était une femme énorme assise sur le bout d'une chaise minuscule. Elle était en parfait déséquilibre, les bras devant, comme si elle tentait de s'agripper à quelque chose. Les yeux exorbités. Des couleurs de feu. De terre brûlée.

— Intéressant, dit-elle.

Il y en avait d'autres. Jean-Marie se demanda un instant ce qu'il devait faire. Puis, Solange, voyant son désarroi, lui dit :

— Excuse-moi. Je te suis.

Mais il y eut encore le tableau représentant Manon Beauregard derrière la vitre du café qui attira son attention. En fin de compte, elle mit plusieurs minutes avant de se rendre à la table où Jean-Marie avait déposé son manteau sur le dossier d'une chaise et le colis sur le marbre gris. Aussitôt assise sur la chaise bistrot, elle retira le cadeau du sac et le lui tendit. C'était un présent de forme rectangulaire enveloppé dans un papier doré et décoré d'un chou blanc.

— Mais je n'ai rien pour toi, lui dit Jean-Marie.

— Ça ne fait rien.

Cela ne semblait pas la préoccuper beaucoup, en effet. Jean-Marie développa son cadeau à la lueur de la lampe halogène suspendue au-dessus de sa table. Il retira de l'emballage un livre d'art à reliure dorée. Les pages étaient en papier glacé. En le feuilletant, Jean-Marie tomba sur la reproduction de *Claude Renoir en clown*. Il fut frappé par la ressemblance avec son fils. Bien sûr ce n'était pas le même costume. Et Samuel avait les cheveux noirs, mais c'était bien le même regard, la même attitude. Seulement, ce que Jean-Marie avait tenté de faire était une telle réussite chez Renoir! Et ce n'était qu'une reproduction!

Jean-Marie observa longuement le chef-d'œuvre en se demandant ce qui lui faisait si mal. Était-ce la beauté du tableau ou le souvenir de son fils? Que ce fût l'un ou l'autre, des larmes coulèrent sur ses joues. Il les essuya furtivement, se sentant mal à l'aise. Décidément, il n'arrêtait pas de pleurer en ce moment. Ce devaient être les nerfs, pensa-t-il. Les nerfs. Je deviens nerveux. Puis il y eut la *Baigneuse aux cheveux longs*, la *Blonde à la rose*, la *Femme nue dans un paysage*. Jean-Marie n'en pouvait plus. Trop de beauté.

— Ça te plaît? lui demanda Solange.

Cette question le fit sursauter. Il en avait complètement oublié Solange. Oui, ça lui plaisait, mais, en même temps, c'était terrible, tant de beauté! Que c'était beau! Il ne savait comment la remercier. Ce sein de la *Femme nue dans un paysage*. Il n'arrivait pas à détacher son regard de ce sein nu, la pointe, à peine une rougeur... Jean-Marie aurait voulu hurler. Comment faisait Renoir pour donner autant de lumière? autant de clarté dans cette peau? Comment... Il était dans un état d'excitation indescriptible. *Jeunes filles au piano...* Ces couleurs! Ce mouvement! Cette attention! Cette concentration! Fluidité, fraîcheur, vivacité...

— Ça te plaît? répéta Solange.

— Oui!

Cette fois, il quitta les images. Referma l'album.

— Oui. Oui, ça me plaît. Je te remercie beaucoup.

Puis, après un temps, et pendant qu'elle lui souriait toujours:

— Mais je ne comprends pas.

Il voulait dire: pourquoi ce cadeau? Mais il ne parvenait qu'à répéter:

— Je ne comprends pas.

Il n'y avait rien à comprendre, naturellement.

— Ça me fait plaisir, dit-elle. C'est tout.

— Mais ta présence, ici, enfin, je ne comprends pas. Tu n'es pas avec ta famille.

— Toi non plus on dirait.

Il n'en saurait pas plus ce soir-là, c'était assez évident. Solange regarda sa montre pour la première fois.

— Il est minuit, dit-elle. Joyeux Noël!

— Joyeux Noël, lui dit Jean-Marie.

Puis, maladroitement, il se leva. Contourna la table. Elle se leva aussi. Ils échangèrent un baiser du bout des lèvres. Chaste baiser. Restèrent ainsi un long moment. Presque immobiles. La main de Jean-Marie autour de sa taille. Elle, les lèvres rouges, le regardant. Et le silence tout autour. Et la neige qui tombait à l'extérieur. Et l'odeur de café dans leurs cheveux. L'extrême langueur dans leurs mouvements, car ils avaient commencé à danser, sur place, sans musique, sans bruit, sans dire un mot.

Enfin, elle lui dit tout bas:

— Il y a quelque chose qui me ferait plaisir.

— Quoi?

— Dessine-moi toute nue.

C'était à prévoir. Ils se rendirent dans la cuisine où elle s'étendit au milieu des sacs de grains, toute nue, comme elle l'avait annoncé. La peau blanche, les formes pleines, les seins lourds, les lèvres charnues, les cuisses sculptées au couteau, les hanches et les fesses qui donnaient le vertige. La toison silencieuse, invitante, humide. Jean-Marie fit bien quelques traits, courageusement, mais bientôt il ne put continuer, son sexe durci à l'intérieur de son pantalon ne lui laissait plus de repos. Il dut le déplacer pour que l'angle de tir fût moins effrayant. Mais cela ne changea rien à l'affaire. Il n'arrivait plus à se concentrer sur la toile. Il laissa son crayon gras et la rejoignit.

17

Cette fois, Tony avait raison d'être excité. L'article paru dans le *Pub Info* n'était pas passé inaperçu. Une recherchiste d'une émission de radio de Montréal, Carole Lefebvre, était tombée dessus par hasard et elle en avait parlé à son animatrice Isabelle Létourneau, qui en avait parlé à son producteur. L'énergumène les intéressait. Ils avaient l'intention de faire un topo, sur place, si cela ne les dérangeait pas. Évidemment, Tony n'avait aucune objection, au contraire! Encore de la publicité gratuite, se disait-il. Cet homme-là était en or, c'est le moins qu'on puisse dire! Il déposa le cellulaire sur un plateau, entre deux tranches de pain, et courut dans la cuisine annoncer la bonne nouvelle à son père.

Luigi était occupé à ranger les sacs de café sur les tablettes avec Jacob et il ne comprit pas trop au juste ce que lui disait son fils. Il fallait se dépêcher parce que la porte des fournisseurs était grande ouverte et qu'il faisait froid. Le vent sifflait dans ses oreilles quand il se penchait à l'extérieur pour prendre les sacs que lui tendait le livreur. Cent livres. Cinq cent vingt-cinq dollars. Au début, il aurait fait un mois avec ça. Maintenant, à peine deux semaines. C'était tout de même fascinant.

— Quoi?

— Une émission de radio.

— Qu'est-ce que c'est ça encore?

Il bougonnait pour la forme car, depuis que Tony avait pris les choses en main côté marketing, les affaires allaient bon train.

— Elle doit venir demain, dit Tony. Avec toute son équipe.

— Qui ça?

— Isabelle Létourneau.

— Connais pas.

— Voyons, papa! C'est une animatrice très connue. On va passer à la radio francophone, ça va attirer encore plus de clients...

— Ouais, ouais, dit Luigi qui ferma enfin la porte.

La neige s'était accumulée sur le seuil et il dut s'y prendre à deux fois.

— Où on va les placer? demanda encore Tony tout excité.

— C'est Jean-Marie qu'ils viennent interroger, non? Y a qu'à les installer dans son coin. Enlever le chevalet et toutes les toiles qui traînent. De toute façon, il ne peint pas beaucoup ces temps-ci.

— Bon. Je m'en occupe, dit Tony.

Le fait est que Jean-Marie ne peignait plus beaucoup. Depuis qu'il avait reçu le livre d'art, il ne faisait que tourner les pages en poussant de profonds soupirs. Jamais il n'atteindrait à une pareille perfection. Dès lors, pourquoi continuer? Quel intérêt? Il se désolait, restait couché la plupart du temps sur son banc de bois. Parfois Solange venait lui rendre visite la nuit. Il se remettait alors à sa toile, mais la plupart du temps, une fois qu'il avait mélangé ses couleurs, il restait la main dans le vide, figé, puis il déposait sa palette, son pinceau et il allait plutôt rejoindre son modèle. Aussi le nu n'avançait pas, plus rien n'avançait. Il se sentait devenir de plus en plus végétal. En somme, il était comme ces plantes autour de lui : décoratif. C'est dans cet état d'esprit que Jean-Marie Lalonde accorda sa première interview radiophonique. Le preneur de son avait installé ses deux micros sur de petits trépieds et ils prenaient toute la place sur la table de marbre gris. Le peu d'espace qui restait était occupé par les casques d'écoute. Quant au technicien, il était un peu en retrait, à une autre table, avec ses machines et ses instruments. Par la fenêtre, on pouvait également observer la camionnette blanche sur le toit de laquelle était fixée une antenne parabolique, sorte de soucoupe volante qui tendait vers le ciel ses bras tentaculaires. Il y avait énormément d'excitation dans l'air et cette agitation était accentuée par le fait que l'émission était retransmise en direct.

L'animatrice de l'émission, Isabelle Létourneau, une belle blonde aux cheveux dorés, aux lèvres charnues et au regard coquin, enfila son casque d'écoute et elle demanda à Jean-Marie d'en faire autant. Ce qu'il fit. Le preneur de son leur demanda de parler dans le micro à tour de rôle. Isabelle s'exécuta d'une voix chaleureuse, Jean-Marie d'une voix caverneuse. Les curieux s'approchèrent. Il ne restait que dix minutes avant le début de l'émission. Isabelle demanda un verre d'eau. Magdalena, tout énervée, en profita pour lui dire qu'elle faisait du théâtre, qu'elle jouait Shakespeare, et elle déposa deux verres d'eau sur la table, à l'endroit où se trouvaient précédemment les deux casques d'écoute. Merci, dit Isabelle Létourneau à l'intention de la jeune fille. Il ne restait plus que quelques minutes. Ça va aller? demanda-t-elle ensuite à Jean-Marie. Pas trop nerveux? Ne vous inquiétez pas. Ça va bien se passer. Jean-Marie avait balbutié : un, deux, un, deux, comme l'en avait prié le technicien, mais, depuis ce temps, il n'avait pas prononcé un mot et il se demandait encore ce qu'il faisait là. Il s'était réveillé en sursaut, secoué par Tony qui devait dégager le banc afin que le technicien puisse y placer ses instruments. Par la fenêtre du café, Jean-Marie observait maintenant la neige qui tombait à gros flocons, poussée par le vent, et qui disparaissait dans le ciel. Tout était blanc. Tout était blanc et tranquille. Pareille blancheur, pensait Jean-Marie, pareille blancheur…

— Attention, dans cinq… dit le technicien.

L'animatrice s'éclaircit la gorge. Elle regarda Jean-Marie droit dans les yeux et elle posa l'une de ses mains glacées sur les deux mains chaudes et noires de Jean-Marie. Le technicien, casqué lui aussi, fit un signe, pointa son index en direction de l'animatrice, la foule se rapprocha encore un peu pour ne rien manquer du spectacle, et l'émission débuta.

D'abord Jean-Marie entendit un thème musical dans ses écouteurs, puis, tout de suite après, la belle animatrice attaqua franchement dans le micro.

— Bonjour tout le monde, ici Isabelle Létourneau, en direct du Café Mollo à Label. Ce matin, une entrevue de fond avec la vedette de l'heure, Jean-Marie Lalonde, un homme de quarante ans qui a quitté femme et enfants pour tenter de battre le record du monde de longévité dans un café.

Puis, le thème musical de nouveau. L'animatrice se détendit, elle sourit. Le technicien leva le pouce en l'air. Tout le monde semblait satisfait. Jean-Marie était entouré de toute l'équipe du Café Mollo. Les clients, quant à eux, entouraient l'animatrice qu'ils dévoraient des yeux. Il y eut quelques messages publicitaires, le thème musical, le signe du technicien, puis l'animatrice revint en ondes.

— De retour au Café Mollo, dit-elle, où nous recevons en direct Jean-Marie Lalonde, notre invité de ce matin, l'homme qui vit dans ce café pour aller au bout de lui-même. Monsieur Lalonde, bonjour.

— Bonjour, dit Jean-Marie.

— Monsieur Lalonde, depuis que vous êtes entré ici, au mois de juillet, c'est ça, vous n'êtes jamais ressorti?

— Non, c'est bien ça.

— C'est une formidable aventure. D'ailleurs, sur un panneau qu'on peut voir à l'entrée, est inscrit le nombre de jours que vous avez passés dans le café. Deux cents jours. Deux cents jours exactement, aujourd'hui.

— Oui, c'est bien ça, dit Jean-Marie.

Tout de suite après, il y eut un tonnerre d'applaudissements et le technicien dut régler à la hâte les volumes de ses instruments.

— Qu'est-ce qui est le plus difficile? enchaîna l'animatrice. J'imagine que c'est d'être loin des vôtres? Et comment faites-vous pour survivre? J'ai parlé au patron du café tout à l'heure, monsieur Tony Alzaco, qui m'a fait le plaisir de m'inviter aujourd'hui, et il me disait qu'il ne vous chargeait pas les repas. Tout ce qu'il vous demande, c'est de passer la nuit sur le banc face à la fenêtre ; c'est tout de même généreux de sa part, avouons-le.

Ici, en principe, Jean-Marie aurait dû ajouter quelque chose. Mais, comme sa réaction tardait à venir et qu'on était à la radio tout de même et en direct de surcroît, Isabelle enchaîna sur un autre sujet.

— Ce qui est fascinant, dit-elle, c'est que, malgré tout le temps que vous avez passé ici, vous semblez en forme. Je veux dire… vous avez l'air en bonne santé. On m'a dit que vous vous laviez à la débarbouillette. Mais vous avez cessé de vous raser. Et, naturellement, vous ne pouvez pas vous couper les cheveux. C'est sans doute pour cette raison que vous avez l'air un peu sauvage. Mais je n'entends pas sauvage dans le sens péjoratif, je pense plutôt à sauvage dans le sens où le comprenait Jean-Jacques Rousseau, je veux dire… l'homme de la nature, à l'âge des cabanes, avant la propriété et la richesse, qui ne sont que des moyens de se mettre au-dessus des autres, qu'un aspect de l'inégalité. Ne pensez-vous pas, tout comme lui, que l'état de nature est au-dehors de l'histoire ?

Jean-Marie ne savait vraiment pas quoi répondre à cette question. Du reste, il lui semblait qu'il y avait une myriade de questions et il aurait été bien en peine d'en choisir une en particulier. Ce qui n'était pas pour décourager l'animatrice qui repartit de plus belle.

— Car dans votre proposition, c'est ce qui est intéressant. On se demande à quoi vous pouvez penser. Un homme seul dans un café, loin des siens. Ça fait penser au Canadien errant banni de son foyer, non ? Vous identifiez-vous à Louis Riel, pendu par les Anglais, les Canadiens anglais, naturellement, les loyalistes ? Revendiquez-vous le passé ? Prenez-vous à votre charge le combat des Patriotes ? D'ailleurs, peut-on parler de combat ? Alors qu'on sait très bien aujourd'hui que c'était plutôt un massacre orchestré par les Canadiens anglais de Montréal pour conserver leur emprise et leur pouvoir sur la majorité canadienne-française de l'époque ? Les Canadiens anglais n'ont-ils pas toujours agi de cette façon pour conserver leurs privilèges ? Ne le font-ils pas encore aujourd'hui ? Qu'en pensez-vous ?

Cette fois, Jean-Marie aurait peut-être répondu. Mais le technicien fit de grands gestes à Isabelle qui, après avoir bu une gorgée d'eau, articula :

— De retour après la pause.

Cette fois, elle retira ses écouteurs qu'elle déposa sur la table. Jean-Marie en fit autant et elle lui dit pour le rassurer :

— Ça va très bien. L'idée, c'est de choquer, de provoquer. Il faut penser aux cotes d'écoute.

— Je comprends, fit Jean-Marie un peu abasourdi.

À ce moment-là, il y avait une ambiance du tonnerre dans le café. Les curieux avaient encore augmenté et, parmi cette foule en émoi, pourrait-on dire, Jean-Marie distingua le visage de Laura, près de la fenêtre du fond, côté sud. Elle lisait une lettre, un bout de papier serait plus juste. Enfin, absorbée dans sa lecture, elle était bien la seule à ne pas participer à toute cette agitation. Recueillie à la manière du personnage de Johannes Vermeer dans *Jeune Fille lisant une lettre devant une fenêtre ouverte*, elle avait la même attitude, la même délicatesse, la même beauté. Jean-Marie essaya pendant quelque temps de deviner quel pouvait être l'objet de cette lettre chiffonnée. S'agissait-il d'une missive de sa mère ou de sa famille ? Impossible de le dire. Laura, le visage grave, comme à son habitude, ne laissait transparaître aucune émotion. Tout était discret chez elle. Tout était intériorisé.

Jean-Marie, absorbé dans la contemplation d'une si grande beauté, fut cependant ramené à la réalité. C'est que Luigi s'était rapproché de la table et il discutait avec l'animatrice. Il n'aimait pas beaucoup que l'on parle politique dans son café. Ce n'était pas l'endroit. Quant à lui, il ne s'était jamais mêlé de ces choses. Tony tenta de le rassurer. Puis, il expliqua à Isabelle Létourneau que son père devenait nerveux dès qu'il était question d'indépendance du Québec. C'est une chose qui n'arrivera jamais, lui dit Isabelle. Je le sais bien, lui dit Tony. Mais il vaudrait peut-être mieux essayer d'éviter de parler des injustices qui…

— Bien sûr, bien sûr. Mais il faut comprendre que nous ne faisons que discuter. C'est ça qui est important. Si vous voulez qu'on vous écoute… Si vous voulez qu'on s'intéresse à votre café, il faut susciter le débat, il faut faire réagir les gens, il faut les enflammer, autrement ils vont changer de poste, et vous allez vous retrouver Gros-Jean comme devant.

— Je sais bien tout cela, lui dit Tony. Mais mon père…

— Allez-y mollo! lui conseilla Luigi pour conclure.

Ce à quoi Isabelle Létourneau finit par consentir. Il était temps, car déjà on lui indiquait de reprendre ses écouteurs. Le thème musical, puis, pendant que la recherchiste, Carole Lefebvre, faisait signe aux spectateurs de garder le silence, l'animatrice approcha sa chaise, s'éclaircit la gorge et attaqua de nouveau.

— De retour au Café Mollo avec notre invité de ce matin, Jean-Marie Lalonde, l'homme qui couche dans un sac de jute à la vue des passants depuis deux cents jours. Monsieur Lalonde, vous n'êtes pas sans savoir que votre conduite suscite un peu partout autour de vous respect et admiration. Mais elle provoque également certaines questions. On se demande, par exemple, ce qui a pu faire germer chez vous une idée pareille. Quelle est la source du problème? L'origine de la vie? En un mot, qu'est-ce qui a bien pu déclencher le big bang dans votre tête pour que vous accouchiez d'une idée semblable? Quelles sont vos influences? vos modèles? vos lectures? Par exemple, avez-vous consulté le livre des records pour savoir ce qui s'était déjà fait et ce qui n'avait encore jamais été entrepris? Êtes-vous un amateur de ce genre de manifestations? Êtes-vous un amateur de sensations fortes? Parce que, pour tenter d'accomplir ce que vous faites en ce moment, il faut certainement que vous ayez de bonnes raisons. Ces raisons, nous avons essayé de les comprendre, de les analyser, mais, en dernier ressort, il apparaît évident que c'est à vous qu'il appartient de tenter d'éclaircir les choses, de trouver des réponses, c'est à vous, et à vous seul, de répondre, vous ne pensez pas?

À la suite de ce laïus, Isabelle prit une gorgée d'eau et tous les regards se tournèrent vers Jean-Marie. Ce dernier, bercé par le flot des paroles de l'animatrice, s'était peu à peu assoupi, et il réalisa soudain que c'était à lui de parler. Alors qu'il avait plusieurs fois tenté de prendre la parole pour répondre à l'animatrice et qu'il lui avait paru avoir des choses à lui dire, il ne savait plus trop maintenant où il en était rendu et il mit beaucoup de temps à lui répondre.

— Euh… commença-t-il.

— Très bien, lui dit Isabelle.

— Il me semble que…

— Oui?

— Il me semble que tout a commencé au mois de juillet, dit-il.

Jean-Marie s'attendait à être interrompu une nouvelle fois, mais, curieusement, Isabelle ne disait rien. Elle regardait le technicien qui lui indiquait qu'il ne restait que deux minutes à l'émission et elle avait probablement décidé de le laisser terminer. Ramassant toutes ses idées, Jean-Marie tenta de compléter sa pensée.

— Voilà. Je suis entré dans le café et je me suis assis à cette table.

— Cette table-ci?

— Oui.

— Bon. Et que s'est-il passé?

Il y eut un grand silence. Puis, Jean-Marie reprit plus bas:

— Je crois que c'est à cause du réfrigérateur, dit-il.

Il y eut un grand silence. Puis, Isabelle sourit. La recherchiste, Carole Lefebvre, sourit également. Le preneur de son, le technicien, les employés du café, les clients, les patrons, ils se fendirent tous d'un large sourire, puis, de toute cette foule rassemblée, émergea enfin un rire sonore, parmi les applaudissements. Le technicien, qui s'appelait Marcel, leva ses deux mains et montra ses dix doigts, ce qui voulait dire qu'il restait exactement dix secondes avant la fin de l'émission. Isabelle put conclure de cette façon :

— C'était Jean-Marie Lalonde, l'homme-café, en direct du Café Mollo à Label.

Et, pendant le thème musical :

— C'est tout pour aujourd'hui, chers auditeurs. Demain matin, nous recevons un fou du volant, condamné à deux ans de prison pour avoir tué un homme qui l'avait dépassé, mais libéré au bout de six mois pour bonne conduite. Le sujet de l'émission : pour ou contre la peine de mort. D'ici là, passez une bonne journée, et à demain !

À la suite de ces recommandations, il y eut une joyeuse bousculade, on se congratula, on serra des mains, quelques curieux demandèrent à Isabelle des autographes et on en demanda même un ou deux à Jean-Marie qui s'exécuta de bonne grâce mais en tombant des nues. Isabelle se pencha vers lui :

— Vous avez un sacré culot ! Un sacré talent ! Le coup du réfrigérateur, ça, c'était fumant, bravo !

Jean-Marie avait beaucoup de peine à comprendre ce qu'il y avait de fumant là-dedans. D'autant qu'il n'avait pas fini sa phrase et qu'il se demandait encore comment la panne du réfrigérateur avait pu influencer son comportement. Isabelle ajoutait encore :

— Quel sens de l'humour! Vraiment, vous m'avez fait rire. Quel sens du *timing*. Vraiment, je n'en reviens pas.

Puis, comme le matériel était déjà remballé, elle salua tout le monde et disparut à l'intérieur du camion avec son équipe.

On les regarda s'éloigner dans le parking, le camion blanc dans la neige blanche sur le fond de ciel blanc.

18

Comme dans une course à relais, au cours de laquelle il faut passer un témoin, l'émission d'Isabelle Létourneau se retrouva bien vite relayée par la télévision. À peine deux jours après sa transmission, voilà qu'on demandait à Tony si l'on pouvait s'installer chez lui pour quelques jours avec tout le matériel requis. Il fallut attacher Tony pour l'empêcher de bondir au plafond. Quant à son père, il était perplexe. Il n'avait jamais fait de radio, encore moins de télévision, et on voulait transformer son café en studio d'enregistrement.

— Mais penses-y, papa. On va suivre Jean-Marie dans tous ses déplacements. On va nous poser des questions. On va passer à la télé, merde, ce n'est pas rien ! Imagine le rayonnement ! Imagine la publicité !

— Ouais, ouais, disait Luigi en faisant mousser la crème d'un cappuccino. Mais je trouve qu'on est déjà pas mal occupés avec les clients en ce moment, hein ?

— On n'a qu'à engager plus de personnel, laisse-moi faire, papa, c'est pas compliqué.

— Où tu vas les mettre, les clients, on est déjà débordés, regarde !

En effet, le café était plein. Magdalena pesait un sac de grains tanzaniens devant une file d'attente. Méo, Jacob et

Gustave couraient derrière le comptoir pour remplir les plateaux et Laura, en plus d'occuper son poste à la caisse, devait aussi répondre au téléphone. On voulait connaître Jean-Marie, on voulait lui parler, prendre rendez-vous, le consulter. Il était devenu une sorte de phénomène de foire et il allait bientôt passer à la télévision. Non mais qu'est-ce que ce serait! Tony dit encore à son père de ne pas s'en faire. Ils allaient agrandir, c'est tout. Il avait déjà consulté un bureau d'architectes et ils devaient lui soumettre des plans. Combien ça va coûter? lui demanda Luigi. Et Tony de lui expliquer que la société, par l'intermédiaire de son conseiller de production, lui avait proposé une somme considérable en échange de ces quelques jours de tournage. Il était difficile de ne pas succomber à l'enthousiasme de Tony Alzaco, d'autant que son père devait bien l'admettre: les recettes ne cessaient d'augmenter. Secrètement très fier de son fils, Luigi bougonna encore un peu, mais pour la forme.

Quelques jours plus tard, une équipe de machinistes et de techniciens transformèrent le Café Mollo de fond en comble – et de long en large. Ils installèrent la régie du son dans la cuisine, la régie image et éclairage tout près des contenants de grains et de la balance. La régie de production occupa tout l'espace autour du comptoir. Contre le mur du fond, devant les tableaux noirs, trônait maintenant la baie de contrôle composée de ses écrans d'entrée, de sortie, de précontrôle, de son horloge et de ses haut-parleurs. Le comptoir d'acajou servait de table de production avec son truqueur numérique, ses vumètres audio, ses sélecteurs de contrôle audio et vidéo, son aiguilleur vidéo de production et son sélecteur vidéo auxiliaire. Pour le plateau de tournage, il avait été convenu d'utiliser la grande salle dont le plancher de bois verni était tout indiqué pour les trépieds des caméras.

Évidemment, le réaménagement du café n'alla pas sans causer certains problèmes, notamment un problème d'espace. Pendant toute la durée du tournage, qui s'échelonna sur trois jours, on refusa du monde. Bien sûr, c'était pour la bonne cause. Mais Luigi en devenait rouge de rage. Sans compter qu'il lui arrivait fréquemment de trébucher sur les câbles qui couraient partout : dans le couloir, derrière le comptoir, dans la cuisine, et même dans les toilettes, bordel de merde! Bref, il était en train de devenir fou. À tel point que Tony finit par lui demander de rester chez lui. Il n'en était pas question. Il voulait surveiller les allées et venues, protéger son commerce. Peut-être aussi désirait-il secrètement se faire interviewer, « passer à la télé », c'est les copains qui en feraient une tête. D'ailleurs sa femme, Juliette, qui ne s'était jamais trop intéressée à ses affaires, décida un bon soir de se pointer au café pour voir de quoi il retournait.

Quelle ne fut pas sa surprise de constater que le café était bondé. Tellement qu'elle eut toute les peines du monde à se frayer un passage jusqu'au comptoir. Son mari n'y était pas. À la place, il y avait un directeur technique qui lui fit signe de se taire et de s'enlever de son champ de vision. Elle réalisa alors que tous les consommateurs étaient silencieux et qu'ils entouraient un homme qui dormait sur un banc de bois, dans un sac de jute, devant la fenêtre du café. Les projecteurs étaient réfléchis par la baie vitrée et l'on pouvait voir également la bouille attentive de tous les curieux qui observaient la scène. Quelle ne fut pas sa stupéfaction en apercevant parmi les curieux son fils Tony et son mari Luigi, hypnotisés, entourés de quelques employés qu'elle connaissait bien, d'autres qu'elle ne connaissait pas.

La scène avait quelque chose d'irréel. Les deux caméras se déplaçaient lentement, silencieusement, en une sorte de valse, autour de l'homme qui dormait. Puis l'un des cadreurs braqua son viseur sur le visage de Jean-Marie. Celui-ci remua dans son sommeil, ses traits se plissèrent, il bâilla quelque peu, puis, à la surprise générale, ouvrit les yeux. C'était la deuxième nuit qu'on l'observait de cette façon et il ne sembla pas trop préoccupé par tous ces gens autour de lui. Il se débarrassa bien vite de son sac de jute et se leva. Les caméras reculèrent aussitôt. Le perchiste recula le trépied sans faire de bruit et tout le monde suivit Jean-Marie qui marchait vers les toilettes des hommes.

— Attention, dit la réalisatrice dans son microphone, il se dirige vers les vécés.

On alluma aussitôt des projecteurs d'ambiance dans le couloir et d'autres dans les toilettes. Suivi par un cadreur, un perchiste et une foule de curieux, Jean-Marie pénétra dans les vécés. Il s'installa confortablement devant l'urinoir, baissa son pantalon de coton et pointa sa verge tumescente en direction de l'émail blanc de l'installation sanitaire. Le perchiste eut tout juste le temps de placer le microphone au-dessus de l'urinoir et on ne manqua rien du bruit caractéristique que fit le liquide organique en giclant sur l'émail de l'urinoir puis sur la rondelle blanche de naphtaline. Dans la régie, le preneur de son déclara au directeur technique que tout baignait. Celui-ci, satisfait, regardait maintenant sur son écran la suite des événements. Tout en urinant, Jean-Marie se grattait les fesses avec un bel enthousiasme. La réalisatrice dit alors dans son microphone :

— Approchez-vous.

Le cadreur braqua son viseur sur les deux belles fesses blanches de Jean-Marie et les curieux demeurés dans la salle, qui observaient les images en couleurs sur les nombreux écrans de la baie de contrôle, poussèrent à l'unisson une sorte de soupir de satisfaction.

— Ça c'est de la télévision! dit la réalisatrice à l'intention de ses collaborateurs et du personnel de production.

Quand Jean-Marie tira la chasse d'eau, les aiguilles de l'oscilloscope et des vumètres audio firent un bond prodigieux. Le perchiste éloigna rapidement son micro et le preneur de son se précipita sur le sélecteur de contrôle pour rétablir la situation. Puis, Jean-Marie sortit des vécés. Précédé par l'assistante à la réalisation, il regagna son banc de bois, s'enfonça dans son sac de jute et s'endormit à la lueur blafarde des projecteurs dont on avait diminué exprès l'intensité. Dans le café silencieux et faiblement éclairé, la caméra s'approcha lentement du dormeur, s'attarda un moment sur le logo du Café Mollo imprimé en rouge sur le sac de jute et, alors que tout le monde retenait son souffle, l'assistante à la réalisation, coiffée d'un casque d'écoute, gueula tout à coup dans le silence absolu :

— C'est bon! Coupez!

Après une seconde d'hésitation, le brouhaha reprit de plus belle. On éteignit les projecteurs d'ambiance. On débrancha les caméras. On coupa le courant d'alimentation de la plupart des écrans et des appareils. Puis les employés du café, Méo, Jacob, Gustave, replacèrent les tables et les chaises autour de Jean-Marie. Tony offrit du café à toute l'équipe de production et Juliette en profita pour s'approcher de son mari.

— Qu'est-ce que c'est que cette mascarade, Loulou?

La femme de Luigi, cinquante et un ans, tout comme lui, était une petite personne nerveuse aux cheveux blonds en queue de cheval.

— Qu'est-ce que tu fais ici? lui demanda Luigi.

— Depuis le temps que tu me parles de ton ami Jean-Marie... Je voulais voir de mes yeux.

— Ce n'est pas mon ami...

— Peu importe. C'est quoi ça?

— Tu le vois bien, hein? C'est des caméras de télévision.

— Pour quoi faire?

— Va le demander à Tony, merde!

Ce qu'elle fit naturellement. Pendant ce temps, Laura préparait les cafés et Magdalena discutait avec la réalisatrice. Elle faisait du théâtre. Elle voulait devenir comédienne. C'est bien beau, lui disait cette dernière en zieutant Jacob qui passait devant elle, mais elle s'occupait d'affaires publiques.

— C'est qui ce beau grand garçon-là? demanda-t-elle.

— Mon *chum*, dit Magdalena fièrement.

— Hum... dit la réalisatrice.

Peu après, le directeur technique vint l'avertir que tout était correct. Dérangée en plein milieu d'un fantasme, elle sursauta.

— Ah bon. Bien. On remballe tout ça. C'est suffisant pour aujourd'hui.

L'assistante à la réalisation transmit le message à l'ensemble de l'équipe et quelques minutes plus tard tout le monde pataugeait dans la neige.

Dès le lendemain matin, on prépara le plateau pour l'entrevue que devait accorder Jean-Marie à Laurent Barbeau, une grosse pointure, qui avait lu Saussure à dix-huit ans et fait une thèse de maîtrise sur les changements phonétiques comme adaptation aux conditions du sol. Bref, un type qui n'avait pas les deux pieds dans la même bottine. Les machinistes avaient aménagé un joli petit coin, entouré de plantes vertes et grasses avec, en arrière-fond, le chevalet qu'on avait récupéré dans le cagibi et qu'on décora, pour l'occasion, d'une grande toile blanche sur laquelle il n'y avait que quelques traits de crayon représentant la ligne d'un sein ou le galbe d'une hanche ou les deux.

On orienta les projecteurs, on régla les intensités, on plaça les caméras, et l'image à l'écran était tout à fait convaincante. Cette fois, c'était du sérieux. L'émission, quoique préenregistrée, serait diffusée à une heure de grande écoute et il y avait énormément d'électricité dans l'air. Luigi buvait espresso sur espresso. Il bondissait chaque fois qu'on lui posait une question. Sa femme, Juliette, se demandait si son cœur allait tenir le coup. Elle le voyait déjà affublé d'un *pacemaker* et elle ne cessait de lui recommander de se calmer, ce qui avait le don de l'énerver davantage. Pendant ce temps, les clients se bousculaient dans le vestibule pour pouvoir entrer, le téléphone sonnait à tout bout de champ, il y avait des fusibles qui sautaient, on devait réparer, certains clients trébuchaient sur les câbles, il fallait les *scotcher* sur le sol, pas les clients, les câbles, mais on aurait dû, il fallait les brancher à nouveau, les câbles. L'assistante à la réalisation essayait de régler les conflits, les machinistes et les techniciens, qui étaient syndiqués, n'avaient jamais travaillé dans des conditions pareilles, bref, c'était le bordel.

Pendant ce temps, Laurent Barbeau et Jean-Marie Lalonde discutaient calmement, chacun bien enfoncé dans son fauteuil de rayonne, tout à fait insensibles ou imperméables à ce qui

semblait agiter leurs congénères. Curieusement, une compli-
cité immédiate s'était établie entre les deux hommes, pourtant
très différents : Barbeau, très jeune, rasé de près, le cheveu
court, l'œil malin, le teint clair ; Jean-Marie, hirsute et barbu,
le regard noir et profond. Quant à la tenue vestimentaire, on
n'en parle pas : costume Armani pour Barbeau, chaussures ita-
liennes ; survêtement noir délavé pour Jean-Marie, pas de
chaussures. Le contraste était saisissant.

On leur accrocha des micros, on effectua des tests de son,
puis l'assistante à la réalisation vint se planter devant eux et
elle leur dit :

— Bon. Ça va. On va commencer. Vous êtes prêts ?

Ils étaient prêts.

— Bon. Alors silence ! gueula-t-elle à la cantonade.

Puis, elle reprit un peu plus bas :

— Attention, dans dix, neuf, huit, sept, six, cinq, quatre,
trois...

Un silence impressionnant s'installa sur le plateau. Sous le
regard des clients qui buvaient et mangeaient discrètement,
du personnel du Café Mollo qui se déplaçait sans faire de
bruit, et de toute l'équipe de production, Laurent Barbeau
prit la parole en souriant.

— Monsieur Lalonde, bonjour.

— Bonjour, dit Jean-Marie.

— Vous allez bien ?

— Oui.

— Je vous pose la question parce que ce n'est pas évident
de passer plus de deux cents jours dans un café, de dormir sur
un banc de bois, de ne jamais sortir, jamais prendre l'air... Ça
ne vous manque pas un peu ?

— Non, dit Jean-Marie.

— Le manque d'exercice?

— Ça va, dit-il.

— Monsieur Lalonde, vous le savez sans doute, votre conduite n'est pas sans susciter énormément d'intérêt dans l'opinion publique. On se demande, par exemple, comment il se fait qu'un homme comme vous, bon vendeur, excellent, disent certains, sente le besoin un jour de se réfugier dans un café, de se replier sur lui-même...

— Oui, dit Jean-Marie. Je conçois que ce soit assez difficile à comprendre.

— Avez-vous une explication? demanda Laurent Barbeau.

— J'ai bien peur que non, dit Jean-Marie.

— Pensez-vous que l'on puisse imputer cela au fait que vous n'avez pas connu votre père? On parle beaucoup de l'absence du père en ce moment. Du mâle. Croyez-vous que l'homme moderne, spécialement au Québec, soit en crise? qu'il traverse une sorte de turbulence identitaire?

— C'est possible, dit Jean-Marie.

— Mais vous, vous n'avez pas connu votre père?

— Non. Il est parti quand j'étais très jeune.

— Et vous ne l'avez jamais revu?

— Non.

— Savez-vous où il se trouve aujourd'hui?

— Non plus.

— Il est peut-être mort.

— Peut-être.

— Mais ça ne vous tracasse pas?

Jean-Marie ne répondit pas.

— Parlons de vos enfants, reprit l'animateur. Ça ne vous fait pas de peine de les avoir quittés? de les avoir laissés tomber pour ainsi dire? Ne croyez-vous pas que vous reproduisez avec vos enfants ce que vous avez vécu?

— C'est possible, dit Jean-Marie.

— Et quelle est votre réaction?

— Ma réaction?

— Oui.

— Je ne sais pas, dit Jean-Marie. J'ai bien peur d'être très heureux ici.

— Et de ne pas vouloir sortir?

Jean-Marie ne répondit pas.

— Vous ne trouvez pas ça un peu surprenant?

— Ce qu'il y a de surprenant, dit Jean-Marie, c'est que, par un curieux concours de circonstances, on veuille bien que je reste ici. C'est ça qui est étonnant.

— Mais ne pensez-vous pas que les propriétaires du Café sont très contents de la publicité que vous leur faites?

— Bien sûr, dit Jean-Marie. Je ne suis pas naïf.

Il y eut un long silence télévisuel: une fraction de seconde.

— Pourquoi dites-vous que vous avez peur d'être heureux? Est-ce que c'est mal pour vous d'être heureux?

— Pourquoi? Mais parce que je ne le peux pas. J'ai des enfants et je ne peux pas les abandonner.

— Vous avez donc une conscience?

Là-dessus il y eut un silence. Un mouvement imperceptible de la caméra qui vint chercher Jean-Marie en gros plan.

— Parce qu'on a beaucoup dit dans les journaux, reprit l'animateur, et vous le savez, que vous n'aviez pas de conscience. Qu'il fallait absolument que vous n'ayez pas de conscience pour faire ce que vous faites. En un mot, on vous juge un peu superficiel.

— Parce que je dessine?

— Ah? Vous dessinez? Je ne le savais pas.

C'était quelque chose qui avait échappé au journaliste. La recherchiste n'avait pas fait son travail, pensa-t-il. Il revint donc à ce que lui avait dit Jean-Marie.

— Vous dites que vous ne pouvez pas abandonner vos enfants. C'est pourtant ce que vous avez fait il y a sept mois, non? Vous devez être malheureux de ne pas pouvoir les serrer dans vos bras. Ils doivent vous manquer. Et pourtant vous dites que vous êtes heureux. Ce n'est pas un peu paradoxal? Si vous pouviez leur parler en ce moment, qu'est-ce que vous leur diriez?

Dans son écouteur miniature dissimulé dans le creux de son oreille, Barbeau entendit la voix de la réalisatrice:

— Excellent.

— Je voulais juste prendre un café, dit-il. Ensuite le réfrigérateur s'est arrêté, et puis…

Un terrible silence flotta dans le café. Tout le monde, sans exception, retenait son souffle. Le viseur était braqué sur Jean-Marie. On attendait qu'il craque. Qu'il dise quelque chose. Au lieu de cela, Jean-Marie sortit de la poche de son survêtement un bout de papier chiffonné sur lequel il avait dessiné sa famille et il le présenta à l'écran. Ainsi donc, il n'avait jamais cessé de dessiner, même si on avait rangé son matériel et toutes ses toiles dans le cagibi, même s'il n'avait pu terminer le portait ou plutôt le nu de Solange. Mais il n'était pas à une contradiction près, le Jean-Marie! Quoi qu'il en soit, l'œuvre griffonnée était d'une étonnante beauté, pleine de nuances, de couleurs, et d'émotion, et elle se passait absolument de commentaires.

— La pause, la pause, dit la réalisatrice dans l'oreille de Laurent Barbeau.

— Monsieur Lalonde, nous allons à la pause et nous revenons...

Ce qui permit de rester sur le dessin encore quelques secondes avant d'entendre l'assistante gueuler selon son habitude :

— Coupez !

19

Au retour de la pause, l'entretien se poursuivit.

— Monsieur Lalonde, pendant la pause est survenu un événement somme toute révélateur. Sans le faire exprès, un membre de notre équipe a renversé sur votre dessin sa canette de Coke. À ce moment-là, il s'est produit une chose intéressante. Les couleurs de votre dessin se sont diluées. Les formes, les contours de votre dessin ont disparu. Ne trouvez-vous pas qu'il s'agit d'une belle métaphore pour illustrer ce qui arrive à la famille québécoise d'aujourd'hui ? Ne trouvez-vous pas que c'est ce qui est en train de se produire au Québec en ce moment ? Ne trouvez-vous pas que la dénatalité, que le suicide chez les jeunes, que tout contribue à l'effritement de la famille, à sa disparition ? Que faut-il faire ? Que comptez-vous faire personnellement pour remédier à ce problème, à ce fléau, à cette catastrophe ?

— Je vais faire un autre dessin, dit Jean-Marie. Le prochain sera meilleur.

— Mais je ne parle pas de dessin, dit Barbeau. Je parle de famille. Je parle de la famille québécoise.

— C'était un dessin à l'encre, dit Jean-Marie. Ça se dilue rapidement. Il faut employer l'huile.

— Que comptez-vous faire? dit Barbeau.

— Un empâtement, dit Jean-Marie. Quelque chose d'assez épais. Avec une brosse ou un couteau. Puis un glacis posé sur la couche de peinture opaque. J'ai lu ça dans un livre que m'a donné une amie. Une forte luminosité apparaît, produite par la réflexion de la lumière sur la couche opaque à travers le glacis.

— Mais vous ne répondez pas à ma question.

— Je vais essayer. Vous savez que Rembrandt utilisait beaucoup cette technique?

— Je connais Rembrandt, dit Barbeau.

— Il a réalisé une soixantaine d'autoportraits. Je ne le connaissais pas. Ça, c'est très intéressant. Je vais peut-être m'y mettre aussi.

— Oui, bon… dit Barbeau.

— Il est vrai qu'à la fin de sa vie il a peu à peu refusé les chatoiements des vermillons et des émeraudes et qu'il s'est exprimé de plus en plus avec les bruns, les ocres et les jaunes…

— Vous semblez vous intéresser beaucoup à la peinture, dit Barbeau.

— C'est un monde que… Non. Je n'y connais rien, dit Jean-Marie. C'est un monde que je découvre…

— Vous semblez passionné, dit Barbeau.

— Ah? Je ne sais pas. J'y pense beaucoup, dit-il.

— Peut-être alors, dit le journaliste, peut-être alors pensez-vous comme Riopelle que la peinture est une maladie incurable?

— Excellent! dit la réalisatrice dans ses écouteurs.

Mais Jean-Marie n'écoutait pas.

— Il faut que je vous lise quelque chose, dit-il.

Sans plus de cérémonie, il se leva et quitta le plateau.

— Mais qu'est-ce qu'il fait ? demanda la réalisatrice dans les écouteurs du journaliste.

— Je ne sais pas, dit ce dernier dans son microphone.

— Voyons, voyons, disait Jean-Marie dans son micro sans s'en rendre compte.

Il était maintenant dans le cagibi parmi les toiles, les peintures, les tubes de couleurs, les pinceaux, spatules, couteaux, brosses, quand il dénicha enfin le livre d'art que lui avait donné Solange. Il tourna les pages fébrilement et arriva enfin au passage qui l'avait marqué. Il murmura tout bas, comme pour lui-même :

Cette ombre épaisse, dans laquelle chaque jour davantage l'artiste plonge ses toiles, attire notre regard et peut résumer en soi le trajet de toute l'humanité.

Voilà. C'était le passage qu'il recherchait. À côté de ce passage, des autoportraits de Rembrandt vieillissant. Comment faisait-il ? Jean-Marie devait se remettre à l'ouvrage. Sans plus attendre, dans le cagibi faiblement éclairé, il retira une toile intacte de sous un amas de peintures représentant des clients de tout poil, des natures mortes, des oiseaux, des étoiles, et il la plaça sur un sac de jute. Dehors, par la fenêtre, par la minuscule fenêtre, par la lucarne, il voyait la neige tomber. Tout était blanc et calme.

Pendant ce temps, dans le café, on s'impatientait.

— Mais qu'est-ce qu'il fout ?

Jean-Marie avait trouvé un miroir parmi son bric-à-brac et il se regardait. Décidément, il avait changé. Il se rappela la première fois qu'il s'était regardé dans le miroir des toilettes des hommes. Un regard inquiet. Surpris d'être là. Surpris d'être encore vivant. Que voyait-il aujourd'hui au fond de ses yeux noirs? De la honte? De la colère? De la peur? Non. Plutôt une étincelle. Une étincelle de folie. De folie. De folie douce. Était-il fou?

— Il est fou, ce type, disaient certains dans le Café Mollo.

Il y eut un attroupement sur le plateau. La réalisatrice vint rejoindre l'animateur. L'assistante à la réalisation laissa tomber après un petit silence:

— Euh... coupez.

Tony, Luigi et Juliette se pointèrent également. L'éclairagiste demanda:

— Qu'est-ce qu'on fait?

La réalisatrice, Madeleine Renault, demanda à Tony:

— Vous croyez qu'il va revenir?

Tony, très mal à l'aise, regarda son père.

— Arrange-toi, dit Luigi. C'est ton idée.

— Qu'est-ce qu'il fait? demanda Laurent Barbeau.

— Il doit peindre, dit Tony, confus.

— C'est ce qu'il fait depuis qu'il est arrivé ici, dit Laura Lamer. Il a commencé par faire des croquis, et puis...

— Et puis il y a eu la peinture murale, dit Magdalena Alinéa.

— C'est une peinture qui nous ressemble, dit Jacob Kaffeespezialgesellschaft.

— Ensuite, il a fait des tas de peintures, dit Méo DeLille.

— On lui a acheté du matériel d'artiste, dit Tony. Des toiles...

— Un chevalet, ajouta Luigi.

— Des tas et des tas de tubes de couleurs, dit Tony. Vous comprenez, il fallait bien l'occuper.

— Ensuite il a fait des tas de peintures, répéta Méo. Et on les a accrochées partout.

— On ne peut plus en accrocher maintenant, dit Laura.

— Il n'y a plus de place, dit Magdalena.

— Eh non! dit Gustave en soulevant les bras et en poussant un drôle de soupir qui fit rire tout le monde.

Ce n'est qu'à ce moment-là que Laurent Barbeau vit les œuvres de Jean-Marie qui décoraient le Café Mollo. On avait dû en décrocher quelques-unes pour faire place à l'appareillage technique, mais il en restait suffisamment pour que l'on pût apprécier le talent étrange et extraordinaire de Jean-Marie. Oui, ces toiles parlaient. Les couleurs étaient chatoyantes. Et quelle vie! Quel mouvement! Barbeau les considérait les unes après les autres et il n'en revenait pas.

— Mais c'est magnifique, dit-il à Madeleine Renault.

— Peut-être, dit la réalisatrice. Mais on n'est pas venus ici pour ça.

— Mais il faut en parler, insista l'animateur.

— Ce n'est pas notre sujet.

— On a perdu suffisamment de temps, dit l'assistante à la réalisation. Il est déjà sept heures passées.

— Parles-en à la recherchiste de *Décor Madame*, ça pourrait peut-être les intéresser…

— On n'a pas terminé l'entrevue, dit Barbeau.

— Ça ne fait rien. On a assez de matériel comme ça. Et puis on l'a suivi pendant deux jours. On a tout ce qu'il faut.

— Vous l'avez vu peindre?

— Non. Dormir. Manger. Pisser. C'est pas un grand peintre, si tu veux mon avis.

— Un peintre intermittent, dit l'assistante à la réalisation en souriant.

La réalisatrice la trouva très drôle. Le nuage de curieux se dissipa et l'assistante à la réalisation gueula très fort à la cantonade :

— Bon ! On range tout. C'est terminé. Merci. Bonsoir !

Deux semaines plus tard, l'émission passait à la télévision à une heure de grande écoute. Il y eut tout d'abord le reportage où l'on voyait Jean-Marie se gratter les fesses, déambuler dans le café parmi les clients, boire, manger, roter, se moucher, s'essuyer les doigts, se gratter la tête, se curer les dents, toutes choses fort intéressantes. Puis on le vit sur son banc de bois, la nuit, alors que tout était calme dans la petite ville de banlieue. Le banc de bois, éclairé faiblement par le reflet de la lune, la pancarte de plastique noir sur laquelle se détachaient les chiffres blancs : 211. Un gros plan sur le visage rêveur de Jean-Marie, sur sa tignasse de poils très noirs, sur son béret basque et sur le logo du Café Mollo imprimé en rouge sur le sac de jute. C'était assez émouvant. Puis, tout de suite après, une entrevue avec Tony, une autre avec Luigi, une autre encore avec Magdalena – elle voulait devenir comédienne –, quelques mots de Juliette. On voulait connaître leurs impressions sur le phénomène. Il y eut même quelques interventions de la part de clients. Puis, alors que le générique défilait à l'écran, on revint en studio où Laurent Barbeau présenta son interview. Gros plan sur Jean-Marie. Gros plan sur son dessin. C'était vraiment de la bonne télévision. On remercia le Café Mollo pour sa précieuse collaboration.

Deux jours plus tard, c'était la cohue dans le Café Mollo. On voulait voir le spécimen, on voulait le toucher, lui demander des autographes, le prendre en photo, lui, son banc, ce qu'il touchait, ce qu'il mangeait, on voulait qu'il livre ses états d'âme, qu'il divulgue ses secrets, qu'il donne ses recettes de cuisine. Bref, on voulait vivre par procuration une grande aventure mystique. Évidemment, c'est ce moment-là que choisit Lily pour venir voir son père. Elle ne l'avait pas vu depuis décembre, mais son apparition à la télévision l'avait pour le moins secouée. Ainsi donc, son père était une grande vedette. On se donnait la peine d'en parler aux nouvelles! Ça, c'était quelque chose. Elle était très fière de cela. Très fière de lui. C'était son père, cet hurluberlu. Hurluberlu mais célèbre. Cela arrangeait tout. Ou presque. Manon, naturellement, n'était pas de cet avis. Pour elle, c'était la honte. Elle ne voulait pas que ce cinglé revoie son fils. Il n'était pas question que Samuel revoie son père pour quelque raison que ce soit. Un fou. Un fou furieux. Et qu'on le présente à l'écran sous les traits d'un mystique quelconque, une sorte de Diogène dans un sac de jute, ne changeait rien à l'affaire. C'était un fou. Tout juste bon à être enfermé. D'ailleurs il l'était. Il l'était par sa faute. Par sa volonté. Bien fait pour lui. Lily ne devait pas le voir elle non plus. Mais Lily avait quinze ans et elle était capable de se rendre au Café Mollo par ses propres moyens après les cours. C'est ce qu'elle avait fait ce jour-là.

Le café était surpeuplé. Il y avait bien plus de monde qu'en décembre, par exemple. Cependant, les nouveaux réfrigérateurs Coldstream ronronnaient dans leur coin et, en un sens, il y avait moins de va-et-vient. L'adolescente dut tout de même jouer des coudes pour se rendre jusqu'à la table du sage – qui, selon Epictète, cherche à s'affranchir du désir et oppose la nature aux conventions sociales.

En fait de nature, Jean-Marie mangeait un sandwich au jambon duquel ressortaient ici et là quelques brins de luzerne. Il sirotait un café au lait sous les yeux médusés de quelques admirateurs. Bref, il était en plein heure de lunch.

Quand sa fille arriva à sa hauteur, il se leva brusquement. Les gens autour de lui reculèrent un peu. Il s'avança vers sa fille et la serra dans ses bras. Il voulut aussi l'embrasser sur les joues, mais Lily se cabra. Elle n'était pas sûre. Elle n'était pas sûre du tout de la conduite à tenir, de l'attitude à adopter. Elle balançait entre la rage et l'affection. Entre la tendresse qu'elle éprouvait encore pour son père et une aversion profonde, fondamentale, pour ce qu'il était devenu. Elle réalisa soudain que tout ce qu'elle avait aimé dans ce reportage à la télévision, c'était l'image de sa famille que Jean-Marie avait dessinée, puis qu'il avait montrée à l'écran.

— Viens t'asseoir, lui dit son père, viens t'asseoir. Veux-tu quelque chose ?

Comme à une ancienne connaissance. C'est du moins l'impression qu'eut Lily à cet instant.

— Viens t'asseoir, répétait Jean-Marie. Qu'est-ce que tu veux ?

Lily ne savait plus. Assommée, elle se laissa tomber sur la chaise sans trop de réaction. Ses bottines dégouttaient de neige sale, mouillée. Ses cheveux noirs, frisés, étaient encore mouillés, constellés de petites paillettes d'or et d'argent. La même veste de cuir. Le même t-shirt. La même boucle dans le nombril. Les mêmes yeux noirs cernés. Elle regardait son père. Illuminé. C'est vrai qu'il est fou. Il est sans doute fou. C'est ça. Il est fou. On venait le voir. Il signait des autographes tout en mangeant. Il poussait les miettes du revers de la main. Elle ne le connaissait pas. Elle ne le connaissait pas, cet homme. C'est vrai qu'elle ne savait rien de lui. Il lui avait semblé, la dernière fois… Enfin, il s'était passé quelque chose… Quoi? Quand?

— Qu'est-ce que tu veux? lui répétait-il entre deux bouchées et deux signatures. Qu'est-ce que tu veux? Tu peux prendre ce que tu veux, tu sais. Ici, j'ai un compte ouvert, si on peut dire… Je suis une attraction!

Il souriait. Il avait la force de sourire? Il trouvait ça drôle, ce qui lui arrivait? Lily le regardait. Non. Il ne trouvait pas ça drôle. Il y avait de la peine dans ses yeux. Plein de peine. L'espace d'une seconde, parmi ces gens, parmi cette foule, parmi tout le brouhaha, elle eut l'impression qu'il la regardait vraiment. Mais il y avait beaucoup de fumée. Et c'est peut-être à cause de cette fumée, qui sait? si les yeux de Jean-Marie se couvrirent ou se remplirent de larmes. Ses yeux à elle aussi picotaient. Trop de fumée. Trop de fumée, vraiment.

— Ce que je veux? balbutia Lily. Tu n'aurais pas le dessin… Tu sais, le petit dessin que tu as montré à la télévision…

Puis, elle se rappela: ce dessin de sa famille avait disparu. L'animateur de l'émission l'avait dit. Il avait tout expliqué: c'était une métaphore. Ce n'était qu'une métaphore.

— Je vais en faire un autre, lui dit Jean-Marie. Il n'était pas tellement réussi. Quand j'aurai le temps…

— Quand?

À ce moment-là, un journaliste de *Salut Coquette* braqua un microphone sous le nez de Lily et il lui demanda comment elle se sentait en tant que fille d'une superstar et si son père avait déjà abusé d'elle. Avant même qu'elle ait eu le temps de réaliser ce qui se passait, un photographe se jeta sur elle et il la bombarda de flashs. Le journaliste du journal à potins, Michael Boudart, attendait toujours la réponse.

— Je conçois que ce soit gênant de parler, mademoiselle, en présence de votre père. Voulez-vous nous accorder une entrevue un peu plus tard? On peut aussi se rendre chez vous.

Jean-Marie bondit de sa chaise et il aurait étranglé le journaliste si Luigi n'était pas intervenu. Quant au photographe, il détala comme un lapin.

— Sortez d'ici! hurla Luigi à l'intention du plumitif. Et ne vous avisez jamais de remettre les pieds dans mon café ou je vous étouffe de mes propres mains! Vous ne viendrez pas importuner nos clients! Vous êtes ici chez moi!

Le plumitif en question, un homme frêle aux épaules étroites, aux cheveux blondasses gominés, aux lèvres de femme et au nez pincé, recula d'effroi en se protégeant de son magnétophone à cassettes.

— Vous ne me faites pas peur! dit-il d'un ton effrayé. Je reviendrai. Vous n'avez pas le droit de me traiter comme ça! C'est inadmissible. Je ne fais que mon travail. Si vous ne voulez pas qu'on parle de ce qui se passe dans votre café, vous n'avez qu'à ne pas placer votre épouvantail en vitrine!

Il ne put prononcer un mot de plus, car Tony s'était joint à son père et, avec l'aide de Jacob qui était fort comme un bœuf, ils le jetèrent dehors à grands coups de pied dans le cul, ce qui, du reste, sembla lui faire assez plaisir, mais ne l'empêcha pas de marmonner entre ses dents jaunes pointues:

— Vous allez le regretter!

Après quoi, il épousseta soigneusement son complet gris, boutonna son manteau à col d'astrakan et rejoignit le photographe qui l'attendait dans une camionnette. Il ne resta dans le café que l'odeur écœurante de son parfum bon marché. Toute la scène n'avait pas duré deux minutes, mais elle avait ébranlé fortement la jeune fille qui se demandait encore ce qui était arrivé. Luigi la rassura :

— Ne vous inquiétez pas, mademoiselle. Ce n'est pas la première fois que nous avons affaire à cette pédale. Son petit ami a ouvert un commerce comme le nôtre à quelques pas d'ici et il fait tout pour nous discréditer.

— Ne vous en faites pas, lui dit Tony.

— Il ne faut pas vous en faire, lui dit Jacob.

— Je ne m'en fais pas, leur dit Lily encore sous le choc.

— Un chocolat ?

— Je veux bien, dit-elle en souriant à l'armoire à glace.

Après quoi, tout le monde retourna à ses affaires et Lily put reprendre le fil de ses idées.

— Tu sais que maman veut divorcer ? Elle t'en a parlé ?

— Non.

— Eh bien, elle n'arrête pas d'en parler à la maison. Elle va le faire. Je veux dire… elle a déjà contacté un avocat.

— Ah ?

— C'est tout ce que tu trouves à dire ?

— Samuel va bien ?

— Non. Samuel ne va pas bien du tout. Mais tu t'en fous apparemment.

— Non. Je ne m'en fous pas. J'aimerais le voir.

— Tu ne comptes pas trop là-dessus, j'espère ?

— Non. Je ne compte pas là-dessus, dit Jean-Marie.

— Tu m'énerves ! Tu m'énerves ! Tu m'énerves !

C'est tout ce qu'elle trouva à dire.

20

Ce n'était pas exactement le sacre de Napoléon 1er, mais, tout de même, il y avait bien une sorte de couronnement et Jean-Marie semblait triompher au cœur du Café Mollo. Il était à sa place habituelle, derrière son chevalet, entouré de ses sujets, qu'il observait tout en peignant. Comme on était en avril et que la neige avait fondu, on avait ouvert la terrasse, ce qui permettait une circulation plus fluide à l'intérieur comme à l'extérieur du café. Les gens étaient heureux, détendus, il faisait soleil, il faisait bon. On venait admirer le spécimen. D'ailleurs, à cette époque, Jean-Marie ne se donnait même plus la peine de dormir sur son banc. On avait sauté ce cérémonial, sa popularité étant bien suffisante pour attirer les clients consommateurs. Tony avait commencé à vendre des toiles de Jean-Marie, l'homme-café. Au début, les prix n'étaient pas très élevés, mais, soit Tony s'y entendait pour négocier, soit il avait de plus en plus affaire à des êtres rusés qui estimaient que peut-être un jour ces tableaux vaudraient une fortune, les prix augmentaient constamment. Tout cela était bon pour les affaires et libérait les murs du café qui pouvaient ainsi accueillir d'autres tableaux. Jean-Marie ne cessait de peindre, Luigi achetait des tubes, des cadres et des toiles, et Tony s'occupait de faire fructifier le capital.

Oui, décidément, les choses avaient changé dans le Café Mollo et, en premier lieu, le regard que l'on portait maintenant sur l'énergumène. On le trouvait beau. Attirant sexuellement. Non pas qu'il fût habillé à la toute dernière mode, ni même qu'il fût bronzé ou épilé, c'était plutôt le contraire; non pas qu'il fût musclé comme un Hercule ou un Apollon, mais il se dégageait de ses vieux habits de coton, troués et tachés de peinture à l'huile, une sorte de grâce. Il y avait, au fond de ses yeux noirs cachés derrière ses paupières brunes et ses sourcils en broussaille, une sorte d'étincelle cosmique qui attirait, subjuguait, comme un appel de la bête, de la nature profonde, sauvage. Les femmes, surtout, étaient sensibles à ce charme particulier, à cet appel des sens, mais, curieusement, les jeunes filles aussi. Il y avait dans cet homme quelque chose d'extrêmement séduisant tout à coup.

Ainsi donc, ce jour-là, Laura se dirigea vers lui et, sans plus de préambules que de cérémonie, lui déclara:

— Je veux faire l'amour avec vous.

Jean-Marie dut se frotter les yeux, se pincer les avant-bras pour être bien certain qu'il ne rêvait pas.

— Pardon?

Laura s'assit à sa table, devant lui, et lui présenta un bout de papier chiffonné.

— Regardez ce qu'il m'a écrit.

— Qui ça?

Comment ça? Jean-Marie ne s'était donc pas aperçu qu'elle fréquentait, c'était une façon de parler, un certain Yvan Bienvenu, livreur de charcuteries? Or ce livreur de viandes froides l'avait lâchement laissée tomber. Et pourquoi donc? Pour aller à Toronto. Une promotion, paraît-il. Vous y croyez? Jean-Marie était trop éberlué pour croire quoi que ce fût.

Cette douce Laura qu'il avait imaginée tendre, discrète, réservée… Vraiment, il avait peine à contenir sa surprise, laissait par trop transparaître sa stupéfaction. À tel point que Laura crut bon d'ajouter:

— Oh ça va, hein? Ne vous donnez pas la peine de jouer la comédie. Je sais bien avec quels yeux vous me regardez depuis le début. Ne me dites pas que vous n'avez pas envie de moi. Ne me dites pas que vous ne me trouvez pas désirable.

— Euh… dit Jean-Marie.

— J'ai envie de faire l'amour avec vous. Ce soir, précisa-t-elle.

— Mais, balbutia Jean-Marie au comble de l'ahurissement, ce n'est pas comme ça que…

— J'ai vingt-quatre ans, vous savez, vous n'avez pas à avoir peur.

— Je n'ai pas peur.

— Alors c'est entendu. À ce soir. Je vais me cacher dans les toilettes des femmes.

— Mais…

— C'est une façon pour moi de vous remercier pour le dessin. Vous savez, le dessin que vous avez fait de moi au début. Vous ne vous rappelez pas?

— Oui, bien sûr, mais…

— Assez discuté, dit-elle, j'ai du travail.

Elle lui fit une œillade coquine et – c'est vrai qu'elle avait du travail – elle disparut.

Jean-Marie regarda autour de lui, inquiet. Avait-on surpris cette conversation? Avait-il rêvé? Était-il en proie à des hallucinations? Est-ce que c'était la peinture à l'huile? le dissolvant? le café peut-être trop fort? la cigarette? C'est vrai qu'il y avait beaucoup de fumée de cigarette. Il s'y était habitué à la longue, mais, lui qui n'avait jamais fumé, il devait tout de même respirer l'équivalent de deux paquets par jour, ne serait-ce qu'en respirant normalement. Peut-être que cela lui était monté à la tête? au cerveau? Peut-être cela avait-il endommagé ses neurones, synapses et neurotransmetteurs? Comment savoir? Il y avait bien longtemps qu'il n'avait pas subi un examen médical. D'ailleurs, il n'avait pas mis les pieds dans un cabinet de dentiste depuis tout aussi longtemps. Il n'avait même pas de brosse à dents. Depuis le début de son incursion dans le bistrot, il avait pris l'habitude de se fourrer les doigts dans la bouche et de frotter vigoureusement l'émail de ses dents du bout des doigts; il se gargarisait avec de l'eau salée, mais tout cela, ce procédé de brousse, était-il suffisant? Il avait une haleine de café crème, Solange le lui avait souvent dit lors de ses nombreuses visites nocturnes. Cela devait donc aller. Mais qu'en était-il de son cerveau? Est-ce qu'il allait bien? Allait-il réellement bien? N'était-il pas en train, justement, de perdre la raison? Ne l'avait-il pas perdue, comme le pensait Manon Beauregard, depuis longtemps? La pancarte était là pour lui rappeler le nombre de jours, l'exploit: 278 jours. Oui. Il y avait de quoi devenir malade. Il y avait de quoi devenir fou. Et pourtant… En rendant la monnaie à un client, Laura fit à Jean-Marie un tout petit geste de la main, oh, imperceptible, mais bien réel. Jean-Marie devint rouge comme une tomate et plongea le nez dans son livre d'art. Mais, comme si ce n'était pas assez, voilà que Magdalena lui tournait autour. Pour un peu, au lieu d'arroser les plantes, c'est lui qu'elle aurait aspergé d'eau. Mais qu'est-ce qu'elles ont? pensa Jean-Marie. Ce n'est pourtant pas le premier avril!

C'était probablement ce soleil d'avril chauffant les vitres du Café Mollo qui était responsable de cette montée de désir autour de lui. D'ailleurs, lui-même, ne ressentait-il rien ? Ne ressentait-il pas une attirance quelconque pour ces corps de femmes devant lui ? Alors qu'il fixait de ses yeux ahuris *Le Bain turc* de Jean Auguste Dominique Ingres, Magdalena apparut telle la Vénus à la pomme de Bertel Thorvaldsen, les seins fermes, haut perchés.

— Vous passez beaucoup de temps le nez dans votre livre d'art, lui dit-elle. Ça doit vous donner des idées.

Puis, comme Jean-Marie était de plus en plus troublé :

— Pour peindre, je veux dire.

Non, mais, se moquait-elle de lui ? Impossible de le savoir, de discerner ses intentions derrière son sourire charmant, ses boucles blondes qui ondoyaient au gré du vent. Y avait-il du vent ? La porte du café était-elle ouverte ? Était-ce cela qui provoquait chez lui une sorte de vent de panique ? Il referma son livre d'art, car les images l'empêchaient de faire corps avec la réalité. Non, il ne ventait pas. Non, la porte du café n'était pas grande ouverte. Mais Magdalena glissa sur la chaise devant lui.

— Vous ne vous arrêtez jamais, lui dit-elle. Vous ne prenez jamais de repos ?

— Je… Euh… C'est-à-dire… commença Jean-Marie qui était troublé au plus haut point par ces jeunes filles en fleurs. C'est-à-dire que je découvre de telles merveilles, de telles beautés…

— Ah oui ? insista lourdement Magdalena. Quel genre de beautés ?

— Eh bien, balbutia Jean-Marie de plus en plus troublé, remué jusqu'au fond de l'âme, je…

Elle lui prit la main.

— Vous ne vous sentez pas seul, un peu, des fois ?

— Seul ?

— Oui, vous savez bien, il y a tous ces gens qui vous entourent, mais au fond de vous, je veux dire… au fond de vous-même, vous ne vous sentez pas seul ?

Ses mains étaient décidément très chaudes. Et son regard très doux. Ses yeux bleus. D'un beau bleu délavé, passé à l'eau de pluie. Jean-Marie se perdait dans son regard. Il était impressionné.

— Je voudrais vous remercier, lui dit Magdalena, pour m'avoir donné la réplique.

— Ce n'est rien, lui répondit Jean-Marie.

Cette fois, on les regardait à la table voisine. Jean-Marie eut l'impression que l'on faisait des commentaires. Magdalena observait les lèvres de Jean-Marie, bien dessinées, leur contour, les poils de sa barbe, très noirs, luisants, lustrés. C'était un bel homme. Ses yeux étaient noirs et profonds. C'est rare, des yeux noirs.

— C'est rare des yeux noirs. Je veux dire… tout noirs, reprit-elle.

Fines paupières, cils courts mais fournis, abondants, bien serrés. Elle l'observait. Ses mains blanches et chaudes étaient encore appuyées sur celles, barbouillées, de Jean-Marie. Il n'osait pas les retirer. Il n'osait pas remuer. Il y avait des gens au comptoir. Laura ne pouvait pas l'apercevoir, pourtant il se sentait mal à l'aise. Coupable, peut-être ? Il ne savait pas. Autour d'eux, des tasses s'entrechoquaient, des hommes élevaient le ton, de gros rires sonores éclataient ici et là, ça fumait, ça parlait, ils étaient dans un halo de brume.

— Je voudrais vraiment vous remercier pour ce que vous avez fait, lui dit-elle.

— Je n'ai rien fait, lui dit Jean-Marie.

— Vous avez parlé de moi à la réalisatrice, non? Vous lui avez dit que je voulais devenir comédienne, non?

— Euh... dit Jean-Marie, pris de court.

— Vous savez, s'enthousiasma-t-elle, j'ai une merveilleuse idée!

Ah non! songea-t-il.

— Je vais rester ce soir. Après la fermeture, je veux dire. Vous savez? Je vais me cacher! Où? Attendez voir! Mais oui. Je vais me cacher dans le cagibi, derrière les toiles et les caisses de tubes. Hein? Qu'en pensez-vous?

— Je ne crois pas que ce soit une bonne idée, s'empressa d'articuler Jean-Marie.

— Mais oui! s'exclama Magdalena. C'est une excellente idée. Je fermerai la porte. Personne ne s'apercevra de ma présence. Personne ne s'apercevra de rien. Personne ne songera à regarder là! Je vais vous attendre sur les sacs de grains, ajouta-t-elle.

— Je...

— Chut! Ne dites pas un mot. Je vais me déshabiller et je vais vous attendre. Ne dites rien. Venez, c'est tout. Hein? On est d'accord?

À ce moment-là, deux hommes costauds se dirigèrent vers Jean-Marie et celui-ci crut qu'on allait l'arrêter, l'embarquer pour détournement de mineures, bien qu'il sût que Magdalena venait d'avoir vingt et un ans. Il retira ses mains de la table. Les deux hommes foncèrent droit sur lui. Arrivés à sa hauteur, ils se fendirent d'un énorme sourire et trompetèrent:

— C'est vous qu'on a vu à la télé? dit l'un.

— C'est vous l'homme-café? le record? dit l'autre.

— Est-ce qu'on peut avoir votre autographe? dirent-ils. Nous, on est des buveurs de bière. On a fracassé tous les records du Québec. Là, on s'en va en Ontario. On va leur montrer qu'on sait boire, nous autres.

Ils présentaient des napperons en papier sur lesquels Jean-Marie apposa son nom.

— La semaine passée, on a bu quarante-huit bocks de bière dans une soirée! dit l'un.

— Christ qu'on a été malades! dit l'autre.

— Un record difficile à battre. Mais y paraît qu'à Windsor y en a un qui en boit cinquante. On veut voir ça.

— C'est un peu une visite touristique, dit l'autre.

— Culturelle, précisa le premier. Une visite culturelle.

— Je comprends, dit Jean-Marie en leur tendant les napperons. Bonne chance.

— Merci ben! dirent les joyeux drilles.

— Ouais, ben, c'est pas qu'on s'ennuie, mais on va y aller.

— Ouais, le café, c'est pas notre fort.

— Salut ben.

— Sa...

Ils se frayaient déjà un passage dans le sens inverse. Magdalena se leva.

— À ce soir.

— Et Jacob? eut le temps de demander Jean-Marie.

— Jacob... dit Magdalena. C'est un ami. C'est tout.

Elle fut engloutie par un flot de clients, sembla sombrer, comme Eurydice, au creux des enfers.

Jean-Marie se rongea les ongles toute la journée, ce qui du reste n'était pas une mauvaise affaire, en se demandant ce qui allait se passer, comment il allait se sortir de ce pétrin. Et puis, comme les ennuis ne viennent jamais seuls, Solange entra dans le café.

— Ah là là! se dit Jean-Marie.

Elle traversa la terrasse baignée de soleil et vint se placer devant lui, rayonnante :

— Allô! dit-elle joyeusement. Il fait beau, hein? Ils ont bien fait d'ouvrir la terrasse. Tu ne sors pas? Tu pourrais t'installer au soleil, ça te ferait du bien. Tu es tout pâle. Qu'est-ce que tu as? On dirait que tu viens d'apercevoir le spectre du père d'Hamlet. Es-tu malade?

— Non, non, dit Jean-Marie, pas du tout.

— Ah bon. Je peux m'asseoir?

Ce qu'elle fit.

— Tu sais, j'ai pensé à quelque chose...

Bon. Ça y est! pensa Jean-Marie.

— Quoi? demanda-t-il, inquiet quoique résigné.

— J'en ai un peu marre de te rendre visite la nuit comme une voleuse. Maintenant que tu es une grande vedette et qu'ils ont besoin de toi dans le café pour mousser les ventes, je veux dire... je ne vois pas pourquoi je me cacherais.

— Que veux-tu dire? demanda Jean-Marie qui connaissait la réponse mais qui espérait se tromper.

— Eh bien voilà, dit-elle, toute contente. Je vais t'attendre ici. Je vais rester avec toi. Tu comprends? Ici. Même après la fermeture. Tu ne dors plus sur ton banc de toute façon, alors... On va faire l'amour comme avant, sur les sacs de grains. Tu me feras mal, si tu veux, je suis prête à tout, tu m'attacheras, hum, oui, mais pas question de venir te voir en cachette. Je veux que mon amour pour toi, oui, bon, c'est peut-être un peu fort, je veux dire que mon désir pour toi éclate en plein jour. Pas question de baiser devant la fenêtre du café, quand même, je ne suis pas exhibitionniste, mais c'est assez, les ténèbres, je veux la lumière, tu comprends?

Mais qu'est-ce qu'elles ont? Mais qu'est-ce qu'elles ont? ne cessait de se répéter Jean-Marie dans sa tête.

— Ce n'est pas tout, dit-elle.

Qu'est-ce qu'elle va encore inventer, songea Jean-Marie avec appréhension.

— Tu sais, quand on baise, quand tu râles et que tu m'appelles Solange, je trouve ça très bien, c'est mon nom après tout, mais moi, ça me gêne, entre deux cris d'extase, de te murmurer: Jean-Marie. Tu comprends? C'est le «Marie» qui ne passe pas. Qu'est-ce que tu dirais si je t'appelais simplement Jean? Ou mieux: Jeannot? Je trouve ça mignon. Mignon tout plein. Tu ne trouves pas? Qu'est-ce que tu en dis? Tu veux bien que je t'appelle Jeannot?

Jean-Marie se prit la tête à deux mains. Vraiment, cette journée dépassait tout ce qu'il aurait pu imaginer.

— Qu'est-ce qui ne va pas? lui demanda-t-elle.

— J'ai besoin de prendre un verre d'eau, lui dit-il. De me rafraîchir les idées…

Alors qu'il se levait en titubant, elle déposa son sac à main, étira les jambes sous la table et Jean-Marie remarqua son chandail sans manches qui laissait deviner des aisselles bien épilées et une poitrine volumineuse. Elle était gonflée à bloc. Il se dirigea vers les vécés. Tout en se frayant un chemin parmi les clients qui lui tapaient sur l'épaule en lui disant «Salut, Jean-Marie!», «Comment ça va, Jean-Marie?», «Lâche pas, Jean-Marie!», il se disait, quant à lui: pourquoi pas «Jeannot lapin» tant qu'à y être!

Arrivé dans les toilettes, il remarqua que la porte de la cabine était ouverte et que Méo trônait sur la cuvette en lisant un livre de poésie. Jean-Marie se plaça devant le lavabo et fit couler l'eau froide. Il mit ses mains en coquille et but un peu d'eau. Puis il s'aspergea le visage.

— Ah? C'est vous! fit tout à coup la voix de Méo.

Jean-Marie actionna le sèche-mains électrique.

— C'est vraiment l'endroit idéal pour lire du Rimbaud. Vous voulez que je vous lise un passage? demanda-t-il à Jean-Marie.

Méo était assis sur le trône, comme si de rien n'était.

— Écoutez ça! dit-il à Jean-Marie en feuilletant l'opuscule.

Jadis, si je me souviens bien, ma vie était un festin où s'ouvraient tous les cœurs, où tous les vins coulaient.

Un soir, j'ai assis la Beauté sur mes genoux. – Et je l'ai trouvée amère. – Et je l'ai injuriée.

Je me suis enfui. Ô sorcières, ô misère, ô haine, c'est à vous que mon trésor a été confié!

Je parvins à faire s'évanouir dans mon esprit toute l'espérance humaine. Sur toute joie pour l'étrangler j'ai fait le bond sourd de la bête féroce.

— C'est vous, ça, dit Méo.

— La bête féroce? demanda Jean-Marie.

Méo poursuivit sa lecture:

J'ai appelé les bourreaux pour, en périssant, mordre la crosse de leurs fusils. J'ai appelé les fléaux, pour m'étouffer avec le sable, le sang. Le malheur a été mon dieu. Je me suis allongé dans la boue. Je me suis séché à l'air du crime. Et j'ai joué de bons tours à la folie.

Et le printemps m'a apporté l'affreux rire de l'idiot.

— Vous comprenez? demanda Méo.

— Je ne sais pas, dit Jean-Marie.

— Mais oui, dit Méo en s'essuyant le derrière. C'est tout à fait vous, ça.

Il tira la chasse d'eau, se reculotta et vint rejoindre Jean-Marie devant le miroir du lavabo.

— C'est drôle, ajouta-t-il, vous faites exactement le contraire de Rimbaud. Il a d'abord été poète puis marchand. Vous, c'est tout le contraire. Vous avez d'abord été vendeur dans un grand magasin, puis…

— Je ne suis pas un poète, lui dit Jean-Marie. Je dessine, c'est tout. Je fais des petits dessins.

— Vous êtes un portraitiste remarquable. Tout le monde le dit.

— Je ne fais rien de bon, dit Jean-Marie. Je suis toujours déçu de ce que je fais.

— Vous êtes un véritable artiste, lui dit Méo.

— C'est gai, lui répondit Jean-Marie.

Il quitta les vécés complètement déboussolé. Quand il se retrouva dans le couloir, il se dirigea plutôt vers la cuisine. Il n'était pas au bout de ses peines.

Gustave était appuyé sur son balai et il observait un amas de poussière qui tourbillonnait au centre de la pièce, provoqué par le courant d'air que créaient les deux portes à battants. Ou était-ce dû à la porte des fournisseurs qui venait de se refermer? Quoi qu'il en soit, il adressa la parole à Jean-Marie. Mais lui parlait-il vraiment? Il semblait plutôt captivé par ces quelques grains de poussière. Et, contre toute attente, lui qui parlait très peu – Jean-Marie, pour sa part, ne l'avait jamais entendu s'exprimer sur quoi que ce fût –, il fit observer, comme en transe:

— Les étoiles naissent, se transforment à mesure qu'elles vieillissent, puis meurent.

Et, regardant Jean-Marie :

— Elles se constituent à partir de nuages de gaz et de poussières dans l'espace, et peuvent être accompagnées de planètes associées.

— Je vois, fit Jean-Marie.

Gustave reprit après un moment :

— Une étoile prend vie au sein d'un nuage primitif composé d'hydrogène, d'hélium et de poussières. À l'origine, ce nuage ne possède pas de centre bien défini. Après quelques millions d'années, par hasard peut-être, certaines particules commencent à s'agglomérer. La gravitation exercée par cette concrétion attire les particules de gaz et de poussières environnantes. La masse de la concrétion augmente en même temps que sa gravitation. Les particules de gaz et de poussières sont attirées, toujours plus nombreuses, vers le centre, où elles forment un corps de plus en plus dense, mais au diamètre de plus en plus faible.

Il y eut un nouveau silence. Jean-Marie s'approcha du tourbillon. Il lui sembla, en effet, voir une étoile se former. Puis, peut-être parce qu'il n'y avait plus l'ombre d'un souffle de vent dans la pièce, les fines particules de poussières d'étoile retombèrent sur le sol et Gustave les balaya.

Jean-Marie sortit de la cuisine la mine basse et, en se faufilant parmi les clients qui le saluaient, il se rendit à sa place où l'attendait, plus souriante que jamais, Solange Colbert.

Il s'écrasa sur sa chaise, la force d'attraction étant décidément trop forte.

— Par Dieu ! s'exclama Solange. Mais qu'est-ce qui te prend ?

— Ah là là ! se contenta de dire Jean-Marie.

Puis, comme l'heure avançait et que l'étoile blanche, là-bas dans le ciel, disparaissait à vue d'œil, il lui parla des deux jeunes femmes.

Solange ne sembla pas démontée par ces révélations. Au contraire. Cela l'amusait beaucoup.

— Tu ne vas pas te plaindre, quand même, lui dit-elle. C'est le rêve de beaucoup d'hommes. Ne viens pas me dire que tu n'as jamais rêvé à ça?

— Il y a une sacrée différence entre le rêve et la réalité, lui dit-il. Dans la réalité, ça me gêne énormément.

— Pas assez pour t'empêcher de vivre cette expérience, quand même?

— Je ne sais pas, lui dit Jean-Marie. Je ne sais pas…

Solange éclata d'un rire franc et sonore qui l'agaça énormément.

21

Magdalena s'était cachée dans le cagibi et elle s'était désha-
billée comme elle l'avait promis. Étendue sur l'un des deux
sacs de jute, elle trouvait sa position à la fois inconfortable et
excitante. Inconfortable parce que la fibre textile lui picotait
les fesses, mais excitante parce que c'était rude, qu'il faisait
chaud et que, dans le noir, elle ne savait pas à quoi s'attendre.
Elle n'avait jamais fait l'amour avec un homme d'âge mûr.
Comment allait-il s'y prendre? Qu'allait-il lui faire? Bien sûr,
elle avait déjà fait l'amour. Mais ses partenaires, vifs et vigoureux, athlétiques même, ne s'étaient pas montrés d'une grande
originalité. C'était doux et tendre, mais elle aspirait à autre
chose. À quoi donc? Elle ne le savait pas au juste. C'était peut-
être cela qui l'excitait encore davantage: elle allait en
apprendre un peu plus sur elle-même. Qu'est-ce qu'elle ose-
rait? Jusqu'où irait-elle? Bref, étendue sur son sac, elle était
impatiente.

Laura attendait patiemment dans les toilettes des dames.
Heureusement, c'était Tony qui faisait la caisse ce soir-là et il
était trop occupé à compter son argent pour s'apercevoir de
quoi que ce fût. «Bonsoir», lui avait-elle dit et il avait marmonné quelque chose qu'elle n'avait pas entendu. Méo jetait
le marc de café, sortait la poubelle. Quant à Gustave, il

maniait mollement le balai entre les tables. Solange Colbert, les jambes croisées, fixait Jean-Marie d'un air amusé.

— Tu ne vas pas me dire que ça te déplaît, remarqua-t-elle.

Jean-Marie ne le savait pas. Il ne savait plus du tout où il en était. Depuis qu'il était devenu si populaire, il semblait avoir perdu le fil de ses idées. Il ne travaillait plus. Il n'arrivait plus à se concentrer. Il aurait probablement fait part de ses états d'âme à son amie si Tony ne s'était pas approché d'eux.

— On ferme, leur dit-il.

— Je sais, dit Solange. Mais j'ai décidé de rester ici avec Jean-Marie.

Un coup d'œil de Tony à Jean-Marie, un acquiescement de celui-ci, une légère hésitation du patron, puis :

— Bon... C'est correct. J'imagine que c'est correct.

— Tout va bien se passer, le rassura Solange.

— J'imagine, laissa tomber Tony. Faites tout de même attention...

Puis, se tournant vers Gustave et Méo :

— On ferme, les gars, dépêchez-vous.

Les deux jeunes gens ne se firent pas prier. Deux minutes plus tard, ils étaient dehors.

— Je branche quand même le système d'alarme, dit Tony. Si madame désire partir avant le matin, il faudra le désactiver.

— Je sais, dit Jean-Marie.

— Bon bien, bonsoir, dit Tony. Bonne nuit.

— Bonne nuit, dirent-ils.

La porte arrière du café se referma en émettant son clic particulier. Puis, plus rien. Le silence total. Le soleil avait disparu depuis fort longtemps et la lune avait repris sa place dans le ciel. Les étoiles s'allumaient, brillaient, scintillaient. On pouvait distinguer facilement la Grande Ourse. Solange décroisa les jambes. Ses cuisses brunes, à la lueur de la lune, au fini velouté, attiraient le regard. Jean-Marie se pencha un peu sur la table. Solange lui tendit la bouche. Leurs lèvres entrèrent en contact. Choc électrique. Big bang. La langue de Solange était très chaude. Les papilles gustatives s'emballèrent, s'excitèrent mutuellement dans un flot de salive. La bouche de Jean-Marie était tendre, tendre la nuit, tendre la main qui pressait le sein de Solange. Et puis, comme dans un élan, comme dans un volcan, ils firent éruption, se catapultèrent hors des chaises, se rejoignirent à mi-chemin de la table et de la «piste de danse». Ils s'embrassèrent goulûment et se tripotèrent avec entrain, plaisir, affection, pendant que Laura et Magdalena rongeaient leur frein. Puis Solange s'écarta de Jean-Marie. Elle lui saisit la main et l'entraîna vers la cuisine. Juste avant de pousser la porte à battants, elle cogna deux petits coups sur celle des toilettes des femmes. Puis, sans hésiter, elle franchit le seuil de la cuisine et ils se retrouvèrent dans le noir. Comme si elle avait tout organisé. Avait-elle tout organisé? Peu importe, sans doute. Ce qui est sûr, c'est que, peu de temps après, Laura entra dans la pièce. Le peu de lumière que cela procura suffit pourtant à Solange pour trouver la porte du cagibi et pour l'ouvrir. Magdalena, entièrement nue, fut parcourue d'un frisson violent, délicieux, intolérable. Elle se mit debout. Sa peau était tendre et blanche. Elle s'avança dans le réduit, tâtant les objets autour d'elle pour ne pas tomber, les toiles, les caisses, les armoires métalliques. Elle sortit de la pièce. Avança encore.

— Vous êtes là? demanda-t-elle.

— Qui est là? demanda Laura.

Puis, plus rien. Chacun retenait son souffle. Jean-Marie allait parler. Il le fallait. Il fallait qu'il dise quelque chose, n'importe quoi, qu'il dissipe le malentendu, le trouble qu'il ressentait, le malaise qu'il avait provoqué, quand soudain les accords d'une clarinette se firent entendre.

Cela provenait des toilettes des hommes. Ainsi donc, le grand Allemand s'était caché, à son tour, dans les vécés. Cela devenait ridicule. Intolérable. Pourtant, personne n'osait bouger dans la cuisine. On entendait simplement la musique. On écoutait la musique. Tout semblait si simple tout à coup. Juste être là. Écouter. Et puis le son clair de l'instrument se rapprocha. Dans le silence, on n'entendait que lui. Puis, tout à coup, le pavillon de l'instrument fit irruption entre les deux battants de la porte, puis lentement le tuyau se glissa dans la pièce et l'on vit apparaître l'objet de bois noir et luisant. Il y eut encore un éclair de lumière pendant lequel les protagonistes eurent le temps de se reconnaître. Stupeur de la part des deux jeunes femmes. Tremblement de la part de Jean-Marie.

Les deux battants de la porte se refermèrent aussitôt, plongeant à nouveau la pièce dans la pénombre. L'Allemand n'avait pas lâché son instrument, mais il avait cessé de jouer. On le vit retirer ses vêtements ou on le devina. Il était grand, bien bâti. Il n'avait toujours pas lâché son instrument. Que faisait-il avec lui? Jean-Marie sentit une main dans son cou. Une main chaude. Une main de femme. De jeune femme? Il n'aurait su le dire. On souleva son pull d'entraînement. Des mains l'examinèrent entre les jambes. Une longue chevelure se colla sur son ventre. On entendait des souffles, des râles. Des poitrines se soulevaient. Difficile de savoir ce qui se passait au juste. Cependant, on peut avancer avec une certitude relative, en se fiant aux bruits que cela faisait, que des vêtements tombaient peu à peu sur le sol.

Jean-Marie sentit une paire de fesses se coller contre son membre tendu. Il éprouva la souplesse de la peau, huma l'odeur de la chair. Tout semblait facile. Tout glissait. Autour de lui, on s'affalait sur le sol ou sur les sacs de jute, on se léchait, on suçait, on se mouvait avec lenteur, tout baignait dans une extrême sensualité. De temps à autre, bien sûr, un cri. Un «Assez». Un «Encore». Mais pas de «Oh oui, pousse, pousse, encore plus fort!» Non. C'était plus discret que ça. Plus feutré. Il y avait bien quelques bruits de succion, de va-et-vient, de corps qui poussaient, qui tiraient, mais, dans l'ensemble, c'était de bon goût.

Ainsi donc, l'Allemand ne semblait pas embarrassé avec Solange. Laura semblait s'amuser avec Jean-Marie qui, lui-même, ne semblait pas s'ennuyer avec Magdalena. À moins que ce ne fût le contraire. Mais le contraire de quoi? On changeait de position, de partenaire, en un mot, on prenait son plaisir là où on le trouvait. Tout cela était bien agréable et on ne songeait même pas à se protéger, c'est vous dire!

Après un certain temps, quand les cris et les râles se furent calmés, quand les corps couverts de sueur se furent apaisés, quand les envies et les désirs furent assouvis, les respirations tournèrent au ralenti, les êtres ici et là s'abandonnèrent au repos. Tout cela, cette effervescence, ces contacts dans la nuit, ce plaisir que l'on prend et que l'on donne, ces sensations délicates et fortes, tout cela n'avait duré que quelques minutes. C'est peu. On s'était précipité. Pourquoi? Pour ne pas trop réfléchir? Peu importe. Ce qui était fait était fait. Les corps gisaient, pêle-mêle, au milieu de la cuisine, là même où Gustave avait comparé les particules de matière aux poussières d'étoiles. On était en vie. On respirait. La Terre n'arrêtait pas de tourner pour autant, les étoiles de naître et de mourir dans le noir profond de la galaxie. À quoi pensait Magdalena? Laura? Jacob? Solange? Jean-Marie? À quoi pensaient-ils donc? Sans doute à rien. Ils respiraient. Ils se contentaient de respirer profondément – pendant qu'il était encore temps.

Et puis on se rapprocha parce que à la chaleur bienfaisante de la soirée avait succédé un peu de froidure, le bout des pieds était gelé, le bout des doigts. On se réchauffait comme on pouvait. On se collait les uns sur les autres. On se lovait contre une cuisse, un dos, une poitrine. On enfouissait sa tête sous un bras, on tirait à soi quelques vêtements. Dans le noir, il était impossible de les distinguer les uns des autres. On palpait les tissus. On palpait son voisin, sa voisine, qui était-il? Qui était-elle? Ce jeu de caresses et de tâtonnements dura quelque temps. On explorait. On se retrouvait en pays de connaissance. Le corps. Et puis on se couvrit tant bien que mal de tout ce que l'on put trouver: pantalons, chemisiers, jupes, chaussettes, collants… On se serra un peu plus les uns sur les autres. Cela en tout et pour tout ne dura que quelques heures. On ne formait plus qu'une masse informe. Un tas de peau. Un truc éphémère. Un conglomérat. Et puis quoi encore?

Tout cela ne dura que quelques heures. Maintenant il n'y avait plus rien que cette masse qui semblait dormir en silence. Il n'y avait rien d'autre.

Pourtant Jean-Marie ne dormait pas. Les yeux grands ouverts, il scrutait l'obscurité. Tout cela était bien étrange. Quelle nuit! Il avait fait l'amour avec Magdalena, il en était presque certain. Avec Laura aussi. Et Solange? Il ne savait pas. Il lui semblait qu'elle était avec Jacob. Il l'avait surpris, celui-là. À un moment, il avait senti son membre se glisser subrepticement entre ses fesses. Il l'avait repoussé. Pas dans cette direction, mon garçon. Et puis Laura s'était agenouillée devant Magdalena. Ou était-ce le contraire? Que s'était-il passé? Jean-Marie n'en savait rien. À un moment donné, les corps étaient si enchevêtrés les uns dans les autres, les uns sur les autres, qu'il était presque impossible de savoir qui faisait quoi avec qui. Et puis, quelle importance? Ce n'était pas cela qui préoccupait Jean-Marie. Quoi alors? Il lui avait semblé perdre quelque chose. Quoi? Une partie de son âme? Allons! Tout cela est ridicule, pensa-t-il.

La main de Solange se glissa dans la sienne. Elle ne dormait pas, elle non plus.

— Tu ne dors pas, Jeannot?

Non. Ses yeux brillaient dans le noir. Il se tourna vers son amie. Ses yeux brillaient aussi. Il ne faisait donc pas si noir. Non. Le temps avait passé et, du fin fond du cagibi, grâce à un espace laissé libre par le carton enfoncé dans l'ouverture de la fenêtre, parvenait une lueur diffuse. Était-ce dû à l'éclat de la lune ou au jour qui se levait? Jean-Marie eût été bien en peine de le dire. Et puis, de toute façon, il s'en fichait.

— Tu ne dors pas? répéta Solange.

— Non.

— À quoi tu penses?

Jean-Marie pensait qu'il était bien loin de sa famille. Il se demandait s'il la reverrait un jour. Il savait qu'il était responsable. Il ne comprenait pas ce qui lui arrivait, mais il savait du moins que tout était arrivé par sa faute. C'est lui qui avait pris la décision de couper tous les ponts, tous les liens qui l'unissaient à sa famille, à cette autre vie qu'il avait quittée sciemment, en toute connaissance de cause. Vraiment? se demandat-il. Savait-il vraiment ce qu'il voulait? ce qu'il faisait? N'avaitil aucun regret? vraiment aucun regret? Oui. Il avait du regret.

Il regrettait. Mais il était trop tard pour regretter. Et puis, cela servait-il à quelque chose? Cela avançait-il à quelque chose?

— Le jour se lève, dit-il.

— Je pense que oui, répondit-elle.

Puis, après un moment:

— J'ai froid.

— Moi aussi.

— Faisons du café, suggéra-t-elle.

Ils se levèrent donc et se dirigèrent vers la porte à battants. Ils entendirent des gémissements. Quelqu'un se retournait sur le plancher. Puis, plus rien. Ils atteignirent la porte. Poussèrent sur l'un des battants. Puis, nus, ils firent irruption dans une sorte de lumière glauque. Une clarté suspecte qui provenait d'on ne sait où. Ils se dirigèrent vers le comptoir. Le bruit ahurissant du moulin à café. Le percolateur. Les petites tasses. Les plateaux. Les croissants dans le micro-ondes. La confiture dans les soucoupes. Le beurre. Le lait. Ils se regardaient de temps à autre du coin de l'œil. Ils avaient peine à croire à ce qui leur arrivait, à la nuit qu'ils venaient de passer. Jean-Marie versa le café dans les tasses et, tout à coup, il parut fort étrange que, dans cet endroit désert, l'on préparât, versât et servît du café. C'est sans doute pour cette raison que Jean-Marie riait dans sa barbe. Que tous les deux avaient les yeux pétillants.

Ils revinrent dans la cuisine munis de leurs plateaux et de quelques chandelles qui rappelèrent à Jean-Marie ses premiers jours dans le café. Alors que l'Allemand mouillait l'anche de sa clarinette, ils allumèrent les mèches, firent couler la cire chaude sur le sol et les plantèrent au milieu. Laura et Magdalena se réveillèrent au son de l'instrument entourées de lumière, de café et de confiture.

Étrange réveil. Mais ce fut plus surprenant encore quand Laura prit la parole:

— « Lorsque le ciel commence à s'éclairer des lueurs du couchant, le paysan suspend sa marche au long du sentier, le pêcheur retient sa barque et le sauvage cligne de l'œil, assis près d'un feu pâlissant. Se souvenir est une grande volupté pour l'homme, mais non dans la mesure où la mémoire se montre littérale, car peu accepteraient de vivre à nouveau les fatigues et les souffrances qu'ils aiment pourtant à se remémorer. Le souvenir est la vie même, mais d'une autre qualité. Aussi est-ce quand le soleil s'abaisse vers la surface polie d'une eau calme, telle l'obole d'un céleste avare, ou quand son disque découpe la crête des montagnes comme une feuille dure et dentelée, que l'homme trouve par excellence, dans une courte fantasmagorie, la révélation des forces opaques, des vapeurs et des fulgurations dont, au fond de lui-même et tout le long du jour, il a vaguement perçu les obscurs conflits.»

— C'est bien beau, fit remarquer Magdalena. Mais je te ferai remarquer que le jour se lève.

— C'est vrai, dit Jacob qui avait laissé sa clarinette et qui mordait à belles dents dans son croissant.

— C'est très beau, dit Jean-Marie. C'est de la poésie?

— Non, dit Laura. C'est un passage de Lévi-Strauss. Je l'avais appris par cœur pour une dissertation.

— Lévi-Strauss, c'est pas une marque de jeans, ça? demanda Jean-Marie.

— Sûrement, dit Solange.

À la suite de ces observations, on mangea en silence.

Le temps passa. Chacun pensait à la nuit qu'ils venaient de vivre. En avaient-ils eu pour leur argent? Avaient-ils

assouvi leurs désirs? Étaient-ils allés au bout de leurs fan-
tasmes? Difficile à dire, comme ça, en les regardant. Impossible de savoir ce qu'il y avait dans leur tête. Pourtant, il n'y
avait pas si longtemps, Magdalena était avec Jacob. Laura avec
Yvan Bienvenu. Tout cela n'existait plus apparemment. Tout
cela était éphémère. Les jeunes femmes ne semblaient pas y
attacher une grande importance. Personne ne paraissait y
attacher une grande importance. Et, au fait, cela en avait-il?
Fallait-il attacher une si grande importance à cet aspect des
choses? Jacob ne semblait pas contrarié. Depuis qu'il avait
aperçu, tout à fait par hasard, la culotte de soie de Manon
Beauregard, depuis qu'il avait vu le corps presque nu de cette
femme, il rêvait de s'envoyer une femme mûre. Avait-il eu du
plaisir avec Solange? Était-il satisfait? Et Solange avec lui? Il
était bien membré, mais encore? Était-elle satisfaite? Était-elle
comblée? Et Jean-Marie? Il n'y avait pas si longtemps, il aurait
rêvé de faire l'amour avec ces deux jeunes femmes. Était-il
satisfait, maintenant? Était-il heureux? La réalité avait-elle été
à la hauteur du rêve? Impossible de le savoir en les regardant
simplement manger, boire leur tasse de café, comme s'il ne
s'était rien passé. Ils ne parlaient pas. Ils semblaient n'avoir
rien à dire. Après l'intervention de Laura, plutôt étrange, et
dont personne ne paraissait avoir compris quoi que ce fût, on
eût dit que chacun était entré dans son monde. Les corps
avaient parlé, c'est tout. C'était peut-être à cause de la chaleur,
de la pleine lune, de la première vraie belle journée de printemps. Il n'y avait pas d'explication possible.

Ils se levèrent, un peu engourdis. On pouvait les voir
s'agiter à la lueur pâle des chandelles. Et puis les corps nus se
couvrirent de tissus. La peau disparut peu à peu, la peau mate
et brune, derrière les couleurs. On ramassa les soucoupes, les

assiettes, les plateaux. On ramassa ses esprits. Il y eut alors un changement dans le silence. Une sorte de gêne. Ils étaient tous debout au centre de la cuisine, chacun tenant un bout de chandelle dont la flamme vacillait de plus en plus fort comme un cœur qui va s'arrêter de battre. Et puis, à cette faible lueur, ils eurent encore la force de sourire. Jacob dit en allemand :

— *Lassen wir's gut sein.*

Ce qui voulait dire : « C'était bon. » Mais tout le monde avait compris. Oui. C'était bon. Même si pareille expérience ne se reproduirait sans doute jamais. Mais qui peut savoir ?

Lorsque Luigi fit irruption dans le stationnement à bord de sa Ferrari flambant neuve, on comprit pour quelle raison on ne l'avait pas vu au Café Mollo depuis un bon moment. Ainsi donc il s'était procuré la voiture dont il avait toujours rêvé. La voiture rouge avec le cheval noir, cabré, s'immobilisa dans un crissement de pneus et un ronronnement de moteur plus que grave : viril, bourré de testostérone. Ça rugissait, mes amis. Un fier étalon. Impressionnant.

Luigi coupa le contact. Silence automatique. Satisfaction plus qu'évidente du propriétaire. Il eut quelque peine à sortir de l'engin, mais lorsque ce fut fait, il resta un moment béat d'admiration devant la merveille. Puis il claqua la porte. Actionna le système d'alarme. Fit quelques pas. Revint vers la voiture. Et, dans le petit matin d'avril, versa une larme. Ému. Puis, bon, quand même, se dirigea vers le café.

Il fut particulièrement satisfait de constater que tout le monde était déjà à son poste. Même qu'il félicita Jacob qui, contrairement à son habitude, était à l'heure. On sourit beaucoup, ce matin-là, dans le Café Mollo.

22

Par une journée grise et pluvieuse du pourtant beau mois de mai, le mois de Marie, le mois le plus beau, le maire de la ville, Éloi Bélanger, un petit homme à moitié chauve, à la couronne de cheveux blancs et aux petites lunettes rondes, sautilla entre les flaques d'eau du parking. Il avait relevé le col de son imperméable brun ou beige, difficile de savoir avec ce crachin, et il poussa la porte du Café Mollo. Aussitôt arrivé dans le vestibule, il secoua ses souliers vernis dont le cuir souple demeura néanmoins détrempé.

À ce moment-là, Jean-Marie n'occupait plus le banc de bois depuis belle lurette, mais on avait conservé le panneau de plastique qui rappelait à tout le monde la nature de ses exploits, c'est-à-dire, d'une façon plus prosaïque, le nombre de jours pendant lesquels il avait squatté le café. Mais, entendons-nous : squatté avec la bénédiction de la direction, encouragé, même, comme on sait.

Le maire fixa le panneau, mais il n'y voyait absolument rien. Il retira ses lunettes et essuya la buée qui les recouvrait. Eh bien ! Trois cents jours ! On ne lui avait pas menti. Il y avait bien un spécimen rare dans sa ville. Il était temps qu'il vienne constater par lui-même, *de visu*, de quoi il retournait. Bien sûr, il en avait entendu parler, il avait même lu quelques articles sur le sujet, mais il attendait d'avoir une raison valable pour entrer dans le café. Un maire ne se déplace pas comme ça, sans raison, par simple curiosité. Le prétexte, c'est Tony qui le lui avait fourni. Une demande, en bonne et due forme, était parvenue au bureau de la Ville. En gros, les patrons du Café Mollo désiraient pouvoir installer dans le parking un carrousel, des kiosques, des tentes, bref, de quoi fêter la première année complète de leur protégé dans l'enceinte du Café Mollo. Ils voulaient également engager des clowns, des jongleurs, et faire flotter au-dessus du site une montgolfière géante en forme de grain de café.

En principe, obtenir une permission de ce genre n'aurait pas dû poser de problème. Mais, curieusement, il se trouva des citoyens pour s'y opposer. On craignait des débordements. Que des admirateurs trop enthousiastes saccagent les environs. Il y avait le paysage mais aussi le bruit. Les environnementalistes s'y opposaient farouchement, même si on leur avait expliqué que tout ce cirque ne devait durer qu'une journée. La demande s'était ébruitée, on ne sait comment. Il y avait eu des séances houleuses au conseil et, pour finir, certains conseillers municipaux s'étaient rangés du côté des plaignants. La salle s'était divisée en deux et le maire devait choisir son camp.

En poussant un soupir d'une extrême lassitude, il baissa le col et desserra la ceinture de son imperméable.

Bon. On allait devoir aviser. Rencontrer au moins ce Tony Alzaco responsable du projet. Bravant la foule extrêmement compacte à ce moment-là, Éloi Bélanger tenta de se diriger vers le comptoir, mais un mouvement de clients, semblable à une lame de fond ou à un raz-de-marée, sembla le submerger, en tout cas le soulever, en tout cas le diriger vers le côté gauche, c'est-à-dire vers le nord, et il se retrouva bientôt à quelques pas de Jean-Marie, derrière son chevalet, qui semblait peindre dans une clairière. En tout cas, c'est l'image qui se présenta à l'esprit du maire.

Contrairement à ce que celui-ci aurait pu supposer, Jean-Marie ne ressemblait pas à un animal en cage bien qu'il fût enfermé dans le café depuis bientôt un an. Au contraire. Le maire avait devant lui un homme qui lui semblait d'une prodigieuse vitalité, d'une extrême vigueur et d'une effarante liberté. Un ours mal léché, mais libre. Tout le contraire d'un lion en cage. Surprenant. Stupéfiant. À côté de lui, du côté est, une magnifique peinture murale occupait tout le mur, de haut en bas. Des couleurs. De la lumière. De l'or. À tel point que le maire fut ébloui. Et puis, il y avait ces tableaux accrochés au-dessus des fenêtres, au-dessus d'un long banc turquoise sur lequel étaient entassés une vingtaine de clients qui parlaient fort, riaient, fumaient, buvaient ou mangeaient un morceau. Des peintures qui représentaient toutes sortes de personnages étranges, drôles, pathétiques, des hommes, des femmes, de jeunes gens, quelques enfants, mais aussi des natures mortes, un oiseau, une voiture blanche dans la neige, des soleils qui se lèvent, la lune, et puis quelques nus. Il se dégageait de toutes ces toiles un sentiment de liberté, de beauté, de recherche de la beauté. Éloi Bélanger songea : de poésie. Oui, c'était bien cela : de poésie. Comme si l'artiste avait voulu transfigurer ce qui se trouvait autour de lui. En découvrir le sens. Mais qu'est-ce qui faisait donc la beauté de ces toiles, leur attraction ? Le mouvement ? La couleur ? La vie ? Oui. C'était bien la vie. Ces toiles étaient vivantes. Elles racontaient la vie d'un homme dans un café et tout ce qui l'entourait : le café dans le parking, le parking dans la ville, la ville sur la Terre, la Terre entourée d'étoiles, les étoiles parmi les planètes et la Voie lactée dans l'Univers. Était-ce une hallucination? Une illusion? Le maire avait l'impression que tout tournait autour de lui. Il venait admirer un phénomène et tombait sur un artiste comme on en voit peu dans une vie. Il fut envahi d'un sentiment d'urgence. Il voulut absolument communiquer ses impressions. Qui d'autre, mieux que les patrons du café, étaient à même de le comprendre et de partager son sentiment, son enthousiasme?

Bravant la tempête et prenant son courage à deux mains, il rebroussa chemin tant bien que mal, plutôt mal que bien, arriva au comptoir l'imperméable déboutonné et la monture de ses lunettes de travers.

— Je... Je peux parler au patron? dit-il.

— Qui? demanda Laura.

Ce visage, ce corps, lui rappelaient quelque chose. Il avait la sensation de les avoir vus quelque part. Cette jeune femme... Mais oui. Mon Dieu! Son corps nu, il l'avait remarqué sur l'une des toiles. Il avait admiré son corps. Ses hanches, ses seins, son pubis, ses lèvres roses. Éloi Bélanger tenta de se reprendre, de chasser ces images. On le bousculait. Avant de disparaître une nouvelle fois dans le raz-de-marée qui allait l'envahir, le submerger de nouveau, il reprit plus fort, beaucoup plus fort, comme un naufragé qui se noie:

— Euh... Tony... Tony Alzaco. Il est ici?

Tony était là naturellement. Il y avait aussi Luigi et Juliette, sa femme, qui était venue leur prêter main-forte.

À ce moment-là, le Juventus de Turin venait de remporter son vingt-sixième championnat d'Italie et Luigi ne tarissait plus d'éloges sur son équipe. Il brandissait même une photo de son joueur étoile, le meilleur buteur du championnat, David Trezeguet, auteur d'un but, à Udine.

— Regardez comme il est beau, mon David! Ah qu'il est beau l'animal!

Il était d'autant plus beau que les partisans du Juve, fous de joie, lui avaient piqué son uniforme et qu'il se promenait sur le terrain de soccer en slip blanc.

— T'as vu sa tête? demandait Luigi à un client.

Il faisait allusion au but que Trezeguet avait marqué à la deuxième minute, en reprenant de la tête un centre du milieu de terrain, Antonio Conte.

— J'ai vu, disait le client, un partisan du Canadien, plutôt intéressé par les séries éliminatoires de hockey auxquelles allait enfin participer son équipe.

— L'Udinese n'était pas là, disait Tony.

— Un peu qu'elle était pas là, disait son père.

Laura s'approcha de Tony.

— Le monsieur voudrait te parler.

— Je peux vous aider, monsieur? demanda Tony.

— Oui, euh... balbutia le maire. Je suis le maire et...

— Ah oui! s'exclama Tony. Venez avec moi.

Ce n'est pas que le maire ne voulait pas, mais la foule était si dense qu'il n'arrivait pas à se créer un passage. Tony hurla:

— S'il vous plaît! Laissez passer monsieur le maire!

Cela contribua à dissiper quelque peu les curieux, et le maire put rejoindre Tony dans le couloir menant à la cuisine. Ce n'est qu'une fois derrière la porte à battants que le maire put reprendre son souffle.

— Nous avons un problème! attaqua Tony tout de go. Le manque d'espace.

— Je vois, fit le maire. Vous n'avez pas à prêcher un converti.

Tony ne comprit pas ce que le maire voulait dire, mais il poursuivit :

— Nous voulons agrandir.

— Oui, je sais, dit le maire. J'ai vu votre demande de permis. Ce n'est pas le problème. Mais le chapiteau, les tentes, l'orchestre, les kiosques, les stands de tir, le carrousel...

— Magnifique carrousel, dit Tony. Nous faisons affaire avec une firme spécialisée dans la location de manèges. Ce ne sera pas n'importe quel manège. C'est une pièce de collection qu'ils sortent uniquement pour les grandes occasions. Un carrousel italien dont les chevaux sont faits à la main, avec une véritable crinière de cheval. Le manège possède aussi un très beau plancher d'acajou.

— Oui, je sais bien, dit le maire, c'est très beau, c'est très bien, mais la montgolfière, tout de même...

— Écoutez. Nous allons avoir toutes les assurances voulues. Et puis elle va avoir la forme d'un grain de café ! Avouez que c'est original...

— Euh... oui... dit le maire, un peu dépassé par les événements et le débit ultra-rapide de son interlocuteur. Mais un monstrueux grain de café dans le ciel, je ne suis pas sûr que mes concitoyens...

— Écoutez, dit Tony, ce n'est que pour une journée, hein ? Je suis sûr que nous pouvons nous entendre...

— Il y a aussi l'orchestre, vous savez, vous connaissez nos concitoyens...

— On mettra des sourdines aux trompes, dit Tony en riant et en lui tapotant l'épaule.

— Oui, bon, je veux bien, mais...

— Allez, c'est d'accord ? Une tasse de café ?

Sur ce, Luigi entra dans la cuisine avec la photo de Treze-guet en slip.

— Mon père, dit Tony.

— Enchanté, monsieur le maire, déclara Luigi en lui ten-dant la main.

— Monsieur le maire va prendre une tasse de café, lui dit Tony.

— Très bien.

Et, tandis que Tony s'éclipsait, le maire reprit :

— Je faisais part à votre fils de mes craintes concernant cette fête que vous voulez organiser…

— Asseyez-vous, lui dit Luigi. Donnez-moi votre imper-méable. Sale temps pour un mois de mai, hein ? Vous vous intéressez au soccer ?

— Pas tellement, dit Éloi Bélanger.

— C'est dommage. On a beau être loin de son pays, on suit quand même ce qui se passe, hein ?

— Oui, dit le maire. À propos de la fête…

— Prenez le temps de vous installer, dit Luigi.

— Oui, merci.

Sur ce, Tony entra dans la cuisine avec la tasse de café.

— Un peu de cognac ? lui demanda Luigi.

— Non, non, protesta le maire.

— Allez ! Il faut fêter ça ! dit Luigi.

Puis il disparut avec son imperméable et revint avec une bouteille de Gaston de Lagrange.

— Vous êtes bien, là ? lui demanda Tony.

— Oui, dit le maire.

Donc, assis tous les trois, à la table de la cuisine, ils discu-taient. Le maire buvait à petites gorgées un excellent café, géné-reusement arrosé, sous le regard attendri des deux Italiens.

— Vous avez vraiment un phénomène dans votre café, leur dit le maire. Un véritable artiste.

— Oui, c'est un artiste, dit Tony.

— Je comprends que vous vouliez souligner son exploit, leur dit le maire. Mais j'ai peur que cela provoque des remous parmi la population.

— J'ai une idée, dit Tony.

— Mon fils a toujours de bonnes idées, dit Luigi. Il a fait des études en marketing.

— Je vous écoute, dit le maire.

— Vous savez, j'ai lu votre feuillet sur La Route verte à Label. Vous savez, ce circuit cyclable qui traverse le Québec d'est en ouest et du nord au sud.

— Oui, oui, dit le maire. Bien sûr.

— Le premier tronçon s'étend depuis Aylmer jusqu'à Gaspé. La route numéro deux joint Ville-Marie en Abitibi-Témiscamingue à Rouses Point dans l'État de New York. Ce dernier circuit traverse le centre-ville de Label au cœur même de l'agglomération. Et j'ai lu dans votre feuillet... Attendez un peu...

Tony sortit de la poche-revolver de son pantalon un dépliant en papier glacé représentant un plan d'aménagement des pistes cyclables de la ville de Label et comprenant les tracés proposés.

— Il est écrit ici: «Les cyclistes tireront avantage de la proximité des restaurants, des services de toutes sortes et des parcs.»

— Oui, dit le maire qui attendait toujours de savoir où Tony voulait en venir.

— Voilà, dit ce dernier. Faisons de Jean-Marie une attraction touristique. Faisons passer cette route devant le Café

Mollo et invitons les gens à y entrer. Imaginez l'impact. On va venir de partout pour admirer le phénomène. Imaginez la notoriété de la ville. Imaginez son image de marque.

Le maire réfléchissait. Au fond, l'idée n'était pas bête, elle était pleine de bons sens. Après tout, Chambly avait bien son festival de la patate, Tracy, quoi qu'on en dise, était le royaume de la poutine. Dans cet ordre d'idées, pourquoi Label n'assumerait-elle pas son statut de ville d'art et de culture en exhibant aux passants son homme-café? Éloi Bélanger savait bien que sa réélection était loin d'être assurée…

— Il faudrait que j'en discute avec les membres du conseil municipal, dit-il.

— Bien sûr, dirent les deux hommes.

— Cependant, un doute m'assaille, dit-il. J'ai des scrupules.

— Ah? firent les deux Alzaco, hautement intrigués.

— Oui. Si Jean-Marie constituait un élément d'un guide touristique, il faudrait s'assurer qu'il soit installé ici à demeure. Or, j'ai cru comprendre qu'il désirait établir une sorte de record. Que se passera-t-il quand il aura établi son record, qu'il sera homologué et qu'il se retrouvera dans le Livre des records? Ne tentera-t-il pas alors de s'en aller? Ne quittera-t-il pas le Café Mollo à ce moment-là? Vous comprenez, on ne peut pas imprimer n'importe quoi.

— Ah? firent les deux Alzaco, hautement intrigués.

— C'est-à-dire, reprit le maire, pouvez-vous m'assurer qu'il restera ici au moins pour les quatre prochaines années?

Cette fois, ce fut Luigi qui prit la parole. L'âme humaine, c'était son domaine.

— Écoutez, monsieur le maire, dit-il en mettant sa grosse main poilue sur celle, beaucoup plus petite, du maire.

Jean-Marie n'est pas un homme ordinaire. C'est un artiste. Un vrai. Vous comprenez? C'est un homme qui recherche quelque chose. Qu'est-ce qu'il recherche, ça, on ne sait pas. C'est peut-être la beauté, c'est peut-être la vérité, ça, on ne peut pas savoir. Mais nous on sait, hein? Ce qu'il cherche, il ne peut pas le trouver. Il ne pourra jamais le trouver. C'est ça, l'art. C'est ça, les artistes, hein? Des chercheurs d'or. Mais il n'y a pas d'or. C'est ça le problème.

— Pourtant, dit le maire, j'ai cru voir de l'or sur la murale.

— C'est de la peinture, dit Luigi. Je suis bien placé pour le savoir, c'est moi qui achète les tubes...

— Excellent investissement, commenta Tony.

— Oui, excellent, je dois l'admettre, dit Luigi. Au début, je n'étais pas sûr, mais mon fils avait raison. Et c'est ce qui va se passer pour vous aussi. Pour la ville. Ce sera bon pour la ville.

Mais le maire avait encore un doute. Il avait besoin de se faire rassurer.

— Alors vous pensez que...

— Il ne sortira jamais d'ici, dit Luigi. Croyez-moi. Cet homme-là a tout perdu, il a tout quitté pour sa quête insensée: sa femme, ses enfants... Vous pouvez être tranquille. Vous connaissez Jacques Lacan, monsieur le maire?

Éloi Bélanger, qui avait des lettres, avait lu le *charlacan*, selon les uns, le génie selon les autres, mais il y avait bien longtemps de cela, et il n'en avait pas retenu grand-chose.

— Jacques Lacan, grand psychiatre français, a déjà dit ceci, pontifia Luigi Alzaco: «L'objet du désir est toujours perdu.» Toujours, vous comprenez? Et c'est pour ça que Jean-Marie ne sortira jamais d'ici. Jamais.

À la suite de cette assertion, il y eut un fameux silence dans la cuisine. Éloi et Tony regardaient le patron avec des yeux exorbités. Tony ne savait pas où son père avait pu pêcher cette référence. Quant au maire, intrigué lui aussi, il se demandait surtout pourquoi le patron faisait un lien entre peinture et désir, art et psychanalyse.

— Ben quoi? dit Luigi qui sentait les regards des deux autres. Je suis con, peut-être? Quand je vois des magazines qui traînent sur les tables, je les lis. Je suis pas plus fou qu'un autre.

— Sûr, papa, dit Tony.

Et le maire, pour ne pas être en reste, crut bon d'ajouter :

— «Ce n'est pas la volupté de l'épicurien, c'est plutôt la sensualité claustrale...»

— Euh... ouais, probablement, dit Tony qui ne connaissait pas Baudelaire.

Et sur ce, les trois hommes entreprirent joyeusement, méthodiquement, de vider la bouteille de cognac.

Pendant ce temps, dans le café bondé et enfumé, Méo récitait un poème d'Hélène Dorion :

— «Une particule d'ailleurs et d'autrefois ; un désir provisoire de l'univers ; un trajet possible du temps ; peut-être ne suis-je que cela.»

Et Jean-Marie qui était à côté, en train d'appliquer la peinture sur la toile, dans la poussière de l'après-midi, se dit «Oui, peut-être bien, peut-être...» dans son for intérieur.

Jacob, Laura, Magdalena, et Solange qui était à quelques pas de là, le regardèrent en souriant. Et Jean-Marie, toujours à sa toile, leur sourit aussi. C'était une belle journée de pluie. Une belle journée d'ennui. À la radio, une ballade de Léo Ferré : *Les poètes*. Ou était-ce *Avec le temps*?

23

On avait commencé à ériger des clôtures le long du parking. Quant aux voitures, on avait aménagé un espace sur le terrain d'en face, un terrain vague, quelque peu raboteux, pour les contenir. On avait commandé de grandes affiches que l'on avait clouées sur des panneaux de plastique, eux-mêmes installés sur des structures de bois. On pouvait les voir de loin des deux côtés de la route : PARKING DU CAFÉ MOLLO ; STATIONNEMENT GRATUIT ; COME ON IN ; CAFÉ MOLLO'S PARKING. D'autres affiches annonçaient l'événement : VENEZ VOIR L'ÉNERGUMÈNE ; UN AN DANS LE CAFÉ, ÇA SE FÊTE ; ON EST FIER DE L'HOMME-CAFÉ ; JE ME SOUVIENS DE JEAN-MARIE ; COME AND SEE ; WHAT YOU SEE IS WHAT YOU GET ; YOU GOT TO BELIEVE IN JEAN-MARIE, THE MAN IN THE COFFEE. Des camions avaient livré du matériel sur le site et des hommes s'affairaient à installer la toile du grand chapiteau sous laquelle on monterait l'estrade pour l'orchestre, la piste de danse, les consoles d'éclairage et de son, les amplificateurs, les trépieds, les projecteurs. Il y avait aussi quelques menuisiers qui fabriquaient des stands de tir à la carabine et des kiosques où l'on pourrait acheter des t-shirts et des pulls d'entraînement en batik reproduisant les dessins de Jean-Marie. Le carrousel en provenance d'Italie n'était pas encore arrivé, mais il n'allait pas tarder. On lui avait réservé un emplacement, déjà clôturé, du côté nord. Bref, les préparatifs allaient bon train en ce beau mois de juillet ensoleillé. Deux semaines plus tard, le 20 juillet exactement, il y aurait trois cent soixante-cinq jours que Jean-Marie avait mis les pieds dans le café pour la première fois.

Oui, vraiment, une belle journée. À l'intérieur du Café Mollo, chacun était à son affaire, bien concentré. Une mécanique bien huilée, bien rodée. Méo était à sa place habituelle derrière le comptoir, il faisait chanter les machines, jonglait avec les tasses. Gustave servait aux tables. Juliette préparait des scones, des sandwichs et des gâteaux. Tony discutait avec Solange de production de t-shirts et de chandails à manches longues, de commissions et de l'emplacement de son kiosque, tout en surveillant du coin de l'œil les menuisiers et les électriciens qui travaillaient dans le parking. Jacob, derrière le comptoir, préparait les plateaux. Laura était à la caisse. Magdalena arrosait les plantes, qui en avaient bien besoin, débarrassait les tables, vidait les cendriers. Et Luigi discutait dans la cuisine avec les fournisseurs, passait des commandes plus importantes que d'habitude en prévision de la foule qu'ils attendaient pour la fête.

Quant à Jean-Marie, il était entouré de clients qui venaient le voir de plus en plus souvent pour lui parler, lui demander des autographes ou plus simplement pour admirer son travail. Il faut dire à ce sujet que ses toiles étaient de plus en plus explicites. Elles représentaient la plupart du temps des couples qui faisaient l'amour, des nus, il y avait même plusieurs scènes de partouze. Les corps lascifs et sensuels étaient représentés dans des poses qui ne laissaient guère de place au doute. Les hommes étaient hardis, les femmes sensuelles, et Jean-Marie qui trônait derrière son chevalet dans un short orange fluo que Solange lui avait offert barbouillait sa toile de grands coups violents. Il ressemblait assez à un demi-dieu, les cuisses musculeuses, les mollets bien ronds – sans doute l'habitude d'être debout –, le tout recouvert d'une toison noire frisée. Autant dire qu'il était plus séduisant que jamais et les femmes autour de lui avaient peine à ne pas se traîner à ses pieds – barbouillés de peinture. C'était une belle journée chaude et il y avait dans l'air une sorte d'odeur de luxure qui flottait, qui se répandait dans les esprits. Et puis de la terrasse venait aussi un petit vent doux qui dissipait la fumée de cigarette. Les homme étaient beaux. Les femmes étaient sexy. Il y avait beaucoup de mouvement. Beaucoup d'agitation. Pour tout dire, beaucoup d'excitation dans le café quand le curé du village, Arthur Simard, fit son entrée, comme une apparition, entre deux nuages de fumée de pipe.

C'était un homme de soixante-quatorze ans, encore vert, d'un vert céladon. Il était fourré dans un costume gris défraîchi au faux col blanc empesé. Ses dents étaient presque entièrement mangées par la nicotine, mais ses cheveux gris et courts, séparés sur le côté, tenaient encore le coup. Ajouté à cela, il portait sur le bout du nez des lunettes dont les verres étaient aussi épais que des fonds de bouteille. Malgré cela et contrairement au maire, il repéra tout de suite sa brebis égarée. Il fendit la foule et arriva devant le peintre au short orange fluo. Il marqua un temps d'arrêt. Peut-être à cause du short, peut-être à cause des toiles autour de lui, appuyées sur les murs et sur le dossier des chaises. De belles toiles, ma foi, représentant de jeunes gens faisant l'amour de toutes les façons possibles. Le curé en manifesta un certain étonnement, peut-être un certain plaisir, en tout cas, une curiosité évidente.

Puis, se reprenant, il s'éclaircit la voix pour attirer l'attention de l'artiste.

— Bonjour, mon frère, dit-il.

Jean-Marie, qui n'avait plus de frère et qui, de toute manière, ne s'était jamais fait appeler «mon frère» de cette façon, releva la tête, fort surpris, et considéra un long moment le personnage étrange qui dansait d'un pied sur l'autre devant lui.

— Je suis le curé du village, lui dit Arthur Simard.

Jean-Marie remarqua alors le faux col blanc et il en ressentit une sorte de malaise. Il revint à sa toile qui représentait une femme aux formes pleines, étendue sur un sac de jute, dans une position lascive et le regardant avec des yeux alanguis. La chute des reins, la gorge profonde, et la blessure, là, au centre de la toile. Ouverte. Palpitante. Le curé toussa un peu. Assez pour ramener Jean-Marie à la réalité.

— Je peux m'asseoir? demanda-t-il.

Jean-Marie regarda autour de lui.

— Euh... Oui.

Il fit signe au prêtre de retirer le tableau qui encombrait le fauteuil devant lui.

En saisissant le cadre de bois, le curé tomba nez à nez avec une magnifique paire de fesses, et il sourit malgré lui.

— C'est... C'est intéressant, dit-il.

— Oui, approuva Jean-Marie.

Quand le prêtre se fut débarrassé de l'œuvre d'art, il se cala dans le fauteuil Voltaire et demanda:

— Où prenez-vous vos sujets? Si ce n'est pas indiscret...

— Je peins ce que je vois, dit Jean-Marie en essuyant son pinceau.

— Je vois, fit le prêtre, dubitatif. Vous peignez ce que vous voyez. En somme, vous avez des visions.

— C'est ça, dit Jean-Marie.

— C'est bien. C'est très bien. Vous savez que notre Seigneur, Jésus-Christ, dessillait les yeux des aveugles. Rendait la vue aux aveugles...

Jean-Marie, qui ne voyait pas très bien en quoi Jésus-Christ était «son» Seigneur, qui ne semblait pas tenir pour acquis qu'il le fût, qui ne comprenait pas pourquoi le curé avait voulu l'inclure dans un syntagme nominal comme «notre Seigneur», dit tout de même, sans doute par politesse:

— Oui, je l'ai entendu dire...

Le curé paraissait satisfait. En tout cas, il poussa un soupir d'aise et retira une cigarette de son paquet. Il l'alluma aussitôt. Jean-Marie vint le rejoindre.

— Avez-vous la foi? demanda le curé.

— Pardon?

— Croyez-vous en la résurrection de la chair?

— Que voulez-vous dire? demanda Jean-Marie.

— Vous êtes baptisé, non?

— Sans doute, dit Jean-Marie. Mais il y a longtemps. Je ne suis pas sûr de m'en souvenir...

— Vous avez le sens de l'humour, lui dit le curé, c'est bien. Mais avez-vous conscience de ce que vous faites ici? Vous croyez sans doute accomplir une sorte de rédemption. Vous croyez sans doute vous racheter pour quelque péché que vous avez commis.

— Je ne sais pas.

— Peut-être vous croyez-vous en faute. Peut-être cherchez-vous à vous punir. À vous mortifier.

— Je ne sais pas, dit Jean-Marie en s'essuyant les mains.

— Vous savez, je ne suis pas venu ici pour vous faire la morale. Mais vous êtes baptisé. Vous avez fait baptiser vos deux enfants dans mon église et je me sens des responsabilités envers vous et envers vos enfants.

— C'était une question pratique, dit Jean-Marie.

— Peut-être, dit le curé. Mais ces enfants ont des droits. Je ne sais pas si vous vous rendez compte de ce que vous faites. En réalité, je ne le pense pas. Ces enfants ont besoin de leur père. Et votre femme aussi. Elle a besoin de vous.

— Je ne le crois pas, dit Jean-Marie.

— Vous ne le croyez pas?

— Non.

— Qu'est-ce qui vous fait penser ça? Qu'est-ce qui vous fait penser qu'elle se débrouille bien toute seule avec ces deux enfants?

— Je ne crois pas qu'elle soit toute seule, comme vous dites, dit Jean-Marie.

— C'est donc ça, dit le curé.

— C'est donc ça quoi?

— Je ne veux pas entrer dans votre vie privée. Mais y a-t-il eu adultère?

— Non. Vous n'y êtes pas du tout.

— Alors expliquez-moi. Dites-moi ce que vous faites dans ce café au lieu d'être chez vous avec les vôtres. Vous savez, j'aimerais comprendre ça.

— J'aimerais le comprendre aussi.

— Alors vous ne le savez pas?

— Non.

— Vous n'avez aucune idée de ce qui vous a poussé à vous réfugier ici.

— C'est bien ça.

— Vous me faites de la peine. C'est bien simple, j'ai pitié de vous.

— Alléluia, dit Jean-Marie.

— Mon frère, mon frère…

— Je ne suis pas votre frère ! hurla Jean-Marie.

— Bon. Très bien. Calmez-vous. Je ne reviendrai pas sur ce chapitre, lui dit le curé.

Sur ces entrefaites, Juliette, qui avait observé la scène du coin de l'œil, de loin, crut bon de s'approcher et de demander à l'ecclésiastique s'il désirait boire quelque chose. Comme il était quinze heures trente et que l'homme d'église avait l'habitude de prendre le thé, il commanda un thé noir, un Darjeeling, et Jean-Marie, pour ne pas être en reste, demanda un thé parfumé, le Earl Grey, aux effluves de bergamote.

Puis les deux hommes gardèrent un silence poli. À ce moment-là, et comme par hasard, on jouait à la radio *Tea for two*, de Bob Zurk. Juliette revint avec les infusions de thé. Elle déposa les tasses et les théières sur la table. Puis elle trottina vers la cuisine. Peu de temps après, elle revenait avec un plateau contenant des scones, des petits gâteaux, des sandwichs coupés en pointes, en rectangles, en carrés et à l'emporte-pièce. Elle déposa également un pot de crème du Devonshire de marque Somerdale.

— Ma foi ! s'exclama le curé tout excité. C'est beaucoup trop !

— Pensez-vous, monsieur le curé. Ça me fait plaisir.

— On se croirait dans un salon de thé.

— C'est un peu ça l'idée, dit Juliette. Je pense aménager un espace pour ça quand on va agrandir. Goûtez, dites-moi si c'est bon.

Puis, comme le curé semblait hésiter entre deux pointes de sandwichs, elle expliqua :

— Ici vous avez du poulet tranché, avec des tranches de mangue. Ici, truite fumée, avec cresson, beurre. Là, c'est des fines tranches de concombre, radis, beurre. Ici, tranches de tomate, feuille de basilic, mayonnaise. Ici, rôti de bœuf et *chutney* aux fruits.

— Je vois, fit le curé en engloutissant deux ou trois sandwichs.

Puis Juliette présenta les gâteaux :

— Choco-framboise, éponge à la crème et aux fraises, parfum citron et orange…

— Je vois, fit le curé en engloutissant deux ou trois gâteaux.

Puis, selon l'étiquette du thé, il beurra de crème Devon le bout d'un scone, y superposa de la confiture et planta ses chicots dans le gâteau.

— Ah ! Délicieux, dit-il. Vos scones sont moelleux. Comment vous faites ? Je m'y suis déjà essayé, mais les miens sont trop compacts…

— Vous avez trop pétri la pâte, lui dit Juliette.

— Probablement. Et puis le centre n'est jamais assez cuit…

— Peut-être les avez-vous déposés trop bas dans le four.

— Peut-être, dit le prêtre. Quoi qu'il en soit, les vôtres sont excellents.

— Je suis très heureuse, dit Juliette.

— C'est carrément divin, dit-il en se léchant les doigts.

Pendant ce temps, Jean-Marie faisait un croquis d'une théière et de quelques gâteaux.

— Ils sont jolis, hein, lui dit Juliette.

— Très inspirant, lui dit Jean-Marie.

— Bon, je vous laisse, dit-elle. Je ne veux pas vous déranger…

Le prêtre allait protester, mais l'Italienne était déjà loin.

— Vous ne mangez pas?

— Je veux les dessiner avant qu'ils disparaissent.

— Vous me faites penser à Diogène. Vous savez, ce philosophe grec de l'école cynique de Sinope. Il avait répondu à Alexandre le Grand qui lui avait demandé ce qu'il désirait : Que tu t'ôtes de mon soleil. Allez-vous en arriver là? Il ne faut pas être tant obsédé par son travail. Il faut prendre le temps de vivre. De goûter aux bonnes choses de la vie…

Jean-Marie sourit.

— Ma cuisinière n'est pas très efficace, dit le prêtre. De toute façon, je n'ai plus les moyens de la payer. Pour tout dire, elle est partie. Et le toit coule. Vous savez, le toit de l'église. C'est assez gênant. Tant que c'est dans la sacristie, ça se prend encore bien, mais quand ça coule dans le transept puis dans les bas-côtés… Remarquez que c'est pas qu'il y ait foule… Ça fait partie du problème. Si on avait plus de monde, ça serait plus facile pour la dîme… Alors quand j'ai vu que vous organisiez une grande kermesse, j'ai pensé que ça serait une occasion idéale pour…

— Je n'organise rien, moi, dit Jean-Marie.

— Je sais bien. Mais c'est vous que l'on fête, non? C'est votre exploit. Alors je pense que vous pouvez en faire profiter notre communauté.

— Comment?

— Laissez-moi passer la quête. Ou alors, encore mieux : faites-moi fabriquer un kiosque…

— Mais ce n'est pas moi qu'il faut voir pour ça, dit Jean-Marie.

— Vous pouvez en toucher un mot aux patrons. Vous annoncez une grande kermesse. Vous savez ce que ce mot veux dire : messe d'église. Fête patronale villageoise, foire annuelle célébrée avec de grandes réjouissances en plein air…

— Je n'annonce rien, moi, s'emporta de nouveau Jean-Marie.

— Oui, il ne faut pas compter sur vous pour annoncer la bonne nouvelle. Mais parlez simplement aux patrons, d'accord ? Je suis sûr que si la demande vient de vous…

— Tiens donc, je peux vous être utile ?

— Que voulez-vous : il faut faire contre mauvaise fortune bon cœur. Vous êtes une grande vedette, monsieur Lalonde. Il faut profiter de votre statut.

Avait-il dit : « pendant que ça passe » ? Difficile de le savoir. Mais il est certain qu'il avait marmonné quelque chose en prenant une autre bouchée de scone bien moelleux, bien beurré de crème du Devonshire et de confiture.

Jean-Marie buvait son thé. Le curé sirotait le sien.

— Nous sommes tous punis, dit Jean-Marie. Et personne n'est récompensé. Parce que nous allons tous mourir.

— Vous ne croyez pas au mot de Hugo ?

— … ?

— « C'est le bonheur de vivre qui fait la gloire de mourir. »

— Ah oui. « La gloire est le soleil des morts », disait Balzac.

— Vous avez lu Balzac ?

— Quand j'étais jeune.

— Parlez-moi de votre jeunesse.

— Je n'ai pas grand-chose à dire là-dessus, répondit Jean-Marie.

Il vida sa tasse et revint derrière son chevalet.

— Je n'aime pas revenir en arrière, reprit-il.

— Mais vous allez parler de moi? de mon kiosque?

— Je ne sais pas, dit Jean-Marie.

— Un toit qui coule. Il faut le réparer, dit le curé.

— Vraiment? dit Jean-Marie. Et pourquoi?

— Pour qu'il cesse de couler. Pour protéger nos concitoyens.

— Je ne suis pas sûr qu'ils aient besoin d'une église pour ça, dit Jean-Marie.

— Il faut bien qu'ils se mettent à l'abri quelque part, dit le curé.

— À l'abri de quoi? demanda Jean-Marie.

— À l'abri du mal.

— Ne me faites pas rire.

Ils continuèrent à discuter ainsi pendant un moment. Ils évoquèrent Jean-Jacques Rousseau et l'un d'eux dit: «Vous jouissez mais j'espère, et l'espérance embellit tout.» Il est dommage que le brouhaha qui sévissait à ce moment-là nous ait empêché de distinguer qui des deux avait prononcé la formule. Quoi qu'il en soit, c'est certainement Voltaire qui aurait eu le dernier mot: «La conversation est la communication de nos faiblesses.»

Pour finir, les deux hommes regardèrent l'érection du ballon dirigeable. Tel un gigantesque maragogype, arabica hybride venu de Bahia au Brésil, l'aérostat, formé d'une enveloppe remplie d'air chauffé et dilaté par un foyer placé dessous, s'éleva lentement dans le ciel pur débarrassé de ses petits nuages blancs. Quelle vision!

24

Jacob ne jouait pas seulement de la clarinette. Il jouait aussi de la trompette et faisait partie d'une fanfare comprenant trompettes, bugle, trombone, barytons et timbales. Trois timbales. Trois énormes timbales formées d'un bassin hémisphérique en laiton couvert d'une peau tendue. Les trois épouvantables instruments à percussion étaient disposés au fond de la scène. Devant se trouvaient les instruments à vent.

Alors que le soleil colorait à peine de ses faibles rayons la voûte nébuleuse de ce coin de ciel bleu, les musiciens réunis dans le petit matin pour une répétition – *a rehearsal* – décidèrent de pratiquer le *Concerto for timpani* de Jaromir Weinberger. Ce concerto en trois mouvements – *allegro, andante sostenuto* et *vivace* – aurait pu jeter un mort en bas de son lit.

En tout cas, il jeta Jean-Marie en bas de son sac de jute. Encore hagard, les yeux écarquillés, la mine défaite, l'air terrorisé, il regarda autour de lui comme si on venait de l'attaquer au lance-roquettes et se protégea le visage de son bras replié comme s'il était sous le feu d'un bombardement ou d'une pluie de missiles air-sol. Rien de tout cela. Il s'agissait des trompes de la renommée – dont les pavillons, de toute évidence, n'avaient pas été munis de sourdines – et des coups sourds d'une marche vers la victoire. Bref, les musiciens répétaient les morceaux qu'ils allaient jouer plus tard dans l'après-midi, en l'honneur de Jean-Marie.

Tandis que le batteur frappait à grands coups de baguettes sur la peau blanche et tendue, Jean-Marie bâilla profondément et il se dirigea d'un pas lourd vers les toilettes.

Il y resta longtemps. Assez longtemps du moins pour que Tony ne le trouve pas quand il entra dans la cuisine. Moment de panique. L'homme de trente ans, aux cheveux très noirs et luisants, s'obstina à regarder le sac de jute, la place que Jean-Marie y avait plus ou moins creusée, les tableaux pêle-mêle autour de lui, la table encombrée de victuailles: rien. Il ouvrit la porte du cagibi, la sueur perlant sur son front: rien. Il n'y avait que les tubes de peinture, les toiles vierges, les pinceaux, les dissolvants, les brosses, les cadres, les spatules. Tandis que la joyeuse fanfare jouait la *March for timpani and brass*, mouvement *allegro marziale* de Brent Heisinger, Tony se rua sur la porte à battants et traversa le couloir au pas de course sans même songer à jeter un coup d'œil dans les toilettes. Il buta contre Luigi et Juliette qui entraient à ce moment-là et il hurla pour se faire bien comprendre:

— Jean-Marie a disparu!

— Calme-toi, lui dit Luigi.

— Du calme, Tony, lui dit Juliette.

— Mais vous ne comprenez pas! leur dit Tony. Si Jean-Marie n'est plus là, tout tombe à l'eau! C'est la catastrophe!

— As-tu regardé partout? lui demanda Luigi qui commençait, lui aussi, à être inquiet.

— Partout, papa.

Ils se dirigèrent tous vers le chevalet de Jean-Marie. Derrière les plantes. Il n'était plus là. Que faire? Où chercher?
— As-tu regardé dans les vécés? demanda Juliette à son fils.

À ce moment précis, les musiciens cessèrent de jouer et il y eut un silence d'une rare qualité sur le site, et dans ce silence absolu, complet, d'une grande beauté, Jean-Marie tira la chasse d'eau. Les musiciens rangèrent leurs partitions. Tony avait l'air d'un con.

— Merde alors, dit-il.

— Nous sommes tous un peu énervés, dit sa mère pour le rassurer.

Quant à Luigi, il lui envoya un coup qui faillit lui déboîter l'épaule.

Tony regarda Luigi. Il était effectivement étonnant qu'il n'ait pas pensé à regarder dans les toilettes. Après tout, c'est ainsi que tout avait commencé. Les deux hommes, l'espace d'une seconde, mesurèrent le chemin parcouru. D'un petit commerce, presque désert, ils avaient fait, grâce à ce drôle d'homme, une entreprise prospère où s'activait une clientèle de plus en plus nombreuse, une armée d'habitués de plus en plus fidèles. Bref, c'était la joie et il fallait fêter en grand. Justement, il y avait des tas de choses à faire. Des tas de choses à préparer. Alors que Jean-Marie s'avançait dans le couloir pour demander d'où provenait ce vacarme, Tony installa une table devant le chevalet de Jean-Marie avec tout ce qu'il fallait pour signer des autographes. Luigi expliqua rapidement à Jean-Marie que c'était une autre idée géniale de son fils et Juliette mit la dernière main à un coin du café qu'elle avait réservé pour l'heure du thé. Sur ces entrefaites, Jacob entra dans le café en affirmant que tout allait bien. Ils seraient prêts à temps. Puis Méo entra par l'arrière. Gustave par le côté. Enfin Magdalena, avec une robe de comtesse qu'elle comptait porter pour un montage d'extraits tirés des *Noces de Figaro* d'Amadeus Mozart. Elle voltigea, valsa au centre du café sur la « piste de danse » sous les yeux de Laura qui la trouvait fort jolie. Et elle l'était.

Sur le site, se trouvait le carrousel italien composé de ces chevaux magnifiques qui courent encore en liberté, crinières au vent, véritables crinières de cheval, Tony avait raison. Plancher en bois d'acajou. Une petite merveille entourée de clôtures de métal. Et partout des kiosques fabriqués de planches de bois peinturées de couleurs vives comme ces maisons que l'on trouve tout au long de la péninsule gaspésienne. Des inscriptions ici et là, du genre : T-SHIRTS DE L'HOMME-CAFÉ. PULLS. POSTERS. CARTES POSTALES. TROIS BALLES POUR UN DOLLAR. DIX COUPS POUR UN DEUX. Et celui du prêtre, distinctif : DONNEZ GÉNÉREUSEMENT. Il y avait aussi le grand chapiteau où tout était prêt pour accueillir les spectateurs et les danseurs qui voudraient se trémousser, twister, sauter, swinguer, s'envoyer en l'air. Il y avait des banderoles, des fanions, des ballons gonflés à l'hélium, des réchauds à gaz sur lesquels on ferait griller des hot dogs, chose interdite dans les rues de Montréal mais permise en banlieue, on ne peut pas tout avoir, il y a toujours deux côtés à une médaille, on fait ce qu'on peut. Toujours est-il que dans ce petit matin de juillet où le soleil maintenant se dégageait tout à fait de la brume, le site du Café Mollo avait un air de fête.

Tony avait engagé des employés supplémentaires pour s'occuper des différents kiosques. Ainsi, il y avait Gloria Bean, une Américaine de vingt-cinq ans, à la forte poitrine, qui était affectée au stand de tir à la carabine à air comprimé ; Joseph

Massara, un Arabe pure laine, qui vendait les t-shirts et les pulls d'exercice en batik reproduisant des peintures de Jean-Marie et que Solange avait confectionnés dans sa boutique; Audrey Higgings, vingt-trois ans, une Anglaise, qui aidait Juliette à tenir son «salon de thé»; et les deux sœurs Madore, Paulina et Sandra, des jumelles de vingt ans, qui s'occupaient du kiosque de toutous en peluche. Quant au réchaud à gaz, au ballon dirigeable et au carrousel italien, ils étaient tenus et manœuvrés par une équipe de sous-traitants et Tony n'avait pas eu à s'en occuper.

On installa Jean-Marie au centre du Café Mollo, devant son chevalet, derrière une table sur laquelle était empilées des cartes postales qu'il devait signer. Réveillé de bon matin par les trompettes de la renommée et les tambours de la victoire, il était encore un peu sous le choc. Méo lui prépara un double espresso pour lui décoller les paupières. Il y arriva. Il était temps, car les premiers visiteurs commençaient à envahir le site. Jean-Marie était au centre du Café Mollo, lui-même au milieu du terrain de stationnement, comme Gustave Courbet au milieu de sa toile *L'Atelier du peintre* et, de ce poste privilégié, il put observer à loisir la foule bigarrée se pressant vers les différentes activités qui leur étaient offertes. Parmi ces gens, il en reconnut quelques-uns: Micheline Brûlé, qui se dirigea vers le kiosque à hot dogs; Olivette Michaud, qui paradait parmi la foule, le sourire éclatant, les dents blanches, les lunettes rouges, avec, toujours à ses basques, Robert Langelier, le sous-fifre, qui, de ses grands pieds maladroits, suivait la majestueuse dans tous les recoins; le maire, évidemment, Éloi Bélanger, en chemisette beige, en compagnie du député de la région, fraîchement élu, et qui voulait faire bonne impression, dans un costume trois pièces de couleur sombre; le curé, naturellement, dans son édicule étroit; Paul Marchand, le réparateur d'appareils électriques, en compagnie de Roger Sanschagrin, représentant Coldstream, tous deux très intéressés par le mécanisme du carrousel italien et par le foyer de l'aérostat; Michel Dion, du *Pub Info,* calepin en main, qui parlait à tout le monde, racontait sa vie, prenait des notes, écrivait des phrases de plus en plus compliquées auxquelles personne ne comprendrait rien; Carole Lefebvre, la recherchiste, qui semblait effectivement chercher quelque chose ou quelqu'un; Isabelle Létourneau, l'animatrice, en pâmoison devant un kiosque de toutous en peluche; Laurent Barbeau, tifs au vent, qui se promenait d'un air dégagé; la réalisatrice, Madeleine Renault, qui semblait discuter avec Jacob sous le grand chapiteau; le journaliste du *Salut Coquette,* Michael Boudart, qui semblait toujours fourré quelque part; les deux buveurs de bière qui, pour le moment, s'empiffraient de hot dogs en désirant probablement battre de nouveaux records mais qui avaient affaire à forte partie en la personne de Micheline Brûlé, laquelle avait pris, incontestablement, une forte avance. Tout ce beau monde se retrouvait sous ce coin de ciel bleu, éclairé par un soleil resplendissant assez semblable, en somme, à celui qui avait accompagné l'entrée en scène de Jean-Marie dans le Café Mollo il y avait de cela un an jour pour jour.

Il y avait aussi, à l'intérieur du café et sur la terrasse, quelques personnes que Jean-Marie put reconnaître. Par exemple le psychologue, Antoine Fourier, qui, assis à une table du fond, dans un coin reculé et sombre, tirait les vers du nez à une cliente passablement dévêtue, voire dénudée, qui ne demandait pas mieux que de lui ouvrir son cœur, son âme et le reste. Et puis, tout près de la caisse, devant une Laura

Lamer blanche et droite, digne et dédaigneuse, se tenait Yvan Bienvenu, comme un revenant, revenant d'ailleurs de Toronto et qui répétait sans cesse: «*Just say yes.*» Que lui demandait-il au juste? De le suivre dans la ville reine? Où elle serait traitée à sa juste valeur? Ne sortait-il pas un jonc immaculé de son écrin tapissé de velours rouge? Ou était-ce la rougeur qui avait gagné peu à peu le visage blanc et ovale de la madone? Jean-Marie n'aurait su le dire au juste, car même ici, dans le café et sur la terrasse, la foule était dense, excitée, compacte. Et puis, à tout moment, on venait l'embrasser, le féliciter, lui serrer la main. Une horticultrice de la région lui avait même apporté des fleurs et l'on avait placé le bouquet de *fugis, solidagos* et *hepericums* dans un magnifique vase de cristal craquelé sur sa table, à côté de sa pile de cartes postales autographiées. Les fleurs bleues, jaunes et rouges se mariaient admirablement avec la peinture murale que l'on devinait derrière le chevalet de Jean-Marie. L'horticultrice en question présenta même une rose à Jean-Marie, rose qu'elle avait créée spécialement pour lui et que les employés du magasin horticole avaient baptisée la «Rose café». Jean-Marie la fixa à sa boutonnière à l'aide d'une épingle. La jardinière disparut en emportant avec elle sa carte autographiée. D'autres admiratrices et admirateurs se bousculèrent. Cependant, parmi ces embrassades, ces félicitations et ces témoignages d'affection, il eut quand même le temps d'apercevoir son amie Solange en train de s'envoyer en l'air avec Tony dans la nacelle de la montgolfière. Ces deux-là, décidément, avaient fait des affaires d'or. Les t-shirts et les pulls que Solange avait imprimés dans son atelier s'envolaient comme des mouches. Juliette était aux anges. Son salon de thé était un franc succès et la nouvelle employée, Audrey Higgings, ne fournissait pas. Luigi, Méo, Gustave, tout le monde était sur les dents. Ce n'est que vers la fin de l'après-midi que les choses se calmèrent un peu. À ce moment-là, le spectacle commença sous le grand chapiteau. On délaissa les hot dogs et les carabines, les balles de base-ball et les toutous en peluche, le carrousel et ses chevaux peints à la main, pour se diriger vers la grande tente jaune et blanche d'où provenait le bruit des timbales et le souffle chaud des instruments à vent.

Le café aussi se vida en quelques minutes et Jean-Marie demeura seul. Aussi incroyable que cela pût paraître, on l'avait oublié. Il regarda autour de lui. Non, rien ni personne, se dit-il. Je suis seul. Enfin, pas tout à fait. Parce que, alors que sous la tente un petit ensemble vocal de chant classique présentait un montage d'extraits tirés des *Noces de Figaro*, Jean-Marie aperçut Frédéric sautillant parmi les tables de la terrasse, relevant la tête d'un coup sec et regardant dans sa direction. L'aperçut-il? Le reconnut-il? Toujours est-il qu'il s'enhardit et, en quelques petits bonds, pénétra dans le café. Peut-être fut-il attiré là par quelques miettes sur le plancher. Quoi qu'il en soit, il s'approchait de plus en plus de Jean-Marie qui, lui, ne bougeait pas. Il était même, pour qui ne le connaissait pas, d'une fixité, d'une immobilité un peu inquiétante, voire cadavérique. Non. Plutôt de marbre. Oui, c'est bien cela. Il était de marbre.

Cependant, le bruant s'avança encore un peu et Jean-Marie ouvrit la main. Très lentement. Il y avait, à l'intérieur, quelques miettes de pain, car le passereau fit un bond. Il atterrit sur le dossier d'une chaise, puis sur la table de Jean-Marie. Ce dernier en fut peut-être étonné, mais il n'en laissa rien paraître. À peine un mince sourire dans la barbe noire. Le passereau picora la paume de sa main d'un mouvement vif et nerveux. Puis, il sautilla de côté. Cependant, il ne s'en allait pas. Les deux drôles de moineaux semblaient s'observer.

Le temps passa. Après le chant, Jean-Marie crut percevoir des paroles. Il crut reconnaître la voix de Méo.

— « Au matin j'avais le regard si perdu et la contenance si morte, que ceux que j'ai rencontrés ne m'ont peut-être pas vu. »

— C'est de la poésie, dit Jean-Marie à Frédéric qui le regardait d'un air consterné. Rimbaud, je crois.

— « Et lui, lui seul ! pour témoin de sa gloire et de sa raison. »

Cette fois Jean-Marie ne dit rien. Enfin, beaucoup plus tard, Méo reprit :

— « Faim, soif, cris, danse, danse, danse, danse ! »

Ce fut comme un signal. Les amplificateurs furent poussés au maximum et les gens se ruèrent sur la piste. Cependant, le volume avait grimpé d'un coup et le volatile, sans doute effrayé par cette monté subite des décibels, s'envola et disparut en un clin d'œil.

Le soir tomba. La musique se fit moins obsédante. Les rythmes ralentirent. Peu à peu les gens sortaient du grand chapiteau. Ils admiraient la lune dans le ciel. Les lampions qui illuminaient le site. Jean-Marie n'avait pas bougé. Il était toujours à sa table. Impossible de savoir ce qu'il pensait. Ce qu'il ressentait. Il était là, c'est tout, dans le noir, sans bouger. À peine respirait-il. Avait-il cherché à revoir ses enfants dans la foule ? Avait-il cherché à revoir son ami, Martin Lapierre ? sa femme, Manon Beauregard ? Impossible de le savoir.

Quand les amplificateurs se turent, quand on les éteignit, quand on coupa le courant, il se fit sur le site un silence étrange. Et puis, d'une roulotte derrière la tente, apparut sous les yeux de la foule un gigantesque gâteau aux carottes, planté de trois cent soixante-cinq bougies multicolores. Cette pâtisserie reposait sur un chariot à roulettes poussé par Luigi. La foule l'entoura en chuchotant, en s'émerveillant, en étouffant des rires et des fous rires. Avec l'aide de sa femme et de ses employés, Luigi alluma les bougies. On retint son souffle. On se retint d'applaudir. Mais le gâteau, avec l'éclat de la lune et des étoiles, faisait un effet bœuf. On poussa le chariot. Les roues, bien huilées, ne firent aucun bruit. Ils arrivèrent devant la porte centrale du café et pénétrèrent dans le vestibule.

Le gâteau fit son entrée dans le café sous le regard surpris de Jean-Marie. La procession s'arrêta devant lui, on retira la table, on lui mit la pâtisserie sous le nez en lui enjoignant de souffler les bougies. Évidemment, c'était très drôle. Comment parviendrait-il à éteindre toutes ces bougies d'un seul coup ? Il s'y prit à plusieurs fois sous les rires et les cajoleries ; puis, quand ce fut fait, on l'applaudit et on découpa le gâteau en pointes innombrables. À la suite de quoi on alluma l'électricité. Les convives s'éparpillèrent un peu partout, on fit du café, du thé, des tisanes, tout le monde était heureux, tout le monde il était beau, tout le monde il était gentil.

Quand on fut rassasié, le maire prit la parole. Il remercia Tony pour l'avoir invité. Il remercia Luigi et Juliette. Il remercia les employés et les clients du Café Mollo, des citoyens de sa ville, qu'il remercia aussi. Ensuite il félicita Jean-Marie pour son extraordinaire performance. On l'applaudit. Ce qui permit au maire de faire une pause et de consulter ses notes. Il le fallait. Car ensuite il parla de plans d'aménagement, de zonage, et d'un tas de projets qui allaient permettre à sa municipalité de s'inscrire parmi les villes les plus importantes, les plus belles et les mieux administrées de la province.

On applaudit encore. Ensuite ce fut au tour du député. Il se lança dans un long discours ennuyeux qui reprenait ce que le maire avait annoncé mais en le reformulant, s'étendant sur la question, beurrant épais, des deux côtés de la tartine déjà passablement imbibée de confiture. Il assura que son gouvernement, dans le cadre de son programme d'assistance financière, allait évaluer la possibilité de devancer les travaux de la Route verte afin de ne pas interrompre à des endroits non sécuritaires la fluidité du parcours et de permettre au Café Mollo de profiter rapidement de ce nouvel achalandage. On applaudit sans trop savoir pourquoi.

Les deux hommes se donnèrent une solide poignée de main. On applaudit encore et l'on prit quelques photos. Finalement, le député arriva dans le vif du sujet, c'est-à-dire le guide touristique de la région dans lequel figurait en bonne place la vedette de la ville, le héros, Jean-Marie Lalonde, l'homme-café. Cette fois la foule se déchaîna. Le maire et le député se placèrent de chaque côté de la vedette. On lui remit la brochure de papier glacé, illustrée de photos couleurs, entre les mains. Et, pendant qu'il la feuilletait d'un air interdit, les photographes bombardèrent le trio de mille flashs.

Quand Jean-Marie arracha son regard de la brochure, il avait encore des cristaux de flashs dans les yeux. Il regarda autour de lui. Toutes les images étaient embrouillées. Il ne reconnaissait plus les gens ni les objets. Encore ébloui par les éclats de magnésium, il chercha parmi les ombres les membres de sa famille. Son petit Samuel, neuf ans, son enfant. Sa petite Lily, seize ans, sa fille, sa grande fille, sa petite fille, son enfant. Sa femme, Manon. Sa femme Manon qu'il avait aimée. Que s'était-il donc passé? On répétait autour de lui: Un an! Un an! Cela se pouvait-il? Avait-il réellement passé toute une année dans ce café? Quoi? Déjà? Un an? Un an! Jean-Marie n'arrivait pas à le croire. Un an dans le café. Cela avait passé si vite. Si vite! Et puis les gens s'éloignèrent peu à peu. Les employés. Puis ce fut au tour des patrons. Dehors tout était fermé. Les kiosques, les tentes, le carrousel. Il n'y avait que le ballon qui flottait encore dans le ciel. Une ombre éclairée par la lune.

25

Les fleurs avaient eu le temps de sécher. Elles reposaient dans le vase, les tiges au fond de l'eau, que l'on voyait miroiter dans le soleil. L'eau... Ce n'était plus tout à fait de l'eau, d'ailleurs, mais une sorte de liquide jaunâtre, qui dégageait une odeur légèrement écœurante.

Depuis le matin, Jean-Marie remuait sur son sac. Il était assailli par un rêve récurrent qui ne lui laissait pas de repos. Un cheval étique se détachait du manège et le poursuivait. Son extrême maigreur faisait paraître ses yeux énormes. Des yeux qui semblaient l'accuser mais aussi le supplier. Des yeux rouges, protubérants, une vision de cauchemar. Oui, c'était bien cela : un cauchemar. Le cheval se détachait du manège et le poursuivait. Pendant ce temps, les autres chevaux tournaient en rond.

Et puis il y eut les gencives de l'animal, et les dents jaunes, cerclées de noirs, affreuses, cassées, et le cheval qui tentait de le saisir du bout des dents.

Jean-Marie se réveilla en sueur, des morceaux de papier journal collés sur le corps, dont un en particulier qui couvrait sa nudité.

Il s'assit sur son sac, décolla ses paupières, décolla les morceaux de papier qui lui couvraient le corps. Quelle chaleur !

Une véritable canicule. Depuis qu'il avait entrepris ce collage sur sa toile, il pataugeait dans les papiers qui se collaient à lui, qui semblaient même le suivre. Quelle épouvantable chaleur! Il avait peine à respirer. Était-ce dû à la colle qu'il utilisait pour maintenir en place ces bouts de phrases? Un procédé qu'il utilisait depuis peu. Il avait même pensé y ajouter aussi quelques pétales de fleurs séchées. Oui, cela ferait un bel effet, avec quelques photos, quelques images, histoire de témoigner du chaos, de représenter le chaos, le chaos, oui. Depuis quelque temps, on avait entrepris des travaux dans le Café Mollo, histoire de l'agrandir, on avait même fait installer dans les toilettes une douche dont Jean-Marie bénéficiait. Il pouvait enfin se laver tout le corps d'un coup. C'est cela, apparemment, qu'il se préparait à faire en sortant du cagibi quand Luigi apparut dans la cuisine, un exemplaire du journal *Salut Coquette* dans une main, une tasse d'espresso dans l'autre:

— Bordel de putain de merde! commença-t-il. Vous avez vu ce que ce con de Boudart a écrit dans son torchon?

— Euh…

— Laissez-moi vous lire, dit Luigi en brandissant le papelard. «Jean-Marie Lalonde, l'homme-café, en résidence permanente au Café Mollo, abject bouge où l'on a l'habitude d'évincer cavalièrement les journalistes qui ne font que leur travail…» Tu parles! «Jean-Marie Lalonde, donc, se promène nu dans le Café Mollo!» Mais où va-t-il chercher des histoires pareilles?

— Euh…

— Attendez, ce n'est pas tout, dit-il en vidant d'un trait son café. Écoutez ça! «Selon des sources bien informées, il ne s'agirait pas ici du *Nu descendant l'escalier*, de Marcel Duchamp, mais bien de Jean-Marie Lalonde, celui qui se fait passer pour un modèle de vertu, celui qui joue les vierges offensées quand on parle à sa fille, mais qui n'hésite pas à déambuler dans le café fermé en tenue d'Adam. Et qui sait, d'ailleurs, s'il n'y a pas quelque Ève en chaleur qui l'accompagnerait? Un cliché pris en pleine nuit pourrait faire toute la lumière sur cette affaire. Dommage que sa silhouette soit cachée par le comptoir, car on pourrait apprécier le phénomène dans toute sa nudité.»

Luigi reprit son souffle. Il respira à fond et explosa:

— Mais il est malade, ce type! Regardez la photo! On ne voit rien du tout! On ne voit que votre visage un peu surpris et rien d'autre. On ne sait même pas ce que vous faites. On dirait que vous tenez un plateau... Ah ce sale con, ce sale pédé, il va me le payer! Je vais le traîner en cour! Je vais lui faire ravaler ses sales paroles, ses sales mensonges de pédé!

— Calmez-vous, papa! lui conseilla Tony qui arrivait par-derrière, attiré par les éclats de voix de son père. Ça ne peut pas nous faire de tort, un peu de publicité.

— Jamais! gueula Luigi. Jamais je vais accepter qu'on salisse mon café, tu m'entends? Et arrête de me dire tout le temps de me calmer! Je vais pas me calmer! Je vais pas accepter qu'on fasse de la publicité en salissant mon café! En proférant des calomnies! Oui, des calomnies! Et ces accusations mensongères méritent, exigent réparation! Tony, as-tu du cœur?

— Papa, je t'en prie...

— Ne me dis pas de me calmer! Appelle mon avocat!

— Papa...

— Suffit! Je ne me laisserai pas traîner dans la boue! Attaquer Jean-Marie, c'est attaquer le café et je le permettrai pas!

Sur cette envolée, Luigi déchira le journal qu'il laissa choir sur le sol et fonça sur la porte à battants en tenant fermement sa tasse de porcelaine.

Jean-Marie n'avait pas eu le temps de réaliser ce qui se passait. Tandis que Tony regardait son père s'éloigner dans le couloir, il se baissa et ramassa les deux parties du journal à potins.

Les feuilles de papier dans les mains, collées par la sueur, lui firent un effet étrange. Il y avait là des feuilles blanches parsemées de caractères noirs. Des lignes et des lignes de texte auxquelles il ne comprenait rien. Il distingua pourtant la rubrique des petites annonces. On vendait des meubles. On déménageait. Des offres d'emplois. On demandait des employés. Et puis, quelques pages plus loin, les sports. Un titre en caractères gras. Une photo d'équipe. Une photo de son fils, là, au milieu des joueurs. Samuel. Son équipe de soccer. Un tournoi auquel elle avait pris part. Avait-elle remporté les honneurs? Jean-Marie ne le savait pas. Il n'avait pas la force de lire l'article.

Il n'arrivait pas à détacher son regard de la photo, du visage de son fils. Un visage triste, froid, revendicateur. Un visage qu'il ne lui connaissait pas. Mais des mèches noires devant les yeux qu'il ne connaissait que trop. Eh oui, c'était bien lui. Samuel. Au deuxième rang parce qu'il était grand. Comme lui. Si grand. Et pourtant si petit. Si fragile. Neuf ans. Jean-Marie essuya une larme sans s'en rendre compte. Il était perdu. Désemparé. Il ne comprenait plus rien à rien. Il lui semblait que tout s'écroulait autour de lui. Il lui semblait que tout était en train de s'écrouler.

C'est dans cet état d'esprit qu'il poussa la porte à battants. À ce moment-là il se moquait bien de l'article du *Salut*

Coquette, de sa photo, de sa peinture, de ses collages, de tout. Lui importait seulement le visage de son fils.

Arrivé dans le couloir, il remarqua l'escalier en colimaçon qui menait au deuxième étage. Un étage que l'on avait ajouté, avec du chrome et du verre, du marbre noir, du granit, de l'acier brossé. On n'avait pas mis en marche l'air climatisé, mais ça allait venir. Pour l'heure, c'était encore chaud, très chaud, trop chaud, et Jean-Marie se dirigea d'un pas chancelant, avec la photo de son gars, vers son chevalet qui était encore à sa place mais surélevé. Il était sur une sorte de podium au centre de la pièce, lui-même exposé, eût-on dit, aux regards de chacun.

Arrivé sur l'estrade, à laquelle il avait accès par un petit escabeau, Jean-Marie s'empressa de coller la photo au centre de son œuvre. Puis, de son poste d'observation, il remarqua Luigi se promenant de long en large derrière le nouveau comptoir et engueulant ses nouveaux employés. La nouvelle caisse électronique brillait de tous ses feux. Mais où était donc Laura ?

Puis Jean-Marie se souvint. Laura était partie avec son représentant. Au plafond les pales du ventilateur tournaient de plus en plus vite. Une nouveauté. Les pales du ventilateur. Jean-Marie les observa pendant un moment. Il avait la tête lourde. Il eut très chaud. Il se sentit profondément dégoûté. Il eut un haut-le-cœur et s'évanouit.

Sa chute fit un bruit épouvantable. Il faut dire qu'il avait entraîné avec lui son chevalet, sa toile et quelques tubes de colle, qu'il tenait encore fermement dans sa main droite.

Tony, qui était au téléphone avec l'avocat de la famille, se précipita sur son investissement et arriva juste à temps pour l'empêcher de dégringoler encore plus bas, c'est-à-dire en bas de l'estrade. Il le soutint du mieux qu'il put, le cellulaire collé sur l'oreille, les deux mains bien accrochées au pull de Jean-Marie. Puis, avec l'aide de quelques clients, il l'étendit sur le sol :

— Y a-t-il un docteur dans la salle ?

On arrivait de partout et l'air se faisait rare.

— Écartez-vous ! vociféra Luigi.

Muni d'un verre d'eau froide, il releva la tête de son protégé et tenta de le faire boire.

— Écartez-vous, écartez-vous ! répétait-il.

— Je vous rappelle, dit Tony en fermant le cellulaire.

Après un moment, Jean-Marie s'étouffa et ouvrit les yeux. Ce fut pour apercevoir tous ces visages ébahis penchés sur lui et qui le considéraient gravement. Que regardaient-ils ? Qui étaient-ils ? Qu'avaient-ils à l'observer de cette façon ? Pourquoi ? Où était-il ? Que faisait-il par terre, sur le sol ?

Luigi lui fit avaler quelques gorgées d'eau froide.

— Il me le paiera ! disait-il.

Mais de quoi parle-t-il ? se demandait Jean-Marie. Et à qui ?

Puis il se souvint. Les pales du ventilateur. La chaleur. Le collage. La photo de son fils.

Un médecin s'approcha. Lui donna un médicament. Prit son pouls.

— Il est faible. Ce n'est pas bon pour lui de rester ici. Trop de fumée.

— Peut-on le transporter ? demanda Tony.

— Oui.

— Dans la cuisine, dit Tony. On va l'étendre sur son lit !

Pensait-il « à l'abri des regards » ? Il s'énervait. Il s'agitait. Il se démenait.

— Il va me le payer ! répétait Luigi.

On transporta Jean-Marie sur son sac de jute dans le cagibi. Gloria Bean lui tenait les chevilles, Joseph Massara les épaules, les sœur Madore les bras et Audrey Higgins la tête. On le déposa lentement, délicatement, comme on eût fait descendre un cercueil dans la terre. Jean-Marie ne reconnaissait pas ces gens autour de lui. Où étaient Méo, Gustave, Magdalena ? Ils étaient là, pourtant, un peu en retrait. Il y avait même Jacob K. et Tony. Mais Jean-Marie ne les voyait pas.

On le laissa reposer en paix, ses peintures autour de lui. Il y en avait partout : sur les murs et même là, en montant l'escalier, le long des marches, dans la cuisine, dans les toilettes, derrière le comptoir, au premier, au deuxième, il y en avait partout ; partout la signature de Jean-Marie. Oui, on le laissa reposer, mais, curieusement, c'est à partir de ce moment-là que, peu à peu, on l'oublia.

Et pourtant, à peine quelques jours plus tard, Luigi Alzaco répondait à Michael Boudart par l'entremise du *Pub Info* :

Non, Jean-Marie Lalonde ne se promène pas nu dans le Café Mollo !

Suivait un article détaillé dans lequel Luigi réfutait les allégations mensongères du prétendu journaliste. Il y avait également le compte rendu des procédures judiciaires qu'il avait engagées :

Les procureurs de Luigi Alzaco ont envoyé une mise en demeure au journal Salut Coquette, *lui enjoignant de se rétracter et lui fournissant le texte précis de rétractation et d'excuses qu'ils voulaient voir paraître dans le journal.*

Le journal Salut Coquette *a plutôt présenté l'affaire comme une mise au point de Luigi Alzaco par l'entremise de ses avocats. Il n'a pas publié le texte exigé, mais a diffusé les explications fournies par les avocats et n'a présenté aucune excuse. Ce qui n'a pas plu à Luigi Alzaco, comme on peut le constater dans la poursuite déposée au palais de justice de Saint-Jérôme.*

Dans la poursuite, Luigi Alzaco allègue que jamais Michael Boudart ni un représentant de Salut Coquette *n'a communiqué avec eux pour s'informer de la vérité de ce qu'ils affirmaient. Luigi Alzaco estime que ces propos diffamatoires et outrageants, publiés en bonne place afin de faire mousser la vente du journal, ont causé un tort considérable à Jean-Marie Lalonde et que tout cela a été fait dans l'intention de ternir l'image du Café Mollo.*

Le propriétaire du Café Mollo réclame 250 000 $ répartis comme suit: 200 000 $ pour atteinte à la réputation et 50 000 $ en dommages exemplaires. Luigi Alzaco exige également que le jugement qui émanera de la Cour supérieure soit publié dans Salut Coquette, *en aussi bonne place que l'article litigieux.*

En se penchant un peu et en étirant le bras, Jean-Marie aurait pu lire le compte rendu de cette bataille juridique dans les différents journaux étalés devant lui, mais il n'avait ni la force, ni le courage, ni la curiosité de le faire.

26

À la suite de cette attaque, Jean-Marie demeura perplexe. En tout cas, il sentit qu'il devait se ménager. Il resta donc couché une bonne partie de la journée, se contentant de gribouiller sur un bloc les idées qui, d'aventure, se présentaient à son esprit. C'étaient de petites choses, de petits animaux, de petites gens. Rien d'extraordinaire. Des miniatures.

Dans le café, au loin, les bruits habituels. Le va-et-vient de Luigi, ses jurons quand il découvrait dans *Salut Coquette* de nouvelles calomnies émanant de la plume fétide de son ennemi, Michael Boudart. Les employés qui vaquaient à leurs occupations. Les clients.

On ne parlait plus du concours, on ne parlait plus du record ; en un mot, on ne parlait plus guère du phénomène. Tony avait même fait retirer le panneau dans l'entrée, le banc de bois, le sac de jute. Il ne restait plus guère de vestiges de cet exploit. Plus d'estrade, plus de chevalet, plus rien. Tout le matériel était maintenant entreposé dans le cagibi. Il n'y avait que les toiles que Tony n'avait pas réussi à vendre, et qui étaient encore accrochées un peu partout aux murs, qui témoignaient de son étrange aventure. Et puis, avec le nouveau système de sécurité, un système d'alarme à infrarouge, Jean-Marie, la nuit, ne pouvait plus sortir du cagibi : le moindre mouvement serait perçu par les senseurs et déclencherait l'alarme.

Tout était différent : les employés qu'il avait connus étaient partis les uns après les autres. Il ne connaissait plus grand monde. Même Solange Colbert... Solange... Qu'était-elle devenue ? Après une courte liaison avec Tony, elle avait disparu. Ses enfants... Lily devait revenir chercher son dessin. Oui. Jean-Marie se souvenait vaguement de cela. Il devait lui faire un dessin. Dessiner... Quoi ? Il ne se le rappelait plus. N'avait aucun souvenir de... Cela. Son fils. Sa femme. Son copain... Comment s'appelait-il déjà ? Il ne se rappelait plus rien. Rien. Il s'étira. Quelle heure pouvait-il être ? Quel jour ? Quelle semaine ? Quelle température à l'extérieur ? Où était l'extérieur ? Où était le dedans ? La fenêtre. Il devait se guider sur la fenêtre. Le hublot. La petite chose phosphorescente. Oui. L'ouverture. Il y avait une ouverture quelque part. Il devait bien y avoir une ouverture. S'il pouvait ouvrir... S'il pouvait seulement ouvrir...

Eh bien, le temps avait passé. Plus de deux ans. On était maintenant en plein hiver. Il était quatre heures du matin et la neige obstruait complètement la petite ouverture de la fenêtre. Tout était silencieux. Tout était noir. Dans son cagibi, dans son trou, seules les pupilles de Jean-Marie brillaient.

Il se leva. Piétina le sac de jute. Chercha l'ouverture de la fenêtre à tâtons. Découvrit la vitre. Il eut l'impression de toucher l'intérieur d'un tombeau. Il recula. Retira sa main. Puis, après un moment, il s'approcha de nouveau. Appuya son front sur la vitre glacée et resta ainsi, dans cette position, un long moment. Reprenait-il ses esprits ? Mettait-il de l'ordre dans ses pensées ? Avait-il seulement conscience de ce qu'il faisait ? On ne peut savoir.

Il devait bien y avoir une raison. Était-ce dû à son père? à l'absence de son père? Il l'avait vu s'en aller dans une voiture blanche, blanche comme l'hiver, blanche comme… comme le réfrigérateur. Et son frère qui dessinait, qui avait dessiné la voiture, qui dessinait… Quoi? La voiture qui s'en allait? La voiture blanche? Il ne savait pas. Il ne savait plus. La voiture de son père… Et puis, Jean-Marie avait détruit le dessin. Il avait déchiré la feuille. Il l'avait jetée. Son père n'était jamais revenu. Pas nécessairement dans cet ordre. Non. Comment cela s'était-il passé au juste? Comment? Jean-Marie réfléchissait. Des images se présentaient à son esprit. La mère était-elle morte? Sa mère? Gisait-elle sur le sol, dans la cuisine? Cela était-il un rêve ou la réalité? Il ne savait pas. Il ne savait plus. Dans le cagibi, le front brûlant sur la vitre glacée, il ne savait plus. Il avait chassé toutes ces images de son esprit. Il s'était fait une vie confortable, et maintenant… Que s'était-il passé après? Il avait vécu. La vie avait continué à couler. Ou était-ce le sang? Y avait-il du sang dans la cuisine? Y avait-il du sang dans ses veines? Il mélangeait tout. Mais il était arrivé quelque chose. Quoi? Il était arrivé quelque chose. La porte du réfrigérateur était ouverte et sa mère gisait dans la cuisine… Jean-Marie décolla son front de la vitre glacée.

27

Ensuite que s'était-il passé? Rien ou presque rien. La vie, en effet, avait coulé à nouveau. Luigi était en plein procès avec le journal *Salut Coquette*. On ne le voyait plus guère dans le café. Tony non plus. Enfin, il apparaissait de temps à autre. C'est à peine si Jean-Marie le reconnaissait. Les nouveaux employés vaquaient à leurs occupations avec diligence. On entrait dans la cuisine et on en sortait. On recevait les fournisseurs. On se déplaçait sur les deux étages du café. Tiens! Cela était nouveau. Des pas au-dessus de la tête de Jean-Marie. Avant il n'y avait rien. Avant il n'y avait que le bruit du vent, parfois les avions, la pluie, la grêle, et puis les oiseaux. Où était donc passé Frédéric? Il allait revenir au printemps probablement. Au printemps... Au printemps... Qu'est-ce que c'est que ça? se demanda Jean-Marie. Qu'est-ce que c'est que ce mot? Que signifie-t-il? Était-il au printemps? Le temps, assurément, avait passé. Les sons du café, les sons de l'extérieur ne lui parvenaient que de très loin. Assourdis. En fait, il ne savait plus trop où il en était. Ce matin-là, il feuilletait son livre d'images. C'est donc dire qu'il y avait de la lumière dans le cagibi. Une employée, Paulina Madore, lui avait apporté son petit déjeuner. Les restes étaient là, épars sur le plancher. Et Jean-Marie était assis sur le sac, à regarder les images. Il y avait là, au milieu de son livre d'images, au milieu de son livre sur l'histoire de l'art, une toile d'Arik Brauer, *Le Trou d'ozone*. Cela représentait un îlot de glace sur lequel se tenaient quelques personnages; le rouge y dominait, le violet, le vert, le brun. Sur l'îlot, quelques bouteilles, vides, apparemment, orange, mauves. Et la glace qui fondait. Les flots qui les entouraient. Et là-bas, dans le ciel très noir, presque aussi noir que la mer, ce trou d'ozone, sorte de soleil qui éclatait, se répandait en mille coulissures de boue, morceaux de déchets, un soleil très jaune, nervuré, effrayant de clarté et de laideur sur la mer très calme de l'apocalypse.

Jean-Marie n'arrivait pas à détacher son regard de cette peinture, aussi sursauta-t-il lorsque, discrètement, on frappa à sa porte.

Il dut se frotter les yeux. Il dut enlever de ses yeux toutes ces images, toutes ces couleurs. Il dut se lever et se rendre jusqu'à sa porte. Un homme en complet-cravate se tenait devant lui. Immobile. Un homme tout de noir vêtu. Cela lui rappela quelque chose. Mais quoi donc? Tandis qu'il était là, devant cet homme, à chercher dans ses souvenirs de quoi il retournait, l'homme – l'avocat – prit la parole d'une voix blanche:

— Bonjour. Je me présente: maître Constantin.

Puis, devant le regard incrédule de Jean-Marie:

— Excusez-moi de vous déranger.

— Ah! dit Jean-Marie. Vous ne me dérangez pas. J'étais en train de regarder…

Geste large de la main par lequel il désignait à la fois le livre d'art, les sacs de grains, les miniatures sur le sol, la fenêtre obstruée par un amas de neige où perçait néanmoins un bout de soleil glacé.

— Je regardais… poursuivait Jean-Marie au milieu de la pièce, tout petit, dans la toute petite pièce, dans la remise, comme s'il était encore sur la banquise avec les naufragés, perdu dans les couleurs.

— Euh… oui, dit l'avocat. Je comprends. On peut s'asseoir quelques instants ?

— Je crois que oui, fit Jean-Marie, encore plus perdu qu'auparavant. Je crois que je peux vous dégager une petite place.

Il sourit.

— Une petite place au soleil.

— Ça va aller, dit l'avocat.

Jean-Marie remarqua à ce moment-là la mallette grise de l'avocat, que celui-ci déposa sur le sol.

Ils s'installèrent donc l'un en face de l'autre sur les sacs de jute.

— Bon. On peut y aller, dit l'avocat. Vous n'êtes pas sans savoir, monsieur Lalonde, que votre femme, madame Manon Beauregard, domiciliée au…

Ah oui, se dit Jean-Marie. Manon. Mais oui. Manon. Cela me dit quelque chose. Bien sûr… Dans une autre vie… Je veux dire… dans la vie… Quand il y avait encore de la vie… Dans ce temps-là…

— Ainsi que vos enfants, poursuivit l'avocat.

— Mes enfant, mes enfants, mes enfants, répéta Jean-Marie comme un perroquet.

— Vos enfants, dit l'avocat en insistant.

L'homme de loi parlait en sortant des documents de sa mallette, mais Jean-Marie n'entendait plus rien. Si, parfois, des noms : Lily, Samuel… Des mots : séparation, divorce, jugement. On l'avait jugé. Ainsi donc on l'avait jugé. Il avait reçu des papiers. Des tonnes de papiers auxquels il n'avait pas répondu.

— Vous avez reçu ces papiers, pourtant, dit l'avocat. Vous deviez vous présenter en cour. Vous deviez…

— Oui, oui, dit Jean-Marie. J'ai reçu les papiers. J'ai dû les ranger quelque part. J'ai dû les coller quelque part, sur quelque toile. Il doit être possible de les retrouver. J'ai dû les laisser quelque part. Les coller…

— Il est trop tard, dit l'avocat. Il est beaucoup trop tard. Voyez-vous, monsieur Lapierre, Martin Lapierre, a entamé une procédure d'adoption… Pour vos enfants, insista-t-il.

Jour de larmes que ce jour-là,
Quand de la cendre
Surgira l'homme coupable, face au Juge !

Qu'est-ce que c'était, cette musique ? Elle s'insinuait dans le café par toutes les portes, par tous les pores de la peau. Eh bien, c'était Jacob K. qui était encore dans le bistrot et qui faisait jouer le *Requiem* de Mozart. *Lacrimosa.*

Pardonne-lui donc, ô mon Dieu ;
Et toi, Seigneur, doux Jésus,
Donne-leur le repos. Amen.

Il était trop tard, avait dit l'avocat. Trop tard pour réagir. Trop tard pour protester. Trop tard pour dire quoi que ce fût.

Lacrimosa dies illa,
Qua resurget ex favilla
Judicandus homo reus

Tout était normal. Tout était pour le mieux. On allait lui enlever ses enfants. Ils seraient adoptés par son meilleur ami. Qui se remarierait avec sa femme. Enfin, son ancienne femme, car elle avait maintenant divorcé. Il aurait dû s'en occuper. Il aurait dû voir à ses affaires. Maintenant il était trop tard. Il ne pouvait plus recoller les morceaux. Les morceaux de son ancienne vie qui s'éloignaient de lui. Qui se détachaient de lui. Qui s'éloignaient. Qui s'en allaient. Il n'y avait rien à faire. Non. Rien à faire.

— Signez ici.

Signez ici, lui avait dit l'avocat. Et il avait signé. Pour quoi donc ? Il s'agissait de placements. De régime d'épargne-actions. De régime enregistré d'épargne-retraite. Il n'en avait plus besoin maintenant puisqu'il comptait rester dans le café. Puisqu'il ne comptait plus en sortir. Puisqu'il ne vivait plus dans le monde, parmi les vivants, mais dans le noir, dans le vide qui l'attirait, qui l'isolait, qui le tirait, l'amenait avec lui Dieu sait où. Non, il n'avait plus besoin de rien. Il n'avait plus besoin de ces choses : voiture, maison, chalet, piscine…

Il signait sans protester, à un point que cela en devenait gênant. L'avocat n'aurait jamais pensé que cela serait si facile. Trop facile peut-être ? En tout cas, il devenait hésitant, risquait même parfois, du bout des lèvres, un petit :

— Vous ne lisez pas ?

Non. À quoi bon ? Jean-Marie ne voyait pas les documents. Ce n'est pas tout à fait exact. Il les voyait, mais ceux-ci étaient embrouillés. Peut-être les larmes qu'il versait ? Et pourtant non, il ne versait pas de larmes. Peut-être alors les larmes qu'il ne versait pas ? Comment peut-on savoir, alors que lui-même, là, dans le cagibi, il ne savait pas ce qu'il ressentait ? Ressentait-il quelque chose ? Ressentait-il encore quelque chose ? L'avocat, en tout cas, sembla s'en inquiéter :

— Vous êtes bien conscient qu'il est trop tard pour revenir sur votre décision… Qu'après avoir signé ces actes juridiques…

Jean-Marie fut attiré par un autre passage de l'œuvre de Mozart : *Agnus Dei.*

Agneau de Dieu,
Qui efface les péchés du monde,
Donne-leur le repos éternel.

Puis, venant comme du fond d'un trou, du fond d'un puits :
— Comment réagit Lily ? Comment...
C'était le dernier sursaut. Peut-être même la dernière inquiétude. Après, il n'y aurait plus rien. Après, il serait trop tard. Tout serait consommé.

Donc, Jean-Marie se rappela sa fille, la promesse qu'il lui avait faite, le dessin. Mais il se sentait si fatigué... Il ne voyait pas comment il pourrait honorer cette promesse. Et il se sentit très malheureux. Très, très malheureux. L'avocat dut s'en rendre compte, car c'était un homme, tout de même. Il dit :

— Je ne l'ai pas vue. Vous comprenez, moi, j'ai surtout fait affaire avec votre femme et votre... Je veux dire... votre ami, enfin, son conjoint, je veux dire... le conjoint, monsieur Lapierre ; alors... Mais je comprends. Je comprends votre désarroi, votre amertume, votre détresse. Croyez bien que je compatis, vous savez, je suis divorcé moi aussi et je...

Il dut se rendre compte qu'il en avait trop dit. En effet, il n'était pas payé par Jean-Marie Lalonde mais par Manon Beauregard. C'était sa cliente et ce qu'il faisait là était tout à fait contre-indiqué, contre-productif, contre-révolutionnaire. Pourtant, il ajouta encore :

— En fait, j'en ai entendu parler. Vous savez, les enfants s'adaptent mieux qu'on ne le pense. Ils réagissent, bien sûr, mais ensuite, ils acceptent. Ils s'adaptent. Vous savez, c'est le phénomène de la résilience. Vous avez dû en entendre parler ?

Seigneur, prends pitié !
Christ, prends pitié !
Seigneur, prends pitié !

Puis, constatant que Jean-Marie était surtout préoccupé par la musique, il poussa un long soupir et se tut. Enfin, Jacob K. retira le *Requiem* du lecteur et il quitta le café. Il devait être environ dix-sept heures mais, comme c'était l'hiver, il faisait déjà sombre à l'extérieur. La porte du cagibi était entrouverte. De la cuisine éclairée provenait un rai de lumière. Les deux hommes étaient encore assis sur le sac de jute. L'avocat termina sa phrase. Compléta sa pensée. Dit enfin ce qu'il avait voulu dire avant que la musique de Mozart ait pris toute la place.

— J'ai entendu dire que c'était une jeune fille pleine de talent. J'ai vu des photos. Une très belle jeune fille, un peu rebelle, mais à cet âge elles le sont toutes, non ?

Et puis, il avait montré des photos de sa propre fille, de ses enfants, dont il n'avait pas la garde, tout avocat qu'il était. Et puis, le temps avait passé. Une belle qualité de silence. Et puis, des remarques générales sur le temps et la vie.

— C'est un peu épeurant, ça.
— Quoi donc ?
— Tout ce qui nous entoure.

Et, plus tard :

— Oui, c'est pour ça qu'on travaille. Enfin, pas seulement pour ça, mais…
— Tout ce vide autour de moi, dit Jean-Marie.

Puis l'avocat avait rangé ses documents. Il avait fermé sa mallette.

— Ça m'a fait plaisir de vous rencontrer. Vous n'êtes pas un homme ordinaire. Je ne sais pas pourquoi vous vous enfermez ainsi dans le mutisme le plus complet, mais je pense que je vous comprends. Je pense que je vous aime bien, même si je ne vous comprends pas. En fait, je ne sais pas ce que je pense. Je ne sais pas quoi penser. Vous me déroutez. Enfin, je vous laisse à votre vie, votre drôle de vie, et je vous souhaite bonne chance. Enfin…

Il se leva. Tendit la main à Jean-Marie. Répéta :

— Bonne chance, monsieur Lalonde.

N'ajouta pas longue vie mais le pensa. En fait, pensa surtout que ce pauvre homme, encore beau, encore fort, encore solide, ne ferait pourtant pas long feu, mais on ne sait jamais. Cela tenait à son attitude. À ce manque de vie dans les yeux. À la courbure de son dos, peut-être. À son teint verdâtre, il ne savait pas trop.

Jean-Marie se leva à son tour. Lui serra la main. Les deux hommes avaient les mains chaudes et moites et l'avocat songea qu'il était temps qu'il s'en aille.

Il y avait tant de choses encore que Jean-Marie aurait voulu demander. Et comment va Manon ? Et comment va Samuel ? Et comment va la terre en général ? Et l'humanité, comment se porte-t-elle ? Mais c'était beaucoup demander. Et, décidément, il n'en avait plus la force.

Il se replongea dans *Le Trou d'ozone* et rejoignit les personnages de Brauer sur leur îlot de glace.

28

Les années avaient passé. Jean-Marie avait maintenant quarante-cinq ans. Il n'avait pas beaucoup changé. Sa barbe était taillée, ses cheveux étaient propres. Vu de l'extérieur, il semblait toujours le même. Mais il était plus lent. Plus mesuré. Comme s'il se ménageait. Comme s'il y avait en lui quelque chose de précieux qu'il ne voulait pas perdre. Ce quelque chose, quoi que ce fût, il le répandait pourtant allègrement sur les murs, les étagères, les portes, les cadres de portes, les armoires, les moulures du plafond, sous forme de peinture comme s'il voulait laisser sa marque. Ainsi le café, peu à peu, avait pris l'allure d'une véritable œuvre d'art.

Ce matin-là, alors que Jean-Marie se regardait dans la glace des toilettes, il eut l'impression de voir un autre homme. C'était très étrange. Comme si le miroir se brouillait. Il se rappela s'être regardé de cette façon il y avait de cela bien des années. Mais, alors qu'à cette époque il n'avait rien vu, cette fois, des pans de son enfance se déroulaient devant lui.

Il se vit à la recherche de son père. Ce père qu'il n'avait pas connu. Il cherchait son visage. Comme s'il pouvait le trouver, là, au fond du miroir. Puis il vit son frère à côté de lui. Il le tenait par la main. Voyons, que faisaient-ils ce jour-là? Le jour où le père était parti. Ils dessinaient. Oui. Ils dessinaient tous les deux quand la colère avait éclaté. Quand les coups avaient explosé. Quand la mère était morte.

— Allez survivre à cela, dit tout à coup Jean-Marie dans son miroir.

Puis il versa des larmes et le miroir s'embrouilla. Les images devinrent de plus en plus floues, comme si le miroir ondulait, comme s'il s'était transformé en liquide. Il n'avait plus revu ses parents. Déplacé d'une famille d'accueil à une autre. En compagnie de son frère. Parfois séparés. Son père était-il encore derrière les barreaux? Il chercha dans le miroir. Ne trouva rien. Abandonna. Puis, alors qu'il se lavait les mains, il entendit des voix.

— Ce n'est pas une raison, disait Lily.

Oui. Sa fille. Et là, le visage grave de Samuel qui ne disait rien.

— Ce n'est pas une raison, répétait Manon.

Oui. C'était bien sa femme. Mais que faisait-elle là au fond de l'eau?

— Ce n'est pas ce que je voulais, dit Jean-Marie.

— Pourquoi? hurla Martin Lapierre.

— Pourquoi? dit Jean-Marie. Je ne sais pas.

Il parlait maintenant aussi fort que les voix qui hurlaient dans sa tête. Il parlait tout seul, à voix haute, comme un dément, dans le petit matin de mai, alors que les narcisses Dutch Master étaient en pleine floraison et trompetaient dans les sous-bois à l'extérieur du café.

— Nous en avons assez d'attendre après toi.

— Tu nous manques.

— Reviens!

— On se moque de toi!

— Tu as été remplacé : dans le café voisin, il y a un type encore plus fou que toi.

— Il fait les monologues du pénis.

— C'est beaucoup plus drôle.

C'était vrai. Alors que Jean-Marie s'invectivait face au miroir, un phénomène attirait les foules dans le café voisin.

— Ce que tu fais est inutile !

— À quoi ça sert ?

— Pourquoi tu te donnes toute cette peine ?

— Tu vas mourir de toute façon.

— Pour qui te prends-tu ?

— Pourquoi ? hurlait encore Martin Lapierre.

— C'est trop injuste.

— Oh mon Dieu !

Le miroir se brouilla. Apparut le visage noir et mouillé de Manon. Elle le regardait bien en face, sans émotion.

— Pourquoi ? demanda-t-elle.

— Je ne sais pas, lui dit Jean-Marie. Je n'ai pas d'explication à te donner. Mais c'est moi. Je n'y peux rien.

— Pourquoi ne me l'as-tu pas dit avant ?

— Je ne le savais pas, lui dit Jean-Marie. Je ne le savais pas avant.

Il se fit tout à coup dans la pièce un silence. Comme si le temps était suspendu.

— Excuse-moi, dit Jean-Marie. Je ne voulais pas te blesser. Je ne voulais pas te faire de mal. Je ne voulais pas...

— Ça va, j'ai compris, dit Manon. Maintenant, ça n'a plus d'importance. Tu sais... Tu ne sais pas ?

— Non.

— Ça ne fait rien. Tu ne tarderas pas à le savoir...

Puis plus rien. Enfin, plus d'image: dans le miroir, Jean-Marie voyait son visage. Et une toute petite voix encore, celle de Manon, qui s'éloignait:

— Je te pardonne, Jean-Marie.

Cette fois, plus rien. Plus d'image. Plus de son. Jean-Marie devant son miroir, seul et vide.

— Seul et vide, dit-il.

Il recula jusqu'à toucher la paroi de métal de la cabine, s'appuya dessus pour se laisser descendre jusqu'au sol, appuya sa tête lourde sur un genou comme dans *Métamorphose de Narcisse* de Salvador Dali.

— Seul et vide, répéta-t-il.

Et dans la cabine répondit, comme en écho, la voix de Méo:

C'est à vous tous que je fais appel
Ô beaux Visages de mon passé
C'est à vous tous et à chacun de vous

Jean-Marie rampa en direction de la voix. Il poussa la porte de la cabine, mais Méo ne s'y trouvait pas. À la place, il y avait sur le couvercle de la cuvette un petit livre violet décoré d'une huile sur toile d'Alfred Pellan aux couleurs fantasmagoriques. Jean-Marie s'empara de la plaquette et s'assit sur le siège de la cuvette. Il ouvrit le livre et poursuivit la lecture.

Je fais appel à vous tous du fond de mon exil
Je ne vous avais trahis que pour une nouvelle blessure
Je ne vous avais trahis qu'une fois
Je ne vous avais trahis que pour une cicatrice ancienne

Mais plus que vous j'ai saigné de mes abandons
Et cette dure faim d'un plus mortel plongeon
Je l'ai nourrie des mille mains de mon épouvante

Avait-il vraiment entendu la voix de Méo? N'était-ce pas lui qui lisait, qui avait lu à voix basse? N'était-ce pas lui? Méo n'était plus dans le café depuis longtemps. Il avait dû laisser traîner ce livre-là comme il faisait pour tous les livres de poésie qu'il s'avisait de lire. Méo travaillait-il encore au Café Mollo? Jean-Marie ne le savait pas. Beaucoup de choses lui avaient échappé depuis quelque temps, quelques mois, quelques années.

Il aurait pu continuer sa lecture, mais il entendit du bruit. Non, ce n'était pas Méo qui ouvrait les portes. Ce devait être Juliette Alzaco. Elle arrivait toujours de très bonne heure pour confectionner ses scones, biscuits, gâteaux et autres pâtisseries. C'est elle qui viendrait passer l'aspirateur dans les toilettes.

Jean-Marie songea à Gustave Paulig. Il avait entendu dire que le Finlandais enseignait les mathématiques ou la physique dans un cégep de la région. Mais était-ce la vérité? Il avait terminé ses études en tout cas. Oui. Quel âge devait-il avoir? Vingt-huit ans. Peut-être plus. Jean-Marie ne le savait pas. Et Laura, qu'était-elle devenue, celle-là?

Curieusement, Jean-Marie s'en inquiétait. Cherchait-il à retenir quelque chose du passé? Cherchait-il à rattraper le temps perdu? Ces images dans la glace avaient-elles provoqué en lui un bouleversement tel qu'il cherchait à se rappeler toutes ces années? Avait-il perdu la mémoire pendant tout ce temps? Avait-il perdu la notion du temps? Jean-Marie, comme dans un ancien réflexe, regarda son poignet gauche. Sa montre n'y était pas. Sa montre… Avait-il eu une montre ou tout cela n'était-il qu'illusions? Il chercha à se rappeler. Voyons, Laura Lamer, Laura Lamer, c'était cette jeune fille qui ressemblait à la Madone de Léonard de Vinci. Eh bien, elle vivait en Ontario, elle avait vingt-neuf ans, elle venait d'avoir un enfant. Elle allait bien. Elle écrivait même de temps à autre. Au début. Enfin, il lui semblait qu'elle écrivait. Ils recevaient des lettres au Café Mollo. C'était tantôt Luigi tantôt Tony qui les ouvraient. Des lettres de Laura.

— Oui, oui, oui, disait Jean-Marie à haute voix.

Elle lui avait servi de modèle.

— Laura Lamer, bien sûr.

Et puis il pensa à Magdalena. Tout lui revenait d'un coup. Il avait lu Shakespeare avec elle. Après des études en théâtre, elle avait décroché un petit rôle dans un téléroman. Jean-Marie ne l'avait jamais vu jouer au petit écran, mais il en avait entendu parler. Elle était venue annoncer la nouvelle au Café Mollo. Dieu qu'elle était belle! pensa Jean-Marie. Quel était donc ce passage de Shakespeare qu'il avait lu? Cela concernait la jeune Ophélie.

Tout auprès d'un ruisseau un saule se penche
Qui mire dans les eaux son feuillage gris,
C'est là qu'elle est allée tresser des guirlandes

Non, ce n'était pas ce passage. Jean-Marie scruta en vain sa mémoire. Elle lui avait remis le livre. Il trouverait. Enfin, il chercherait. Le livre devait être dans son capharnaüm sous quelque toile, au fond, quelle importance maintenant? Quelle importance? Il se rappela son ami Martin qui avait essayé d'ouvrir la porte. Qui l'avait sermonné. Qui l'avait menacé. Son ami Martin Lapierre qui s'était remarié avec Manon

Beauregard. Ses enfants qu'il avait adoptés. Ses propres enfants. Qui n'étaient plus les siens. Comment tout cela avait-il pu se produire? Pourquoi? Là, le silence, décidément. Oui. Tout cela s'était produit. Tout cela avait eu lieu. Comme à son insu. Malgré lui. Tout avait eu lieu. Tout était consommé. Et pourquoi? Pour ces quelques toiles. Pour ces quelques tableaux. Pour cette œuvre que personne ne regardait. Que personne à sa connaissance n'appréciait vraiment. Jean-Marie referma le livre de poésie. Il le regarda un instant comme si c'était la seule chose au monde qui lui restait. C'était peut-être la seule chose au monde qui lui restait. Méo n'était plus là pour lui lire les poèmes. Combien lui en avait-il lu, ainsi, tandis qu'il se regardait dans le miroir? Combien? Et Méo était parti. Tout cela était si loin maintenant. Que restait-il? Quelques livres ici et là. Quelques disques. Jacob K. était parti avec la musique classique. Les œuvres de Mozart. Il y avait aussi ce fameux *Night Train* d'Oscar Peterson sur lequel, une nuit, Jean-Marie avait dansé. Oui. Jacob K. était parti. Et tous les autres, tous les autres dansaient autour de lui une sorte de danse macabre: Micheline Brûlé, Olivette Michaud, Robert Langelier, Éloi Bélanger, Arthur Simard, tous ces gens, tous ces visages, toutes ces images tourbillonnèrent encore un moment dans sa tête, puis furent balayées par le vent quand Juliette Alzaco ouvrit la porte des toilettes pour y passer l'aspirateur.

C'est à peine si elle le vit s'esquiver, à peine si elle le remarqua. Il y avait bien longtemps qu'on ne prêtait plus attention à lui. Il y avait bien longtemps qu'il faisait partie du décor. À peine une ombre. Un meuble. Un objet.

Il se réfugia dans le cagibi comme il le faisait tous les soirs.

La nuit venue, il alluma une bougie comme il avait fait la première nuit et il regarda les toiles autour de lui. Toutes ces couleurs. Tous ces personnages extraordinaires qui ornaient les murs de son repaire. Toutes ces couleurs s'animaient. Toutes ces couleurs se décomposaient et il ne savait plus quelle était la part du rêve et celle de la réalité. Ce qu'il faisait là? Il ne le savait pas. Il ne l'avait jamais su. Mais il lui venait encore des idées pour le plafond du deuxième étage. Pour les moulures. Pour le plancher.

À la lumière dansante de la flamme, il imagina un autre monde. Il imagina quelque chose de plus beau, de plus lumineux, de plus grave, de plus profond, de plus fort. Il imagina un sentier, une piste, quelque chose qui le conduirait autre part. Quelque chose d'inaccessible, quelque chose qu'il n'avait jamais vu.

Toutes ces couleurs se décomposaient. Toutes ces images ne voulaient plus rien dire. Il y avait autre chose. Il lui fallait trouver autre chose. Il n'était pas loin.

Oui, Jean-Marie le sentait.

29

— Voilà, voilà, voilà, disait-il. Des taches de pluie partout sur le plancher. Comme si on l'embrassait. Comme s'il n'y avait que ça sur le monde. Des taches de pluie. Des taches de couleurs. Des gouttes.

Il s'était glissé sous les rayons infrarouges du système d'alarme qui zébraient le café dans tous les sens. Là, le dos penché, courbé, cassé, pour éviter les rayons, il saupoudrait ses gouttes de peinture verte, jaune, orange, rouge, il traçait son chemin à travers son âme. Il avait déjà peint le comptoir, les contenants à café, les verres, les tasses, l'escabeau qui lui avait servi à peindre les plafonds, il avait enjolivé le tableau noir du menu, les miroirs, les vitrines, les glaces courbes du réfrigérateur, les lampes de verre poli, les jeux d'échecs, les jeux de dames, les tables, les chaises, il n'y avait pas grand-chose qui avait échappé à son attention. Il en était rendu au plancher. De toute façon, à peindre tous ces objets, ses derniers pinceaux y étaient passés. Il ne lui restait plus qu'une sorte de boîte en fer-blanc, trouée, qu'il agitait au gré de son inspiration au-dessus du sol. Il devait travailler la nuit, alors que le café était silencieux, calme, mais surtout, bien entendu, vide. Il ne se demandait pas quelle serait la réaction de Luigi. Ce dernier avait poussé les hauts cris quand Jean-Marie s'était mis à peindre les objets, puis il s'y était habitué. Il en serait de même cette fois-ci. Oui, oui, tout cela est bon pour le commerce. Tout cela est bon. La peinture zébrait le plancher. Faisait apparaître des étoiles là où il n'y avait que des débris, faisait apparaître la lumière des astres là où il n'y avait que poussières. Le sol se transformait, bougeait, dansait, courait comme une étoile filante, tombait comme une pluie de météores. À la lueur de la pleine lune, Jean-Marie secouait sa boîte, répandait la peinture, la couleur, la vie.

— Ici et là, disait-il. Il y aura un monde et puis un autre. Nous serons tous là. Nous mangerons tous ensemble. Nous serons heureux. Nous serons heureux, répétait-il dans la pénombre. Il y aura des lumières dans le ciel. Partout. Des feux d'artifice.

Sa voix résonnait dans le silence. Sa voix résonnait. Sa propre voix. Dans le silence.

— Nous serons heureux, répétait-il.

Et puis le plancher du premier étage fut couvert de peinture. Lui-même était passablement barbouillé. Il s'assit enfin par terre, dans la peinture, et appuya son dos contre le comptoir. Là, les jambes allongées, écartées, il déposa sa boîte en fer-blanc dégoulinante sur un large morceau de papier journal. C'est en faisant ce geste qu'il aperçut la photo. Cela ressemblait à une image qu'il avait vue dans son livre d'art. *Le Baiser*, de Gustave Klimt. Puis, en soulevant le papier à la hauteur de ses yeux, il vit une reproduction de John Everett Millais, *La Mort d'Ophélie*, comme celle qui ornait la couverture de son livre de théâtre, *Hamlet*, de Shakespeare, dans la collection Folio, que Magdalena lui avait donné. Mais, à bien y regarder, il ne s'agissait pas de cela non plus. Ce n'était pas une peinture. Ce n'était pas une reproduction. Il s'agissait bel et bien d'une photo. Une photo qui représentait la réalité. À la lueur de la lune, Jean-Marie pouvait maintenant constater qu'il s'agissait d'une personne morte. On l'avait prise en photo alors qu'elle gisait dans le fond de sa piscine, avant de la remonter à la surface. C'est du moins l'impression qui s'en dégageait. Une personne morte. Morte noyée. Jean-Marie approcha encore un peu plus le journal si, du moins, cette chose était possible. Il tenta de lire la date. Voyons. Cet événement avait eu lieu quelques semaines auparavant. Les images se bousculèrent dans sa tête. Il eut un haut-le-cœur. L'espace d'une seconde, son corps au grand complet fut couvert de sueur : il venait de lire ce qui était écrit. Non ! Il tenta de se lever. C'était trop horrible. Cela ne se pouvait pas. Jean-Marie se leva enfin, tituba dans la pièce. Colla le papier journal dans la fenêtre du café et là, par transparence, lui apparut la vérité. Les lettres noires se détachaient du papier et venaient s'imprimer dans son esprit. Il eut beau lire et relire pour chasser la vérité, elle s'imprimait dans son esprit, ne lui laissait aucun espoir, aucun espace pour le doute. Tout cela était bien réel. Tout cela était bien arrivé. Il était trop tard. Pourtant, encore une fois, Jean-Marie lut l'article.

En se levant puis en courant à la fenêtre, Jean-Marie était passé à travers les rayons infrarouges et il avait déclenché le système d'alarme. Les sirènes, immédiatement, s'étaient mises à hurler, mais Jean-Marie ne les avait pas entendues. Ce qui rugissait dans sa tête était beaucoup plus fort et enterrait les manifestations extérieures. C'est donc dans une cacophonie de rugissements et de hurlements que Jean-Marie s'échina à relire la nouvelle épouvantable qui lui arrachait les yeux et lui faisait pousser des cris de rage.

Drame saugrenu et horrible

Un drame saugrenu et horrible s'est produit la nuit dernière dans une résidence de Label alors que la propriétaire d'une magnifique maison de pierre s'est noyée dans sa piscine creusée en voulant retirer des algues qui flottaient à la surface de l'eau verdâtre.

Magnifiquement ombragée, la propriété abrite une famille composée de deux adultes et de deux enfants. Le père de famille, Martin Lapierre, est consterné par la nouvelle. Jamais il n'aurait cru que sa femme, Manon Beauregard, pût glisser ainsi sur le rebord de la piscine recouvert de résine de synthèse.

Selon les policiers de la Sûreté du Québec, elle aurait fait un faux mouvement et se serait frappé la tête sur la rocaille artistiquement disposée le long de la piscine avant de plonger à l'eau.

C'est l'un des enfants du couple, Samuel Lapierre, âgé de quinze ans, qui aurait fait la macabre découverte. Sa sœur aînée, Lily Lapierre, âgée de vingt-deux ans, n'habitait plus à la maison familiale depuis quelques années.

Fait étonnant, Manon Beauregard, âgée de quarante-cinq ans, était l'ex-femme de Jean-Marie Lalonde, l'homme-café, le phénomène qui s'est enfermé dans le Café Mollo, il y a sept ans aujourd'hui. L'histoire avait fait beaucoup de bruit à l'époque et j'avais moi-même interrogé le phénomène pour le Pub Info.

On se souviendra également des démêlés du propriétaire avec le journal à sensations Salut Coquette *et des poursuites qu'il avait intentées contre ledit journal et son représentant, Michael Boudart, lesquels avaient dû payer une rondelette somme d'argent à son propriétaire, l'Italien Luigi Alzaco.*

Le phénomène de foire, Jean-Marie Lalonde, a, depuis, complètement disparu de la circulation.

Mentionnons également, en terminant, que Manon Beauregard, repêchée dans les eaux troubles de sa piscine, avait divorcé de Jean-Marie Lalonde quatre ans après le début de cette aventure et s'était remariée avec son conjoint actuel qu'elle laisse dans le deuil. Quant à Martin Lapierre, qui avait adopté les deux enfants de Jean-Marie Lalonde et qui leur avait donné son nom, il est inconsolable.

La dépouille sera exposée à la résidence funéraire La Rocaille de Label le 17 juin de 14 h à 16 h et le 18 de 13 h à 15 h.

Quand Jean-Marie retrouva son souffle et qu'il put s'arracher à cette feuille de papier, il prit conscience que ça hurlait autour de lui, il s'aperçut du son strident qui bourdonnait dans ses oreilles et, en titubant, plus mort que vivant, il se précipita vers les toilettes des hommes. Comme il n'avait pas couru depuis fort longtemps, il manqua d'oxygène, les muscles de ses cuisses le laissèrent tomber et, tout pantelant, il s'écroula contre la porte des vécés. Se releva, tout de même, après un moment, ouvrit la porte et se pencha au-dessus de la cuvette, dans laquelle il vomit. C'est à ce moment que la voiture de police fit irruption dans le parking, gyrophare allumé.

Vue de l'extérieur, la scène avait de quoi surprendre. Deux policiers en uniforme bleu marine entouraient un homme à moitié dévêtu, barbouillé de couleurs vives, assis à même le sol des toilettes, les bras le long du corps, et qui pleurait.

— Nous serons heureux, disait-il en signe de dérision, nous serons heureux...

Mais de qui parle-t-il? Et à qui? Les représentants des forces policières se regardaient, ne sachant pas trop quelle attitude adopter.

— Que faites-vous ici, monsieur? Monsieur!

Mais Jean-Marie ne répondait pas.

On finit par comprendre toute l'histoire, d'autant que Luigi se pointa pas longtemps après et qu'il rassura les agents de la paix. C'était une fausse alerte. Il n'y avait pas de voleur dans le commerce, seulement un homme qui ne savait plus ce qu'il faisait, qui répandait de la peinture sur le sol d'une façon désordonnée, et on allait d'ailleurs avoir à ce sujet avec lui une petite explication. Les policiers ne se firent pas prier pour quitter les lieux.

Après leur départ, Luigi fut à même de constater les dégâts: sur le sol d'un noir d'encre, on pouvait suivre la course des étoiles, l'étendue de l'Univers, qui rayonnait d'une lumière multicolore. Il y avait aussi d'autres pistes qui menaient à une caverne, sorte de grotte de Lascaux où était peinte une sorte d'éléphant, en tout cas un animal étrange. Puis, en regardant mieux, on s'apercevait qu'il s'agissait plutôt de la Grande Ourse. Comme si Jean-Marie avait reproduit sur le sol les constellations de l'hémisphère boréal, bref, un désastre.

— Vous allez me remettre toutes les choses à leur place! lui cria Luigi. Les étoiles, les planètes, sont faites pour aller dans le ciel! Pas sur la Terre! Pas sur le sol! Pas sur mon plancher! Vous allez me nettoyer tout ça!

Puis, après un moment, il se dirigea vers les portes de son commerce pour vérifier si elles étaient bien verrouillées. Il revint en contenant à grand-peine son envie de hurler.

— Écoutez, reprit-il. J'ai été très patient avec vous! Je comprends que vous êtes un artiste et que vous faites de belles choses. Mais là, vous dépassez les bornes. On ne peut pas mettre tout sens dessus dessous comme vous faites! C'est le monde à l'envers! Ça ne se fait pas! C'est bien de peinturer les tablettes. C'est bien de peinturer les armoires. Les clients aiment ça. Ils trouvent ça joli. Ils trouvent ça original. Mais là, vous allez trop loin.

Puis, après un moment pour reprendre son souffle:

— Je n'ai rien dit pour l'escabeau. Pourtant, on l'avait dans les jambes. Vous croyez que c'était amusant pour les employés quand l'escabeau était au milieu du chemin pendant que vous peinturiez le plafond au deuxième étage? Je n'ai rien dit. Mais le sol, là, c'est non! Est-ce que c'est bien compris? J'en ai assez! Et puis d'abord, je ne vous achète plus de peinture. On verra bien comment vous vous débrouillerez. Voilà. Assez, c'est assez!

Puis, comme il avait encore quelque chose sur le cœur:

— Je ne veux plus vous voir sortir du placard la nuit! Vous faites partir le système d'alarme. Vous avez beau vous pencher, vous voyez ce que ça déclenche! Vous voyez ce que ça provoque! Vous pensez que c'est agréable pour moi de me lever en pleine nuit pour admirer vos foutues étoiles? Putain! Je veux bien vous garder, mais discret, hein, je ne veux plus vous voir! Je ne veux plus vous entendre! Est-ce que c'est clair? Est-ce que c'est bien compris?

Jean-Marie ne disait rien. Il n'avait pas la force de parler. Il n'avait pas la force de bouger. Il n'avait pas la force de penser. La douleur était trop forte. Il était assommé et rien au monde n'aurait pu le tirer de sa torpeur. Après un moment, Luigi poussa un long soupir.

— Bon. Je vais brancher le système. Je vous demande seulement de ne pas bouger jusqu'à demain. Hein ? Pas de folie. Du calme. Restez à votre place. Et ne bougez pas. Ne bougez surtout pas.

À la suite de quoi, il éteignit toutes les lumières et brancha le système d'alarme.

30

Deux ans plus tard, Jean-Marie ne s'était toujours pas remis de la mort de Manon. Il se sentait responsable. Coupable. Il se levait pour se doucher, pour manger un morceau, mais ses déplacements se limitaient à peu près à cela. Comme le lui avait ordonné Luigi, il ne quittait plus le cagibi la nuit venue, une fois que l'on avait branché le système d'alarme, si bien que sa vie était devenue passablement monotone. Il ne s'en plaignait pas cependant. Semblait ne manquer de rien. À part la peinture, dont il était privé. Il dut gratter, à même le sol, la pâte noire qu'il diluait dans l'eau, ce qui donnait une sorte de gris-bleu qu'il appliquait le long des fenêtres pour les enjoliver. C'est au cours de l'une de ces applications de peinture diluée qu'il fixa le soleil un peu trop longtemps et perdit l'usage de la vue pendant quelques jours. Puis, quand il la recouvra, les images et les couleurs lui parurent embrouillées, floues, confuses.

Dans un trou noir était Jean-Marie. Un trou d'où il ne pouvait sortir. C'est alors que lui vint l'idée d'appeler chez lui. Chez lui… Il n'avait plus de chez lui depuis bien longtemps, mais, tout de même, il pouvait téléphoner. Il pouvait sortir, oui, et appeler. Voyons. Quel âge pouvait avoir Lily? Vingt-quatre ans. Vingt-quatre ans!

— Voyons, voyons, se disait-il, et Samuel? Dix-sept ans. Dix-sept ans! Voyons, c'est impossible!

Là-bas, sur sa planète, entouré de ses peintures, Jean-Marie chercha à se lever. Aussitôt debout, les toiles tournèrent autour de lui. Il avança en chancelant et, quand il poussa la porte, la lumière aveuglante de la cuisine lui transperça les yeux. Comme une ombre, il se faufila dans la pièce parmi les employés qui vaquaient à leurs occupations; puis il poussa la porte à battants et pénétra dans le café qui était bondé, se faufila entre les tables, les chaises, les clients, la fumée de cigarette qui le fit tousser, s'époumoner, s'arracher les entrailles; puis, après avoir pigé un vingt-cinq sous dans le bol près de la caisse, il atteignit le vestibule. Il était entre les deux portes comme dans un sas de décompression. Là, seul, face à lui-même. Là, seul, face au téléphone qui semblait le narguer. Cet appareil, sorte d'excroissance de métal et de plastique noir... Ou gris. Était-ce noir? gris? Jean-Marie ne voyait plus la différence. Il avait une sorte de voile devant les yeux. Sorte de chute d'eau, de cascade, de cataracte.

— Voyons, voyons, voyons, répétait-il inlassablement.

Il ne se rappelait plus le numéro de téléphone. Son propre numéro. Il y avait trop longtemps de cela. C'était dans une autre vie. Était-ce une autre vie, d'ailleurs? une vie parallèle? Jean-Marie vit le bottin. Il souleva l'énorme annuaire recouvert de plastique noir ou gris, ne voyait plus la différence, et le déposa sur sa base d'aluminium; chercha son nom. Son nom! Se souvenait-il de son nom? Se souvenait-il de lui? Son index parcourait les pages, les listes de noms propres, les prénoms. Tout cela était écrit si petit! Et tout était embrouillé! Lalande... Laliberté... Lallemand... L'Allier... Lalonde! Voilà! Lalonde. Il chercha... Jacques, Jasmin, Jean, Jean-François, Jean-Paul...

Jean-Paul. Il regarda mieux. Mais non. Il n'y avait plus de
Jean-Marie. Il fallait s'y attendre. Il n'était plus là. Il tourna les
pages. En déchira une sur toute sa longueur mais arriva à
Lapierre, Martin Lapierre, il trouverait bien. Martin Lapierre !
Il était bien là. Son ancienne adresse. Son ancien numéro de
téléphone. Cela lui revenait maintenant. Il le reconnaissait.
C'était bien lui. Oui. Et, avec le numéro, un tas de souvenirs,
de réminiscences du passé. Ainsi, il était encore là. Est-ce que
Samuel… Samuel ! Et, tout à coup, il fut submergé d'une
vague de remords, d'une peine profonde, infinie. Samuel, son
petit gars, son garçon, qui devait avoir dix-sept ans. Dix-sept
ans ! Que pourrait-il lui dire après toutes ces années ?
Qu'avait-il à lui dire ? Ils n'avaient rien construit ensemble.
Ils… Ils n'avaient jamais parlé ensemble. À quoi bon faire cet
appel ? Le bruit dans le café était assourdissant et dehors, de
l'autre côté de la vitre qui le séparait du dehors, tout était
glacé. C'était l'une de ces journées de janvier où le ciel est
immobile, où la terre cesse de respirer, de vivre, pour attendre
on ne sait quoi. Une sorte de fin du monde. Oui. Tout était
glacé. Tout était mort. Plus rien ne bougeait. Les voitures
circulaient dans un silence de glace. Et Jean-Marie, entre les
deux portes, perdu entre le tumulte et le froid, le silence et la
fureur, ne savait que décider.

Et puis, il se produisit une chose assez extraordinaire ; là,
à l'horizon, comme venant d'une autre galaxie, enfin, d'un
autre pays, en tout cas, dans ce froid épouvantable, dans ce
froid d'hiver, apparurent quelques oiseaux. Que faisaient-ils
là ? Étaient-ils égarés ? Jean-Marie les voyait se dessiner à la
fenêtre. Envahir toute la fenêtre du vestibule et le regarder de
leurs gros yeux noirs ; et, tout ce qui, auparavant, lui avait
semblé absurde lui parut tout à coup plein de sens, d'une

remarquable simplicité, d'une évidence fulgurante. Bien sûr, il pouvait téléphoner. Il pouvait tenter de joindre son fils, sa fille. Pourquoi pas? Il était leur père après tout. Il les avait nourris. Il n'avait peut-être fait que cela, mais du moins il l'avait fait! Il décrocha le gros combiné noir. Introduisit sa pièce de monnaie dans l'orifice et composa le numéro.

Bonjour. Vous êtes bien chez la famille Lapierre. On n'est pas là pour le moment. Au signal sonore, laissez votre message. Merci.

C'était la voix de Manon. Claire. Précise. Ainsi donc, ils n'avaient pas effacé le message. Ils ne l'avaient pas remplacé après sa mort. Ainsi donc... Il en était ainsi. Jean-Marie tenait l'appareil fermement. Enfin, le plus fermement possible. Il écouta la tonalité. Tout cela se passait trop vite. Il aurait fallu qu'il dise quelque chose, là, tout de suite. Qu'il se décide! Il le savait. S'il ne parlait pas, il ne parlerait jamais. S'il ne disait rien, la machine n'enregistrerait pas et le message cesserait, enfin, la bande qui servait à enregistrer s'arrêterait d'un coup sec, il en était certain, et il serait trop tard. Jean-Marie, dans un élan de panique, prit la parole.

— Oui... C'est Jean-Marie... C'est papa...

Puis il s'arrêta. Se rendit compte, probablement, du ridicule de la situation. Car à qui était adressé ce message? Qui l'écouterait? Martin. Et que ferait-il? Il l'effacerait. Il avait déjà effacé Jean-Marie de sa vie, il n'allait pas se gêner! Il avait épousé sa femme, il avait adopté ses enfants. Et pourtant Jean-Marie ne se résignait pas à raccrocher. Il aurait voulu ajouter quelque chose, mais il ne savait plus quoi dire. Alors, sans trop savoir pourquoi, il récita quelques vers qu'il avait appris, enfin, qu'il savait par cœur, dont il se souvenait pour les avoir lus. Ainsi donc, il enchaîna sur la bande magnétique :

Ô mes beaux Visages avec un sourire triste
Ô vous tous ensevelis derrière les murs des chambres vides

Puis, se tournant vers le collage qui était là, juste devant lui, ce collage qu'il avait fait avec le poème de Grandbois qu'il avait découpé dans le livre violet :

Ô vous tous sur ce chemin perdu de mon passé
Je fais appel à vous de toutes mes blessures ouvertes
Et même si vous ne répondiez pas
Tout votre silence se dresserait soudain comme un grand cri
emplissant ma nuit

Puis, plus rien. Là, dans la cabine, il avait le souffle coupé, il n'avait plus de voix, plus de salive, plus rien. Il était là, tendu, immobile, le récepteur à la main, regardant vaguement devant lui les éclats de givre sur la paroi de la fenêtre. Il ne s'aperçut même pas que la machine avait cessé d'enregistrer. Il y eut un temps interminable pendant lequel il se perdit dans le bleu trop profond du ciel, trop clair, trop incertain. Puis, il avala. Retrouva un peu de salive. Et poursuivit :

— Voilà. C'est moi. Je suis fait ainsi. Je… J'ai voulu… J'aurais voulu vous aimer mieux. Je pense à vous. Je pense à vous deux. Je… Ce que j'ai voulu… Je ne sais pas. Toutes ces toiles… C'est pour vous.

C'est tout ce qu'il put dire. Après il fut entièrement vidé. Il n'eut même pas la force de raccrocher.

Des gens sortaient du café en provoquant un courant d'air qui lui glaçait les sangs. Ainsi, entre les deux portes, balayé par le vent et la tempête qui sévissait dans son corps, dans son âme, il était comme paralysé, changé en statue de glace. Il attendit encore. Le café se vidait de sa substance. Il serait bientôt l'heure de fermer. Jean-Marie voulait éviter de croiser le regard de Luigi. Il voulait éviter ses reproches, ses recommandations. C'est pour cette raison, sans doute, qu'il fit un effort surhumain pour quitter le vestibule. Bousculé par les derniers clients, il longea le mur, il longea l'étroit couloir qui menait à la cuisine. Ce couloir qu'il avait emprunté quand il était encore jeune. Jeune. Avait-il été jeune un jour? Avait-il seulement été jeune? Avait-il eu une jeunesse? Oui, des couloirs, il en avait empruntés dans son adolescence, allant d'une famille d'accueil à une autre. D'un centre d'accueil à un autre. Avec son frère. Et puis il avait travaillé, très tôt. Il avait vendu des encyclopédies de porte en porte, des montres, des systèmes d'alarme, des meubles, toutes sortes de meubles.

Il avait pensé, se disait-il en avançant avec peine dans le couloir, qu'en travaillant, qu'en fondant une famille, il pourrait fuir son passé, sa misère, sa peine, sa désolation; mais son passé l'avait rattrapé. Son passé. Tout ce temps perdu. Il allait se réfugier dans son cagibi, son trou d'où il n'aurait jamais dû sortir, et attendre. Attendre qu'on le rappelât ou qu'on lui rendît visite, comme lorsqu'il était enfant et qu'il attendait, en vain, la visite de sa mère.

Oui, c'est cela, se disait-il en poussant la porte à battants. Elle viendra me voir dans mon lit et m'embrasser. Elle viendra me voir dans mon lit. Elle embrassera tout d'abord Claude, comme elle l'avait toujours fait, puis elle se penchera sur moi. Elle se penchera sur moi, oui, c'est cela.

— Et puis, disait encore Jean-Marie en entrant dans le cagibi, elle m'abriera, me couvrira de baisers et me racontera peut-être une histoire.

Jean-Marie laissa la porte entrouverte. Tony ferma les lumières dans le café et Luigi brancha le système d'alarme. À l'extérieur, le café, tout le café, baignait dans une lumière blanche, dans son écrin de nacre. C'était une nuit de janvier. Une nuit très froide. Une nuit glacée où tout craque de partout. Les bois, les branches, les clous. Tout.

Jean-Marie s'était donc réfugié dans son cagibi, sur son sac de jute. Il avait relevé quelques couvertures sous son menton, mais il n'arrivait pas à se chauffer, à se procurer quelque chaleur, à obtenir quelque réconfort.

Le silence autour de lui était épouvantable. Pour la première fois, peut-être, il le remarqua vraiment. Ce silence lui sembla beau mais, en même temps, implacable. Il tenta de l'analyser, en un sens, il tenta de l'écouter, de comprendre ce qu'il voulait dire. Rien, apparemment. Le silence se taisait. Plus un son. Plus un souffle de vie. Plus rien.

Dans le silence, Jean-Marie prononça encore ces quelques mots :

— Ça va trop vite. J'ai essayé de prendre le train. Mais ça va trop vite. Ça va beaucoup trop vite. Je voulais faire quelque chose d'utile. Quelque chose de beau. Oui. La beauté. Créer du beau. De la couleur. C'est important. Je croyais que c'était important. Maintenant je ne sais plus. Je crois… Je crois qu'il est temps que je parte d'ici.

Cependant il ne bougeait pas. Ses membres étaient ankylosés.

Il n'avait plus d'argent. Plus de vêtements. Plus de voiture. Que lui restait-il ? Vers quoi ou vers qui pouvait-il aller ?

Il n'avait plus de travail. Plus d'amis. Plus de femme. Plus d'enfants. Plus de parents. Pourrait-il recommencer sa vie? Pourrait-il repartir à neuf? Il se sentait diminué, affaibli, malade, d'une maladie étrange, qui semblait le gruger de l'intérieur. Alors, il tenta de trouver une explication. Il prit un morceau de papier, une feuille, une toute petite feuille qu'il arracha à son calepin et, maladroitement, avec ses mains qui tremblaient, avec ses doigts malhabiles, il esquissa encore quelques traits.

31

Ce matin-là, un beau matin de printemps ensoleillé, Jean-Marie avait perçu le cri d'oisillons au-dessus de sa tête. Il s'était levé avec peine, prenant appui sur ses avant-bras décharnés. Depuis un an, il avait beaucoup maigri. Il ne lui plaisait pas tellement d'aller à la cuisine, encore moins de puiser dans les grands réfrigérateurs quand Luigi y était et il y était souvent. Il fit un effort pour s'asseoir. Oui, c'étaient bien de petits cris d'oiseaux. Mais que faisait donc leur maman ? Elle ne les nourrissait pas ? Jean-Marie, par la fenêtre, crut voir le nid au ras du sol. Deux oisillons qui piaillaient. Où étaient les parents ? songea Jean-Marie. Puis, il eut l'idée saugrenue d'aller les rejoindre et, qui sait, de les nourrir. Aussi, malgré le vertige qui s'empara de lui, il se tint debout. Cette position ne lui était plus très familière. Il tituba. En tremblant de tout son corps, il s'achemina vers la porte qu'il poussa. Au fond de la cuisine, il y avait le réfrigérateur vertical. Il pouvait l'atteindre. Il lui suffisait de faire encore un effort. Il y avait du pain. Il le savait. Il n'avait qu'à ouvrir la porte et puis sortir, oui, sortir, la chose lui semblait possible.

— Voyons, voyons, répétait-il. Il n'y a plus de murs.

En fait, Jean-Marie ne voyait plus très bien. Il ne voyait plus la cuisine, en tout cas. Ce qu'il voyait, cependant, c'était ce petit réfrigérateur blanc, là-bas, tout au bout, mais le reste avait disparu. Il n'y avait plus de pièce, plus de murs, plus de plancher, plus de plafond, que l'espace, à l'infini, à l'exception de ce réfrigérateur. Et, tout à coup, il lui parut important de l'atteindre. Oui. Il devait absolument l'atteindre. Il devait ouvrir la porte, se saisir d'une miche, qu'il découperait et donnerait aux oiseaux. Ces deux oisillons qui hurlaient dans ses oreilles. Il devait les nourrir. Les couvrir de son affection. De sa chaleur. Oui, la chaleur. C'est exact. Il avait affreusement chaud. Son t-shirt était imbibé de sueur. Son pantalon de coton lui collait à la peau. La chaleur, oui.

Jean-Marie avança de sa démarche de pantin désarticulé dans ce paysage d'une austérité sans nom, sorte de fin du monde, sorte de paysage d'apocalypse. Il n'y avait plus de cadre. Il n'y avait plus que cette tache de blanc, là, tout au fond. On ne sait trop comment, il l'atteignit enfin. Toucha la poignée d'aluminium glacé. S'écrasa, le corps en entier, sur la paroi de l'appareil froid.

Dans un suprême effort, il tira sur la poignée et ce geste lui arracha le cœur. La porte ouverte. La petite lumière allumée. Il saisit son cœur à travers le coton. Tomba à la renverse en essayant d'agripper la miche. Par un hasard extraordinaire, il réussit tout de même à saisir le sac qui l'enveloppait et s'écroula au pied de l'appareil avec son trésor. Il s'écroula dans le silence le plus complet. Comme c'était une journée chaude et radieuse, les employés étaient sur la terrasse. Il devait bien y en avoir quelques-uns dans le café, derrière le comptoir, occupés à préparer les boissons et les sandwichs, mais la plupart, en effet, tout comme les clients, étaient à l'extérieur. C'était vraiment une très belle journée de printemps.

Jean-Marie, avec le peu de force qui lui restait, avait tout de même réussi à ouvrir le sac de plastique et, bien qu'il fût incapable de se lever, il avait la ferme intention de nourrir les volatiles. Il sépara la miche en deux, puis en trois, puis enfin l'émietta si complètement qu'il fut bientôt entouré de miettes de pain. Et c'est alors que se produisit l'événement : de sous la porte à battants, il vit s'approcher à petits pas Frédéric. Était-ce bien lui ? En réalité, Jean-Marie n'aurait su le dire, mais il lui plaisait de l'imaginer, et, après tout, pourquoi pas ? La chose était possible. Combien de temps vivent ces petites bêtes ? Jean-Marie n'en savait rien. Étendu de tout son long sur le sol, il regardait le passereau s'approcher de lui en faisant de petits bonds prudents sur ses pattes agiles. Puis, quand il fut à la hauteur de sa main, il s'immobilisa. Était-ce parce que, du fin fond de son abîme, Jean-Marie avait commencé à parler ? Est-ce que ce qu'il disait était seulement audible ?

— Je voulais apporter quelques miettes de pain... Prends, disait Jean-Marie. Prends, je t'en prie...

Ainsi Jean-Marie, après la mort de sa mère, le départ de son père, avait-il dit à son frère de manger, parce que, malgré tout ce qui arrive dans la vie, il faut toujours manger. Et il avait pleuré. Et les larmes avaient trempé le pain.

— J'ai... J'ai abandonné mes enfants, dit Jean-Marie au passereau. Je... Je le regrette. Je ne suis pas fier de moi, tu sais...

Puis, comme pour s'excuser, alors que le passereau ne bougeait toujours pas

— J'ai... J'ai appelé. J'ai laissé un message sur le répondeur. Tu ne sais pas ce que c'est un répondeur. Ça ne fait rien. Ils n'ont pas rappelé. Ils ne sont pas venus me voir. C'est ma faute. Je n'ai pas été capable de sortir. Tu sais, quand ma mère est morte, je me suis caché avec mon frère dans la garde-robe.

On était cachés derrière des caisses de carton. C'était une bonne idée, tu sais, parce qu'il ne nous a jamais trouvés. Il nous aurait tués nous aussi, tu comprends? Ne fais pas de mal à tes oisillons, mon petit... Ne fais de mal à personne... Puis, la douleur fut si forte qu'il fut incapable de parler. Il pensa: C'est drôle. Mon père a fait de la prison. Je pense qu'il a passé le reste de sa vie en prison. Il aurait quoi? Soixante-quinze ans aujourd'hui. Non, il est mort, c'est certain. Et moi, je vais le rejoindre. C'est fou. Quelle famille. Belle famille! Puis, il étendit le bras. Regarda l'oiseau droit dans les yeux. Pensa: J'espère que mes enfants s'en sortiront. Qu'ils auront une meilleure vie que moi. Tu sais, petit oiseau, que je leur donne tous mes tableaux. C'est vrai. Peut-être qu'ils n'en voudront pas. Tu as raison. Oui. Tu as probablement raison. Tu es plein de sagesse, toi. Tu es plein de sagesse. Quoi? Tu me demandes pourquoi j'ai fait ça? Toi aussi. Toi aussi, tu voudrais savoir? Quoi? Tu me demandes à quoi ça sert? Maintenant que je vais mourir, tu penses que je le sais, que j'ai une révélation? Petit oiseau, tu me déçois. Je n'en sais rien. Je ne l'ai jamais su. Il y avait... Tu sais, ce commentateur de la télévision qui me demandait... Il me disait: Est-ce que c'est une maladie? Peindre? Il avait probablement raison. Oui. C'est une maladie. Je ne vois pas autre chose. Tu vois autre chose? Tu crois que c'est utile à quelqu'un? que ça rapporte quelque chose, toi? Hein? Qu'est-ce que tu en penses? N'aie pas peur de me donner ton avis, petit oiseau. N'aie pas peur. Tu sais, je ne te mangerai pas...

Puis, Jean-Marie sourit. Ses traits se détendirent. Tous ses traits. Tous ses tourments s'évanouirent. Il se sentit soulagé. Presque exaucé, en un sens. Il attendait la réponse du passereau et il ne l'attendait pas. Tout cela lui semblait bien inutile.

Pourquoi? Pourquoi pas? Il était bien loin de toutes ces questions. Bien loin. Et il chantonna, tandis qu'il s'en allait, ces vers de Rimbaud, que Charlebois chantait justement à la radio:

Et j'irai loin, bien loin comme un bohémien,
Par la nature, heureux comme avec une femme

Et puis il pensa, toujours en s'en allant, à Méo DeLille qui lui avait fait découvrir Rimbaud, et tous les autres; à Jacob qui l'avait initié à Mozart; à Laura et à Magdalena qui étaient si belles et si talentueuses; à Solange; à Luigi et Tony; et à tous les autres; et à Manon; et à Martin; et à ses enfants; et il leur dit, peut-être dans sa tête, mais il dit quand même:

— Je les aime, petit oiseau. Tu sais, je les aime quand même. Je les aime.

Puis il mourut.

C'est ainsi que les choses se passèrent. Il rendit l'âme. Comme s'il l'avait empruntée. L'oiseau fut à peine surpris. Il picora la paume du défunt, en saisit les dernières miettes. Puis se promena autour d'un air nerveux, en jetant un œil inquiet vers la porte à battants. Puis, quand il fut rassasié et eut fait le plein de victuailles qu'il pouvait transporter, il s'éloigna à petits bonds rapides comme il était venu. Il traversa le couloir qui baignait dans la demi-clarté et s'envola. Des clients le virent passer au-dessus de leurs têtes sur la terrasse et s'écrièrent:

— Oh! Regardez le drôle d'oiseau!

— J'aimerais bien, tu sais, me rendre au bout de quelque chose. Me rendre au bout de moi-même.

Était-ce l'oiseau qui avait parlé? Était-ce l'âme de Jean-Marie? Était-ce possible? Il sembla, en tout cas, qu'il y avait encore des paroles dans l'air.

— Mes enfants…

L'oiseau passait devant le soleil.

— Ils veulent savoir de moi ce qui s'est passé…

Survolait le bâtiment.

— Il faut que je leur dise…

Atteignait son nid.

— Dans la cuisine. Maman était dans la cuisine. Couchée par terre. La porte du réfrigérateur était ouverte et… Il y avait une lumière jaune qui clignotait et… maman, maman, couchée sur le sol…

Nourrissait ses petits.

— Claude avait peur. Il y avait du sang qui coulait.

Nourrissait ses petits.

— Et maman sentait mauvais.

Nourrissait ses petits.

— On a mangé du pain. C'est tout ce qu'il y avait dans le réfrigérateur.

Il y eut un coup de vent. Une petite brise. Et l'on entendit encore :

— C'était l'hiver. Il y avait un sapin blanc dans le salon. Et la voiture blanche de papa s'est éloignée dans la neige. Tout était blanc.

Tout était blanc. Ces mots résonnèrent dans le café quand Joseph Massara poussa la porte à battants de la cuisine pour venir chercher un sac de grains. Dans la pièce, baignée d'une lueur blanche, reposait le corps de Jean-Marie. La porte du réfrigérateur était ouverte et Jean-Marie était recouvert de pain. Joseph tâta le pouls. Constata le décès. Se releva. Il referma la porte du réfrigérateur et se dirigea vers le café.

La nouvelle ne surprit personne, mais Luigi avait la voix altérée lorsqu'il fit venir l'ambulance. Il ne savait pas trop s'il avait de la peine ou s'il était soulagé. Il était soulagé. C'était devenu un poids. Quelque chose de vraiment incongru. Il avait tout de même bonne conscience : pendant plusieurs années, il avait nourri un artiste. Il l'avait fait vivre, tout de même ! Il y eut les ambulanciers. De la famille ? Ça se posait un peu là, comme question. Finalement, on dénicha, on ne sait trop comment, le nom de Martin Lapierre que Jean-Marie avait noté sur un bout de papier ainsi que son numéro de téléphone. On l'appela et les Alzaco furent plus chanceux que Jean-Marie : ils ne tombèrent pas sur le répondeur. Il y eut un attroupement. Les ambulanciers déposèrent le corps de Jean-Marie sur le brancard, ils le recouvrirent d'une couverture de laine grise, serrèrent les sangles de nylon et, après avoir surélevé la civière, ils la firent rouler vers la sortie. On se souvint de l'énergumène. On l'entoura en silence. Martin Lapierre arriva juste à temps pour voir partir l'ambulance. Il demanda où l'on conduisait Jean-Marie et les curieux furent assez aimables pour le renseigner.

Ensuite, chacun reprit ses occupations. On mit un peu d'ordre dans la cuisine. On jeta un coup d'œil dans le cagibi. Il y avait encore énormément de tableaux de toutes les grandeurs et une odeur diffuse quoique prenante de térébenthine. C'était sans doute cela qui l'avait achevé. Qui peut savoir ? En regardant toutes ces toiles, Martin avait un air ahuri. Comment cela se pouvait-il ? Lui-même n'avait pas remis les pieds dans le café depuis une dizaine d'années. Depuis cette fameuse altercation qui les avait séparés à tout jamais. Maintenant, il avait l'impression de comprendre un peu mieux son ami. Il prit le temps de visiter le café et fut ébloui par tant de beauté. Jean-Marie ne s'était pas contenté de peindre des tableaux, il avait fait du Café Mollo une œuvre d'art. Martin fut ému. En regardant une peinture représentant Manon à l'extérieur du café, la nuit, une femme qu'il avait aimée, il eut la gorge serrée, puis, après une longue lutte pour s'empêcher de pleurer, les larmes inondèrent son visage. Il y avait encore les enfants tout jeunes. Samuel. Lily. Et lui. Oui. Il était là, sur l'un des tableaux au deuxième étage, une raquette à la main, tapant sur un volant, perdant l'équilibre, s'empêtrant dans le filet; et, alors qu'un couple discutait à une table voisine, il éclata de rire, en séchant ses larmes avec la manche de sa chemise.

Il vivait seul. Lily était partie de la maison depuis longtemps et Samuel... Samuel venait juste de partir lui aussi. Il avait dix-huit ans. Il faudrait leur annoncer la nouvelle. Martin ne savait pas comment ils prendraient la chose. Il ne le savait vraiment pas.

Martin Lapierre s'occupa des funérailles. Après avoir rempli Jean-Marie de substances balsamiques, dessicatives et antiseptiques, on le plaça à l'intérieur d'un cercueil rembourré de satin et on l'exposa aux regards des curieux. Il y eut une cérémonie pendant laquelle le curé de la paroisse, Arthur Simard, déplora le départ de ce concitoyen exemplaire qui avait tant fait pour sa paroisse en donnant temps et argent. Il vanta les valeurs du défunt mais ne s'attarda pas trop sur son rôle de père de famille, d'autant que Lily et Samuel n'étaient pas présents. Le maire de la ville, Éloi Bélanger, dit regretter lui aussi le départ de l'un de ses administrés et annonça du même coup un projet conjoint avec le Café Mollo qui allait permettre d'honorer la mémoire de cet homme remarquable : ils allaient créer au Café Mollo une sorte de musée. Pour ne pas être en reste, le député de la région annonça, pour sa part, que le gouvernement du Québec allait débloquer un budget spécial, à même son enveloppe discrétionnaire, pour faire graver dans la pierre du café une plaque commémorative qui témoignerait du passage de Jean-Marie dans ce lieu devenu mythique. Luigi esquissa une sorte de rictus approbateur et Tony leva les yeux au ciel. Il y eut quelques applaudissements. Les journalistes prirent des notes. La scène fut croquée sur le vif et présentée au bulletin de fin de soirée. La renommée de Jean-Marie fut grande, l'espace d'un instant, puis, naturellement, il retomba dans l'oubli.

32

Par une chaude journée d'été, enfin, chaude mais humide, très humide, en fait il pleuvait ce jour-là, il pleuvait à boire debout, Samuel Lapierre entra dans le Café Mollo. Il poussa la porte de chêne et se réfugia dans le vestibule. Il remarqua le récepteur du téléphone qui pendait au bout de son fil métallique comme un serpent au bout de sa branche. Sans trop savoir pourquoi, il le replaça sur sa base. Remarqua, dans le support à journaux, différentes revues, dont une traitant de psychiatrie. Il y avait aussi un livre d'art, plus exactement un livre sur l'histoire de l'art. Quelques journaux, aussi, bien entendu. On y parlait de spectacles, de morts, de disparitions. Une jeune fille de la région triomphait dans une pièce de Shakespeare, un groupe de musiciens, imposant, jouait le *Requiem* de Mozart.

Samuel Lapierre, du haut de ses vingt ans, pénétra dans le café. Il était vêtu d'une veste de cuir brun, portait un jean bleu délavé. C'était un grand gaillard de six pieds. Il se dirigea lentement vers le comptoir. Remarqua que le bistrot était moderne. Il y avait, sur les murs, les traces de quelque chose. Comme si on eut retiré des tableaux. Mais il y avait aussi, partout, des dessins. Sur tous les murs. Des couleurs, des oiseaux, des formes lumineuses et jusqu'au plafond des étoiles. C'était un monde fabuleux. Samuel serra très fort le livre qu'il tenait à la main. *Les Îles de la nuit*, de Grandbois. Il s'avança vers le comptoir, un peu perdu, la tête à l'envers. Une jolie brunette, cachée derrière sa machine, une Astoria toute nouvelle, toute pimpante, lui demanda ce qu'il voulait. Samuel donna l'impression de revenir sur terre. Il se secoua et la fille lui sourit. Elle avait les dents blanches et un air malicieux. Il y avait aussi beaucoup de chaleur dans son regard et beaucoup de pétillement dans ses yeux noisette.

— Ça fait toujours cet effet-là, dit-elle.

— Ah oui, balbutia Samuel sans comprendre.

— La peinture, dit-elle.

— Ah oui, la peinture, dit Samuel.

— Qu'est-ce que tu prends? demanda la fille qui s'appelait Sophie et qui avait vingt ans.

— Un espresso, commanda Samuel sans expression, sans émotion, presque sans conviction.

— Ça marche! dit Sophie.

Et, tout en faisant bramer sa machine infernale, elle jetait un œil sur le gars qui lui plaisait. Il avait des yeux épouvantables, très noirs, très profonds, presque obscènes à force d'être noirs et profonds. Samuel, de son côté, n'était pas sans remarquer les aisselles, les bras agiles, la pointe des seins qui perçait à travers le coton de son t-shirt de fonction. Ne portait-elle pas de soutien-gorge? Remarqua les yeux aussi. Les mains. Les articulations. Les attaches, très fines. Les hanches, le bassin, la croupe qui ondulait.

— Voilà, dit-elle en posant la chose dans le plateau.

Samuel s'installa à une table du fond, isolée, une table ronde de marbre gris, dans la section des non-fumeurs, à côté de joueurs d'échecs ou de backgammon, il ne savait pas, ne remarquait pas. À côté de lui, sur le mur, il y avait une peinture qui le fascinait. La scène représentait le café à une autre époque, sous un autre éclairage, d'un beau jaune doré. Les personnages étaient colorés, plus grands que nature, disproportionnés, exubérants, attentifs, il ne savait trop à quoi. Ils étaient d'une autre époque. D'un autre âge. Quelle étrange peinture, songea Samuel. Quelle étrange et belle peinture. Il trempa ses lèvres dans le café, savoura la boisson, essuya la mousse qui couvrait ses lèvres rouges, épaisses. Sophie ne put résister et vint le rejoindre.

— Il est bon? demanda-t-elle.

— Très bon, dit-il.

— Je finis à cinq heures, ajouta-t-elle.

Puis elle tira sur la chaise.

— Je peux?

— Oui.

— Ouf! dit-elle. Je suis fatiguée. Il n'y a pas grand monde.

Elle voulait dire: je peux faire une pause. À ce moment-là, Samuel regarda une femme au visage ravagé qui fumait une cigarette blanche, très blanche, trop blanche. Une femme malade, mourante. Le bout de sa cigarette était rouge. D'un rouge incandescent. Sophie s'assit en silence. Puis, remarquant le trouble de Samuel:

— Tu aimes la peinture?

Samuel détacha son regard de la peinture murale.

— Je ne sais pas, dit-il.

Puis, après un temps:

— Je pense que je préfère la littérature.

— Ah oui, moi aussi! dit-elle.

Ils parlèrent de certains auteurs qu'ils aimaient bien. Puis :

— Faut que je te raconte quelque chose, dit-elle. C'est la première fois que tu viens ici ?

— Euh… dit Samuel. Euh… non. Je suis déjà venu, mais ça fait tellement longtemps…

— Avant, y a un gars qui est resté dix ans ici. Mais dix ans sans quitter le café, peux-tu croire ça ?

Sophie lui raconta toute l'histoire, que Samuel connaissait, bien sûr.

— C'est pour ça qu'il y a encore des dessins partout, dit-elle. Sur les murs, au plafond, dans les toilettes…

— Tu l'as vu ? lui demanda Samuel.

— Non, mais j'ai vu sa fille. Lily qu'elle s'appelle. Ben fine. Une belle fille aux cheveux noirs. Elle est venue ici l'année passée. Parce que c'est l'année passée que le gars est mort. Il a laissé tous ses tableaux à ses enfants, mais y paraît que c'est juste la fille qui en a voulu. La fille : Lily. Lily Lapierre, je pense. Une affaire compliquée. Lui il s'appelait… Attends un peu…

Elle se leva. Quand elle revint à la table, avec la revue *Collage* du Musée des beaux-arts de Montréal, Samuel avait terminé son café et la tête lui tournait.

— Jean-Marie Lalonde ! dit Sophie triomphalement. Tu vois ? Ses toiles sont exposées… attends… dans le pavillon Jean-Noël Desmarais. C'est toute une histoire. La fille est venue ici et elle a regardé les toiles. Ensuite, elle a organisé une exposition dans une galerie de Montréal, puis elle a fait une tournée à travers la province… «qui a connu beaucoup de succès…» Le directeur du musée a rassemblé trente-deux tableaux sous le titre *L'Homme-café*.

— Tu lui as parlé ? demanda Samuel.

— À qui ? À la fille ? Oui.

— Qu'est-ce qu'elle t'a dit ?

— Pas grand-chose. Qu'elle comprenait. Elle répétait souvent ça. Ensuite, elle a eu des problèmes avec le propriétaire du café parce qu'il disait que le testament n'était pas légal.

— Ah bon.

— Oui. Mais y a un avocat qui s'est chargé de l'affaire. L'avocat de la mère, je pense. Elle est morte. La mère. Ça fait longtemps de ça.

— Oui, dit simplement Samuel. C'est tout… C'est tout ce qu'elle a dit ?

— Non. Elle a dit aussi qu'au début elle le détestait. Son père, je veux dire. Elle le détestait. Elle l'a détesté beaucoup.

— Ensuite ?

— Ensuite… C'est là qu'elle a dit qu'elle comprenait. Ensuite, elle a dit une drôle de chose. Elle a dit quelque chose comme : il m'exaspérait. J'aurais voulu le tuer. Il ne voulait pas sortir. Mais toutes les images que j'ai de lui, les meilleurs moments que j'ai passés avec lui, je les ai vécus ici. C'est étrange, hein ?

— Oui.

— Ensuite, elle a fait son exposition. Elle a un bac en arts, je pense. Elle a étudié aux beaux-arts. Au musée, elle est commissaire pour l'exposition de son père. Au début les critiques n'étaient pas très bonnes. Y a même des journalistes comme Boudart, tu sais, *Salut Coquette*…

— Non, dit Samuel.

— En tout cas, lui y en a profité pour régler ses comptes avec le café en descendant Jean-Marie Lalonde dans son torchon…

— Je comprends, dit Samuel. C'est normal.

Puis, il se leva.

— Excuse-moi, dit-il. Je dois aller aux toilettes…

— C'est normal, dit Sophie en se moquant de lui.

Puis, comme il était seize heures trente et que Luigi lui faisait de gros yeux, elle retourna derrière la machine.

Samuel resta un long moment dans les toilettes. Quand il en sortit, son cœur était atteint. Il était ébranlé et n'était plus sûr de rien. C'est justement ce moment que choisit Sophie pour l'aborder dans le couloir.

— Tu veux voir son repaire? demanda-t-elle.

Samuel hésita sur le seuil, mais déjà Sophie poussait la porte à battants.

— J'ai fini pour aujourd'hui, dit-elle. J'ai un peu de temps.

Elle l'entraîna vers le cagibi.

— Tu vois, tout a été restauré. C'est comme un musée. Tout est exactement comme avant le jour de sa mort. On n'a presque rien touché. Sauf le testament. Ça fait enrager Luigi… Mais il a pas le choix, c'est quasiment classé monument historique, quasiment patrimoine national. De toute façon, Tony dit que c'est bon pour les affaires, alors…

Elle ouvrait la porte.

— Tu vois, les sacs de grains, au fond… La couverture…

Samuel avançait dans la pièce. Son cœur était broyé, ses larmes coulaient sans qu'il s'en aperçût. Sophie cessa de parler. Le cœur de Samuel donnait des coups sourds dans sa poitrine. Oui, c'était bien ça. C'était bien ici. Samuel se rappelait. Jean-Marie l'avait pris dans ses bras, lui avait raconté une histoire… Et tout à coup il vit, épinglées au mur, une série de petites feuilles de papier représentant l'histoire de l'éléphant qui avait perdu sa trompe. Et Samuel pleura. Et Sophie eut beaucoup de peine. Cela lui fit mal de voir ce grand gaillard pleurer. Après un moment, toutefois, Samuel se reprit en main. Sécha ses larmes.

— Elle ne les a pas emportés, ces dessins-là? demanda-t-il.

— Non, dit Sophie qui commençait à comprendre. Tu le connais?

Le cœur avait fondu. S'était liquéfié.

— Oui, dit Samuel après un temps interminable. C'est mon père.

Puis, plus rien. Que le silence. Par la fenêtre, on voyait la pluie tomber. Ils s'assirent un instant sur les sacs de jute. Remarquèrent des bouts de papier sur le sol, les ramassèrent. Ils n'eurent aucune difficulté à trouver du ruban adhésif, encore moins à recoller les morceaux. C'était le dessin de la famille de Samuel. Sa première famille, que Jean-Marie avait colorée puis qu'il avait déchirée, sans doute, par la suite. Samuel la punaisa sur le mur, à côté d'une sorte de bibliothèque.

— Paraît qu'il lisait beaucoup les derniers temps, lui dit Sophie.

— Ah, commenta Samuel.

Il retira pourtant de la poche arrière de son pantalon le petit livre mauve et le plaça à côté de l'exemplaire de Jean-Marie, qui faisait vraiment pitié, tout découpé en très petits morceaux.

Puis ils furent interrompus par une grande Allemande de dix-huit ans au nom bizarre qui vint découper un morceau de gâteau sur une table de bois. Elle salua distraitement Sophie sans remarquer que celle-ci était avec quelqu'un.

— Salut, Sophie!

— Salut, Joséphine!

— Excuse-moi pour le retard…

— Ça fait rien…

— Luigi va encore chialer…

— Ça fait rien.

Ensuite, il y eut Joseph Massara avec le seau d'eau sur roulettes, la vadrouille. Un employé vint accrocher son imperméable. Un autre vint chercher le sien.

— Bon. Sortons d'ici, dit Samuel. J'ai besoin de prendre l'air.

— Oui, ça sent la térébenthine, dit Sophie.

— Ça ne sent pas seulement la térébenthine, dit Samuel.

Ce qui était exact. Sophie décrocha sa veste de cuir. Et ils sortirent sous la pluie.

— Je te donne un *lift*?

— Si tu veux.

Ils étaient sous la pluie. Une pluie dense et monotone qui les trempait de part en part. Comme ils ne s'étaient pas donné la peine de refermer leurs vestes, ils étaient imbibés d'eau, leurs chemises collant à la peau. Ils se dirigèrent vers une vieille Chevrolet bleu poudre, dont les portières grinçaient abominablement.

Elle s'était rapprochée et leurs lèvres se touchaient, leurs bouches s'ouvraient, bref, ils s'embrassaient à qui mieux mieux. Ensuite, dans une sorte de raclement de lessiveuse toute rouillée, Samuel fit démarrer son engin et ils quittèrent le stationnement. On put les voir emprunter le boulevard et s'éloigner vers le nord.

Comme le ciel était très bas et très gris et qu'il montait de la terre une sorte de brume, on eut presque l'impression que le Café Mollo avait disparu. Qu'il s'était, pour ainsi dire, évaporé. La seule chose, peut-être, qui demeurait visible, c'était cette petite plaque commémorative à côté de la porte d'entrée, sur la façade du bâtiment, qui disait :

Ici a vécu, pendant dix ans, le peintre Jean-Marie Lalonde.

AGMV Marquis

MEMBRE DE SCABRINI MEDIA

Québec, Canada
2004